W ŚNIEŻNĄ NOC

JOHN GREEN
MAUREEN JOHNSON
LAUREN MYRACLE

W ŚNIEŻNĄ NOC

ŚWIĄTECZNE OPOWIADANIA O MIŁOŚCI

przełożyła
Magda Białoń-Chalecka

BUKOWY LAS

ISBN 978-83-64481-40-6 (oprawa miękka)
ISBN 978-83-64481-48-2 (oprawa twarda)

Projekt okładki: Mariusz Banachowicz
Redakcja: Renata Otolińska
Korekta: Iwona Huchla
Redakcja techniczna: Adam Kolenda

Wydawca:
Wydawnictwo Bukowy Las Sp. z o.o.
ul. Sokolnicza 5/76, 53-676 Wrocław
www.bukowylas.pl

Wyłączny dystrybutor:
Firma Księgarska Olesiejuk
Spółka z ograniczoną odpowiedzialnością Sp.j.
ul. Poznańska 91, 05-850 Ożarów Mazowiecki
tel. 22 721 30 11, fax 22 721 30 01
www.olesiejuk.pl, e-mail: fk@olesiejuk.pl

Druk i oprawa: Abedik S.A.

Spis treści

MAUREEN JOHNSON

Podróż wigilijna

Hamishowi, który nauczył mnie, jak sobie radzić na zaśniezonym stoku, mówiąc: „Jedź w dół bardzo szybko, a gdy coś stanie ci na drodze, skręcaj!”. I tym wszystkim, którzy cięzko harują za fasadą wszelkich korporacji, tym, którzy muszą trzy tysiące razy dziennie powtarzać „grande latte”, kazdej duszy, która musiała radzić sobie z zepsutym czytnikiem kart kredytowych w świątecznym szczycie... Wam dedykuję tę opowieść.

Rozdział 1

Była Wigilia Bożego Narodzenia.

A mówiąc dokładniej, wigilijne popołudnie. Jednak zanim wprowadzę was w wir akcji, muszę coś wyznać. Wiem z doświadczenia, że jeśli ta kwestia wypłynie później, zaskoczy was tak bardzo, że nie będziecie mogli skoncentrować się na niczym innym.

Otóż nazywam się Jubilatka Dougal. A teraz dam wam chwilę, byście mogli ochłonąć.

Bo jeśli powie się to wprost i od razu, nie jest tak źle, ale wyobraźcie sobie, że jesteście w połowie zajmującej historii (którą niedługo przedstawię), a ja nagle spuszczam na was taką bombę: „Tak przy okazji, mam na imię Jubilatka". Nie mielibyście pojęcia, co począć z tym fantem.

Wiem, że Jubilatka brzmi jak pseudo jakiejś striptizerki. Zapewne myślicie, że moją pasją jest taniec na rurze. Ale to nieprawda. Gdybyście mnie zobaczyli, od razu byście się domyślili (a przynajmniej mam taką nadzieję), że nie jestem striptizerką. Mam szesnaście lat i ciemne włosy obcięte na pazia. Czasami noszę okulary, a czasami szkła kontaktowe. Śpiewam w chórze oraz biorę udział w konkursach matematycznych, no i gram w hokeja na trawie, a sport ten bynajmniej nie kojarzy się ze zmysłowym wdziękiem i błyszczącym od oliwki ciałem, czyli z głównymi atrybutami striptizerskiego fachu. (Nic do nich nie mam, gdyby jakaś to czytała. Po prostu nie jestem jedną z nich. A moje obiekcje wobec tego zawodu budzi głównie lateks. Uważam, że może być niezdrowy dla skóry, bo nie przepuszcza powietrza).

Przede wszystkim przeszkadza mi, że Jubilatka to nie imię, lecz bohaterka jakichś obchodów. Nikt nie wie dokładnie jakich. Słyszeliście kiedyś, że ktoś urządza jubileusz? A jeśli tak, to czy byście na niego poszli? Bo ja nie. Kojarzy się z imprezą, na którą należy wynająć wielki nadmuchiwany zamek, obwiesić drzewa chorągiewkami, a potem wdrożyć skomplikowany plan usunięcia tony śmieci.

Jak się zastanowić, to jubileusz chyba może konkurować tylko z zabawą ludową.

Moje imię ściśle wiąże się z tą opowieścią, która, jak już wspomniałam, rozpoczęła się w wigilijne popołudnie. Był to jeden z tych dni, gdy czułam, że życie... po prostu mnie lubi. Egzaminy semestralne dobiegły końca, a do szkoły wracaliśmy dopiero po Nowym Roku. Siedziałam sama w domu, który wydawał się przytulny i bezpieczny. Miałam na sobie nowe ciuchy naszykowane specjalnie na ten wieczór: czarną spódniczkę, rajstopy, ogniście czerwoną koszulkę i nowe czarne buty za kostkę. Piłam latte z eggnogiem*, którą sama sobie przygotowałam. Zapakowane prezenty kusiły ułożone w zgrabny stosik. Wszystko to poprzedzało czekające mnie wielkie wydarzenie: o szóstej

* Tradycyjny angielski koktajl na bazie mleka, śmietany, jajek i cukru, a czasami również alkoholu (przyp. tłum.).

miałam pójść do mojego chłopaka Noaha Price'a na doroczny rodzinny wigilijny Smorgasbord*.

Doroczny Rodzinny Smorgasbord Price'ów to kamień milowy w historii naszego związku. To właśnie podczas zeszłorocznej imprezy zaczęliśmy ze sobą chodzić. Przed tamtym Smorgasbordem Noah Price był tylko gwiazdą na moim firmamencie… stałą, znaną, jasną, ale lśniącą daleko poza moim zasięgiem. Znałam go od czwartej klasy, lecz wyłącznie tak, jak zna się osobowości telewizyjne. Kojarzyłam nazwisko, oglądałam program. Oczywiście Noah fizycznie znajdował się nieco bliżej, ale z jakiegoś powodu takie osoby w realnym życiu wydają się nawet bardziej odległe i nieosiągalne niż celebryci. Bliskość wcale nie oznacza zażyłości.

Noah zawsze mi się podobał, lecz nigdy nie przyszło mi do głowy, by próbować poznać go bliżej. Takie pragnienie nie wydawało się rozsądne. Był ode mnie rok starszy, trzydzieści kilka centymetrów wyższy, szeroki w ramionach, miał piękne oczy i bujną czupryne. Był po prostu ideałem – sportowcem, naukowcem, szychą w szkolnym samorządzie – takim facetem, który w wyobrażeniu przeciętnej osoby umawia się wyłącznie z modelkami, tajnymi agentkami albo kobietami, na których cześć nazywa się laboratoria badawcze.

Zatem kiedy zaprosił mnie, bym wpadła na El Smorgasbord w Wigilię zeszłego roku, oczy niemalże wyszły mi z orbit ze zdumienia i z ekscytacji. Przez trzy dni po tym zaproszeniu chodziłam jak błędna. Było ze mną tak kiep-

* Przyjęcie w formie szwedzkiego stołu (przyp. tłum.).

sko, że zanim poszłam na przyjęcie, musiałam trenować chodzenie po linii prostej w swoim pokoju. Nie miałam zielonego pojęcia, czy Noah mnie zaprosił, bo mu się podobam, czy zmusiła go do tego mama (nasi rodzice się znali), czy dlatego, że przegrał jakiś zakład. Moi przyjaciele też byli podekscytowani, ale oni i tak rozumieli chyba więcej niż ja. Twierdzili, że Noah obserwował mnie na konkursach matematycznych, śmiał się, gdy usiłowałam żartować z trygonometrii, i pytał o mnie w rozmowach ze znajomymi.

To była jakaś paranoja. Cała sytuacja wydawała mi się tak abstrakcyjna, jakbym dowiedziała się nagle, że na przykład ktoś napisał o mnie książkę.

Gdy już dotarłam na miejsce, usadowiłam się bezpiecznie w kąciku i spędziłam większą część wieczoru na rozmowie z siostrą Noaha, która (choć ją uwielbiam) nie jest zbyt głęboka. Według mnie nie da się powiedzieć zbyt wiele o ulubionej marce bluz z kapturem, zanim konwersacja zabrnie w ślepą uliczkę. Tymczasem Elise potrafi mistrzowsko rozwijać podobne wątki. Ma naprawdę wiele przemyśleń na temat bluz z kapturem.

Udało mi się w końcu przerwać rozmowę, gdy mama Noaha wniosła kolejny półmisek i mogłam się wymówić pretekstem: „Och, wybacz, ale to wygląda przepysznie". Niestety to coś okazało się marynowaną rybą. Już miałam zrejterować, lecz gospodyni przyjęcia mnie powstrzymała:

– Proszę, spróbuj choć kawałeczek.

Zjadłam więc, ponieważ z charakteru jestem trochę lemingiem. Lecz tym razem uległość wyszła mi na dobre, bo okazało się, że Noah mnie obserwuje.

– Cieszę się, że spróbowałaś ryby – powiedział.

Zapytałam go dlaczego, bo naprawdę podejrzewałam, że to jakiś rodzaj zakładu. („Dobra, zaproszę ją, ale dacie mi dwadzieścia dolców, jeśli ją namówię, żeby wciągnęła marynowaną rybę").

Ale Noah odrzekł:

– Bo ja też ją jadłem.

Nadal stałam z zachwycającym wyrazem totalnego ogłupienia na twarzy, kiedy dodał:

– I nie mógłbym cię pocałować, gdybyś ty również jej nie spróbowała.

Było to równocześnie niesmaczne i upojnie romantyczne. Mógł przecież pójść do łazienki i wyszorować zęby, tymczasem został i czaił się na mnie przy rybie. Wymknęliśmy się więc do garażu i całowaliśmy się pod półką z elektronarzędziami. Taki był początek naszego związku.

Zatem ta szczególna Wigilia, o której chcę wam opowiedzieć, nie była zwykłą Wigilią, lecz naszą pierwszą rocznicą. Trudno uwierzyć, że za nami już rok. Minął zdecydowanie za szybko…

Musicie bowiem wiedzieć, że Noah jest zawsze niezwykle zajęty. Niemal na pewno gdy pojawił się na świecie, maleńki, pomarszczony i różowiutki, został wypisany ze szpitala najszybciej, jak się dało, by mógł zdążyć na kolejne spotkanie. Jako uczeń ostatniej klasy, członek drużyny piłki nożnej i przewodniczący rady uczniów wolnego czasu miał jak na lekarstwo. Przez rok naszego związku spotkaliśmy się raptem na kilkunastu prawdziwych randkach, na których byliśmy tylko we dwoje. Wychodzi średnio jedna na miesiąc. Za to uczestniczyliśmy razem w wielu wydarzeniach. Noah i Jubilatka na kiermaszu ciast zorganizowanym przez radę uczniów! Noah i Jubilatka na loterii fantowej drużyny piłkarskiej! Noah i Jubilatka na imprezie dobroczynnej, w świetlicy, na spotkaniu organizacyjnym przed zjazdem absolwentów...

Noah zdawał sobie z tego sprawę i dlatego, choć na dzisiejszej Wigilii miało być mnóstwo gości, zapewnił mnie, że na pewno znajdziemy czas tylko dla siebie. Miał się postarać załatwić wszystkie swoje obowiązki wcześniej i obiecał, że jeżeli wytrzymamy dwie godziny na przyjęciu, wymkniemy się do jego pokoju, wymienimy prezentami i obejrzymy razem *Jak Grinch ukradł święta*. Potem odwiezie mnie do domu i po drodze zatrzymamy się gdzieś na chwilę...

Nie mógł jednak przewidzieć, że moi rodzice zostaną aresztowani i oczywiście wszystkie plany wezmą w łeb.

Wiecie, co to jest Świąteczna Wioska Flobie? To integralny element mojego życia, więc z góry zakładam, iż wszyscy wiedzą, o co chodzi, ale ostatnio usłyszałam, że za często coś zakładam, toteż śpieszę wyjaśnić.

Świąteczna Wioska Flobie to kolekcja ceramicznych domków, z których można ustawić miniaturową wioskę. Rodzice zaczęli je zbierać jeszcze przed moimi narodzinami, więc oglądałam maleńkie brukowane uliczki, od kiedy nauczyłam się samodzielnie stać. Mamy wszystko – most z cukrowych lasek, Jezioro Lukrowe, sklep z żelkami, piernikową piekarnię, aleję Kandyzowaną. Kolekcja nie jest mała, więc rodzice kupili specjalny stół, na którym ją rozstawiają. Zajmuje on środek naszego salonu od Święta Dziękczynienia do Nowego Roku. Potrzeba aż siedmiu listew zasilających, żeby wszystko działało. Aby choć trochę zminimalizować szkodliwy dla środowiska pobór energii, zmusiłam ich, żeby wyłączali zasilanie przynajmniej na noc, ale musiałam stoczyć niezłą batalię.

Otrzymałam imię po domku nr 4, czyli po Auli Jubilata. To największy budynek w kolekcji oraz miejsce, w którym przygotowuje się i pakuje upominki. Jest wyposażony w kolorowe światełka, a także taśmociąg z prezentami obsługiwany przez malutkie elfy, które się obracają, jakby zdejmowały paczki z podajnika. Każdy z nich ma prezent przyklejony do dłoni, więc tak naprawdę wyglądają jak grupa torturowanych istot skazanych na rytmiczne podnoszenie i odkładanie tej samej paczki, dopóki świat się nie skończy albo silnik nie popsuje. Gdy byłam mała, zwróciłam na to uwagę mamy. Odpowiedziała, że nic nie rozumiem. Możliwe. Na pewno do tej kwestii mamy różne podejście, biorąc pod uwagę fakt, że mama uznała te miniaturowe budynki za wystarczająco ważne, by z nazwy jednego z nich stworzyć imię dla swojej pociechy.

Kolekcjonerzy Flobie mają na punkcie Świątecznej Wioski lekkiego szmergla. Organizują konwenty, prowadzą kilkanaście poważnych stron w sieci i wydają cztery czasopisma. Niektórzy próbują usprawiedliwiać swoją manię twierdzeniem, że domki Flobie to dobra inwestycja. Bo są warte kupę pieniędzy, co zresztą jest prawdą. Zwłaszcza te z numerami seryjnymi, które można kupić w sklepie Flobie wyłącznie w Wigilię. Mieszkamy w Richmond w stanie

Wirginia, czyli w odległości raptem osiemdziesięciu kilometrów od Charlotte, gdzie znajduje się sklep, tak więc co roku dwudziestego trzeciego wieczorem moi rodzice ruszają do Flobie samochodem pełnym koców, krzeseł oraz zapasów, żeby całą noc siedzieć w kolejce i czekać.

Do tej pory produkowano sto budynków z numerami seryjnymi, lecz w zeszłym roku ograniczono tę liczbę do dziesięciu. I wtedy zrobił się niezły ambaras. Już sto budynków to było o niebo za mało, więc gdy ich liczba dziesięciokrotnie zmalała, pazury poszły w ruch i w powietrzu zawirowały powyrywane kłaki. W zeszłym roku klienci zaczęli się kłócić o miejsca w kolejce, a sprzeczka szybko przerodziła się w karczemną awanturę. Okładali się po głowach zrolowanymi katalogami Flobie, ciskali w siebie puszkami pierników, tratowali krzesła i wylewali ciepławą colę na przybrane mikołajowymi czapeczkami głowy przeciwników. Bójka była na tyle zaciekła i na tyle zabawna, że pokazano ją w lokalnych wiadomościach. Po tym incydencie Flobie zapewniło, że „podejmie kroki", aby podobne ekscesy się nie powtórzyły, ale ja w to nie uwierzyłam. Takiej reklamy nie da się kupić za żadne pieniądze.

Nie pamiętałam jednak o tamtych wydarzeniach, gdy rodzice wyruszyli po budynek nr 68, czyli Elfi Hotel. I nadal nie zaprzątałam sobie tym głowy, pijąc latte z eggnogiem i zabijając czas przed pójściem do Noaha. Pomyślałam tylko przelotnie, że chyba się trochę spóźniają. Zazwyczaj wracali z Flobie w porze lunchu w Wigilię, a tymczasem była już prawie czwarta. Zabrałam się więc do świątecznych obowiązków, żeby czymś się zająć. Nie mogłam zadzwonić do Noaha... Wiedziałam, że ma urwanie głowy z przygotowaniami do Smorgasbord. Udekorowałam wstążkami i jemiołą prezenty dla niego. Włączyłam listwy zasilające Świąteczną Wioskę, zmuszając zniewolone elfy do harówki. Puściłam kolędy. Właśnie wyszłam, żeby włączyć lampki przed domem, gdy ujrzałam, że w moją stronę zmierza Sam, jak zawsze krokiem szturmowca.

Sam jest naszym prawnikiem, co tak naprawdę oznacza, że jest naszym sąsiadem, który, tak się składa, pracuje również jako niezwykle ważny prawnik w Waszyngtonie. To dokładnie taki człowiek, jakiego byś zatrudnił do przejęcia wielkiej korporacji albo do reprezentowania cię w sądzie, gdy ktoś pozwie cię o miliard dolarów. Niestety styl bycia ma dość obcesowy. Chciałam go zaprosić, żeby spróbował mojego latte z eggnogiem, ale nie dopuścił mnie do słowa.

– Mam złe nowiny – oznajmił, wprowadzając mnie do mojego własnego domu. – Doszło do kolejnego incydentu we Flobie. Pogadamy w środku. Wejdź.

Mówił takim tonem, że pomyślałam, iż rodzice zginęli. Wyobraziłam sobie góry Elfich Hoteli spadające z taśmy dostawczej i zasypujące wszystkich w pobliżu. Widziałam zdjęcia Elfiego Hotelu – miał ostre wieżyczki z lasek cukrowych, które mogły z łatwością przebić człowieka na wylot. A jeśli ktoś miał kiedyś zginąć od Elfiego Hotelu, to tylko moi starsi.

– Rodzice zostali aresztowani – wyjaśnił. – Siedzą w więzieniu.

– Kto siedzi w więzieniu? – zapytałam, ponieważ nie zawsze nadążam za biegiem wydarzeń, a także dlatego że łatwiej mi było sobie wyobrazić rodziców powalonych przez latający Elfi Hotel niż zakutych w kajdanki.

Sam tylko popatrzył na mnie, czekając, aż się ogarnę.

– Doszło do kolejnej awantury, kiedy rano wystawiono na sprzedaż nowe budynki – wytłumaczył po chwili. – Rozpętała się kłótnia o miejsce w kolejce, a twoi rodzice brali w niej udział. Policja nakazała zebranym się rozejść, ale oni nie posłuchali. Zostali więc aresztowani razem z kilkoma innymi klientami. Zatrzymano w sumie pięć osób. Mówią o tym w wiadomościach.

Nogi się pode mną ugięły, więc opadłam na kanapę.

– Dlaczego nie zadzwonili? – zapytałam.

– Przysługiwała im tylko jedna rozmowa – wyjaśnił. – Skontaktowali się ze mną, bo myśleli, że ich wyciągnę z aresztu. Ale nie mogę tego zrobić.

– Co to znaczy, że pan nie może?

Stwierdzenie, że Sam nie może wydostać moich rodziców z paki, było absurdalne. To tak, jakby pilot samolotu oznajmił nagle przez głośniki: „Witam wszystkich. Właśnie sobie przypomniałem, że nie bardzo umiem wylądować. Będę więc latał w kółko, aż ktoś wpadnie na lepszy pomysł".

– Zrobiłem, co mogłem – oznajmił Sam – ale sędzia nie chce ustąpić. Ma dosyć afer z Flobie, więc zamierza zrobić z tego pokazową sprawę. Rodzice prosili, żebym zaprowadził cię na dworzec. Mam tylko godzinę, potem muszę wrócić na gorące ciasteczka i kolędowanie. Jak szybko możesz się spakować?

Przemawiał do mnie tym szorstkim tonem, którego zapewne używał, gdy dobijał przesłuchiwanego pytaniem, dlaczego właściwie uciekał z miejsca zbrodni cały umazany krwią. Nie był zadowolony, że takie zadanie spadło na niego w Wigilię. Mimo to przydałaby mi się choć odrobina empatii.

– Spakować? Dworzec? Dlaczego?

– Jedziesz pociągiem do dziadków na Florydę – oświadczył. – Nie udało mi się zarezerwować lotu. Wszystkie są odwołane z powodu śnieżycy.

– Jakiej śnieżycy?

– Jubilatko – Sam zaczął mówić bardzo wolno, doszedłszy do wniosku, że jestem chyba najgorzej poinformowaną osobą na świecie – zbliża się do nas największa od pięćdziesięciu lat śnieżyca!

Mój umysł wciąż nie działał, nic do mnie nie docierało.

– Nie mogę jechać – odparłam. – Mam się dzisiaj spotkać z Noahem. I są święta. Co z Bożym Narodzeniem?

Sam wzruszył ramionami, jakby chciał dać do zrozumienia, że Boże Narodzenie jest poza jego kontrolą i system prawny nic nie może zrobić.

– Ale... dlaczego nie mogę po prostu zostać w domu? To jakiś obłęd!

– Rodzice nie chcieli, żebyś siedziała sama przez święta.

– Mogę pójść do Noaha! Ja muszę tam pójść!

– Słuchaj – zniecierpliwił się – wszystko jest już załatwione. Nie damy rady skontaktować się teraz z rodzicami. Są przesłuchiwani. Kupiłem ci bilet i nie masz zbyt wiele czasu. Musisz się natychmiast spakować.

Spojrzałam na rozmigotane światełka maleńkiego miasteczka na stole. Widziałam cienie przeklętych elfów, które pracowały w Auli Jubilata, ciepły blask cukierni pani Muggin, powolny, lecz radosny ruch Elfiego Ekspresu jadącego po torach.

Jedyne pytanie, jakie mi przyszło do głowy, brzmiało następująco:

– A… co będzie z wioską?

Rozdział 2

Nigdy wcześniej nie jechałam pociągiem. Był wyższy, niż sobie wyobrażałam, z oknami na drugim poziomie, za którymi chyba znajdowały się kuszetki. W środku panował półmrok, a większość upchanych ciasno pasażerów wyglądała, jakby popadła w katatonię. Spodziewałam się, że pociąg będzie puszczał kłęby pary, sapał, a następnie wystrzeli do przodu niczym rakieta, bo naoglądałam się kreskówek w niehigienicznie spędzonym dzieciństwie, a tak właśnie przedstawiano w nich pociągi. Jednak ten ruszył płynnie i obojętnie, jakby po prostu znudził się staniem w miejscu.

Oczywiście natychmiast zadzwoniłam do Noaha. Było to pewne pogwałcenie zasady niekontaktowania się, bo „będę totalnie zajęty aż do szóstej, więc zobaczymy się na przyjęciu", ale chyba żadne okoliczności nie byłyby dla mnie większym usprawiedliwieniem. Gdy odebrał, w tle usłyszałam radosny gwar, kolędy i brzęk talerzy. Przygnębiający kontrast wobec klaustrofobicznej ciszy w pociągu.

– Lee! – powiedział. – Dzwonisz trochę nie w porę. Zobaczymy się za godzinę?

Stęknął lekko. Brzmiało to, jakby podniósł coś ciężkiego, pewnie jedną z tych paranoicznie wielgachnych szynek, które jego mama zawsze gdzieś zdobywa na Smorgasbord. Przypuszczam, że kupuje je na jakiejś eksperymentalnej farmie, na której traktuje się świnie laserami i antybiotykami, dopóki nie osiągną dziesięciu metrów długości.

– Ym... jest taka sprawa – odpowiedziałam. – Nie przyjdę.

– Co to znaczy, że nie przyjdziesz? Co się stało?

Wyjaśniłam, jak najlepiej umiałam, całą sprawę z rodzicami w więzieniu / mną w pociągu i w śnieżycy / życiem, które płata figle. Starałam się mówić lekko, jakby mnie ta sytuacja właściwie bawiła, przede wszystkim po to, by powstrzymać się od szlochania w ciemnym wagonie pełnym otępiałych obcych ludzi.

Kolejne stęknięcie. Jakby Noah coś przenosił.

– Wszystko będzie dobrze – rzucił po chwili. – Sam zajął się sprawą?

– Jeśli masz na myśli pozostawienie moich rodziców w pace, to tak. Nawet nie wyglądał na przejętego.

– To pewnie jakieś maleńkie okręgowe więzienie – pocieszał mnie. – Nie będzie źle. A skoro Sam się nie martwi, to wszystko w porządku. Przykro mi, że tak się stało, ale przecież zobaczymy się za kilka dni.

– No ale jest Boże Narodzenie – jęknęłam. Mój głos zabrzmiał niepewnie i przełknęłam łzy. Noah dał mi chwilę, żebym się opanowała.

– Wiem, że jest ci ciężko, Lee – powiedział – ale wszystko się ułoży. Na pewno. To tylko przykry incydent.

Wiem, że starał się mnie uspokoić i dodać otuchy, ale w taki sposób? Przykry incydent? To nie był żaden przykry incydent. Przykry incydent jest wtedy, gdy zepsuje ci się auto, dostaniesz grypy żołądkowej albo z zepsutych światełek pójdzie iskra i spali ci żywopłot. Powiedziałam mu o tym, a Noah westchnął, uświadamiając sobie, że mam rację. Potem znowu sapnął.

– Co ty robisz? – zapytałam, pociągając nosem.

– Dźwigam ogromną szynkę – wyjaśnił. – Muszę już kończyć. Słuchaj, urządzimy drugie przyjęcie, kiedy wrócisz. Obiecuję. Znajdziemy czas. Nie martw się. Zadzwoń, jak dotrzesz na miejsce, dobrze?

Przyrzekłam, że zadzwonię, a on się rozłączył i poniósł gdzieś tę szynkę. Przez chwilę wpatrywałam się w milczący telefon.

Czasami współczułam małżonkom polityków, bo związek z Noahem pokazywał mi, jak mogą się czuć. Niby mają własne życie, ale dlatego że kochają swojego partnera i tak zostają wciągnięci w dziki kołowrót jego życia – i nagle zaczynają uśmiechać się bezmyślnie czy machać ręką do kamery, balony spadają im na głowę, a personel potrąca ich, próbując się dostać do Niezwykle Ważnej Drugiej Połowy, która jest Doskonała.

Wiem, że nikt nie jest idealny, a za każdą fasadą doskonałości kryje się skłębiony chaos kłamstw i sekretnych smutków… ale nawet biorąc to pod uwagę, Noah jest bliski ideału. Nigdy nie słyszałam, by ktokolwiek powiedział o nim złe słowo. Jego pozycja jest tak niekwestionowana jak grawitacja. Wybierając mnie na swoją dziewczynę, okazał wiarę, a ja uznałam, że na nią zasługuję. Wyprostowałam plecy. Czułam się pewniejsza siebie, nieustająco pozytywnie nastawiona, ważniejsza. Lubił, gdy go ze mną widywano, i dlatego ja lubiłam, gdy mnie widywano, jeśli to ma w ogóle jakiś sens.

I owszem, jego nadmierne zaangażowanie we wszystko czasami bywało uciążliwe. Ale rozumiałam je. Po prostu musi zanieść kolosalną szynkę mamie, bo zaraz jego dom zaatakuje horda sześćdziesięciu gości zaproszonych na Smorgasbord. Trzeba to zrobić. Blaskom życia zawsze towarzyszą cienie. Wyjęłam iPoda i wykorzystałam resztkę baterii, żeby obejrzeć kilka zdjęć Noaha. Potem bateria padła.

Czułam się taka samotna w tym pociągu... dziwną, nienaturalną samotnością, która mnie przytłaczała. Moje uczucie plasowało się tuż nad strachem i trochę w lewo od smutku. Ogarnęło mnie zmęczenie, któremu nie może zaradzić sen. Było ciemno i ponuro, lecz odnosiłam wrażenie, że zapalenie światła nic by nie zmieniło. Może tylko mogłabym się wtedy lepiej przyjrzeć swojej paskudnej sytuacji.

Myślałam o tym, by zadzwonić do dziadków. Wiedzieli już o moim przyjeździe. Sam mówił, że ich zawiadomił. Ucieszyliby się z rozmowy ze mną, ale nie miałam na nią siły. Moi dziadkowie to wspaniali ludzie, ale bardzo drobiazgowi. Na przykład jeśli sklep spożywczy ogłasza w lokalnej gazetce promocję mrożonej pizzy albo zupy, a oni wybiorą się tam tylko po te artykuły, to potrafią później przez pół godziny stać i omawiać swój następny krok. Gdybym zadzwoniła, trzeba by przedyskutować każdy aspekt mojej wizyty w najdrobniejszym detalu. Jakiego koca będę potrzebowała? Czy nadal lubię krakersy? Czy dziadek ma dokupić więcej szamponu? To było urocze, ale teraz zdecydowanie mnie przerastało.

Uważam się za osobę, która potrafi konstruktywnie rozwiązywać problemy, postanowiłam więc odwrócić swoją uwagę od chandry. Zajrzałam do torby, żeby sprawdzić, co udało mi się zabrać, gdy w pośpiechu opuszczałam dom. Odkryłam, że jestem żałośnie nieprzygotowana do czekającej mnie podróży. Spakowałam same podstawowe rzeczy – parę sztuk bielizny, dżinsy, dwa swetry, kilka koszulek, okulary. IPod się rozładował. Miałam tylko jedną książkę, *Opactwo Northanger*, szkolną lekturę na przerwę świąteczną. Powieść była dobra, ale niezbyt odpowiednia, gdy człowiek czuje, że przerażające fatum dyszy mu w kark.

Tak więc przez mniej więcej dwie godziny tylko wyglądałam przez okno, obserwując, jak zachodzi słońce, cukierkoworóżowe niebo robi się srebrne i zaczynają padać pierwsze płatki śniegu. Wiedziałam, że to piękny widok, ale świadomość, że coś jest piękne, a przeżywanie tego to dwie zupełnie różne sprawy. A mnie ten widok w ogóle nie obchodził. Śnieg padał coraz gęściej i szybciej, aż zupełnie przesłonił świat i widać było tylko wirującą biel. Pędziła ze wszystkich stron naraz, nawet od dołu. Zakręciło mi się od niej w głowie i poczułam lekkie mdłości.

Zauważyłam, że niektórzy przechodzący obok pasażerowie niosą jedzenie: chipsy, napoje i zafoliowane kanapki. Niewątpliwie gdzieś w pociągu znajdowało się źródło pożywienia. Sam przed odjazdem wcisnął mi do ręki pięćdziesiąt dolców, które z pewnością ściągnie z moich rodziców, gdy znów znajdą się na wolności. Nie miałam nic innego do roboty, więc wstałam i poszłam poszukać wagonu restauracyjnego, w którym natychmiast się dowiedziałam, że skończyło się wszystko poza rozmiękłymi minipizzami z mikrofalówki, dwoma muffinami, kilkoma batonami, torebką orzeszków i posępnie wyglądającymi owocami. Chciałam pochwalić obsługę za taką zapobiegliwość w okresie przedświątecznego szczytu, ale facet za ladą wyglądał na wystarczająco zdołowanego. Nie potrzebował mojego sarkazmu. Kupiłam minipizzę, dwa batony, muffiny, orzechy i czekoladę na gorąco. Uznałam, że mądrze będzie się zaopatrzyć na resztę podróży, skoro sytuacja tak dynamicznie się pogarsza. Wrzuciłam do kubka na napiwki banknot pięciodolarowy, a sprzedawca podziękował mi skinieniem głowy.

Zajęłam puste miejsce przy stoliku przymocowanym do ściany. Pociągiem bardzo trzęsło, mimo że zwolniliśmy. Wiatr smagał wagony ze wszystkich stron. Nie tknęłam pizzy, za to poparzyłam sobie usta czekoladą. To jedyne, co miało je dzisiaj spotkać.

– Mogę się przysiąść? – zapytał nagle ktoś.

Uniósłszy wzrok, ujrzałam wyjątkowo atrakcyjnego młodzieńca. I znów mimo że dostrzegłam piękno, pozostałam wobec niego obojętna. Choć na pewno chłopak robił większe wrażenie niż śnieg. Włosy miał tak ciemne jak ja, czyli całkiem czarne, tyle że dłuższe. Moje sięgają do brody, a jego były zebrane w kucyk. Miał wyraźnie zaznaczone kości policzkowe i rysy rdzennego Amerykanina. Cienka dżinsowa kurtka raczej nie zapewniała ochrony przed chłodem. W jego oczach dostrzegłam coś, co poruszyło nawet mnie – wyglądał na zdruzgotanego, jakby chciał zacisnąć powieki i więcej ich nie otwierać. W ręku mocno ściskał kubek kawy kupionej przy barze.

– Jasne – odrzekłam.

Gdy siadał, głowę miał spuszczoną, ale zauważyłam, że zerknął na zapasy na mojej tacy. Intuicja podpowiedziała mi, że był o wiele bardziej głodny niż ja.

– Poczęstuj się – zaproponowałam. – Kupiłam to, zanim wszystko wyprzedali. Nawet nie ruszyłam.

Zawahał się, ale nalegałam.

– Wiem, że pizza wygląda jak podstawka pod piwo, ale tylko to mieli. Serio, zjedz ją.

Uśmiechnął się nieśmiało.

– Jestem Jeb – przedstawił się.

– A ja Julia – odrzekłam. Nie byłam w nastroju, żeby przechodzić przez opowieść pt. „Jubilatka? Masz na imię Jubilatka? Zdradź, czego używasz przed występami: oliwki dla niemowląt czy oleju orzechowego? Czy ktoś wyciera rurę po każdym tańcu?". Czyli przez wszystko to, co wyjaśniłam na wstępie. Większość znajomych mówi do mnie Julia, a Noah po prostu Lee.

– Dokąd jedziesz? – zapytał Jeb.

Nie miałam przygotowanej żadnej historii na temat moich rodziców i powodu podróży, a prawda była zbyt trudna, by przedstawiać ją zupełnie obcemu człowiekowi.

– W odwiedziny do dziadków – wyjaśniłam. – Nagła zmiana planów.

– Gdzie mieszkają? – spytał, patrząc na śnieg wirujący za oknami pociągu. Nie dało się odróżnić, gdzie kończy się niebo i zaczyna ziemia. Pochłonęła nas śnieżna chmura.

– Na Florydzie.

– Kawał drogi. Ja jadę tylko do Gracetown, to następna stacja.

Pokiwałam głową. Słyszałam o Gracetown, ale nie miałam pojęcia, gdzie leży. Gdzieś na tej długiej, ośnieżonej trasie pomiędzy mną a nicością. Znów podsunęłam chłopakowi tacę z jedzeniem, ale pokręcił głową.

– Już się najadłem – powiedział. – I dzięki za pizzę. Byłem dość głodny. Wybraliśmy fatalny dzień na podróż, choć raczej nie mieliśmy wyboru. Czasami człowiek po prostu musi robić rzeczy, do których nie ma przekonania…

– A ty do kogo jedziesz? – zainteresowałam się.

Spuścił wzrok i złożył papierowy talerzyk po pizzy.

– Do mojej dziewczyny. Tak jakby mojej dziewczyny. Próbowałem się do niej dodzwonić, ale nie mam zasięgu.

– Ja mam – powiedziałam, wyjmując telefon. – Proszę. I tak nie wykorzystam wszystkich darmowych minut w tym miesiącu.

Jeb wziął telefon, szeroko się uśmiechając. Gdy wstał, zauważyłam, jaki jest wysoki i szeroki w ramionach. Gdybym nie była tak zupełnie oddana Noahowi, z pewnością Jeb zawróciłby mi w głowie. Odszedł na drugą stronę wagonu i wybrał numer, ale rozłączył się po chwili bez słowa.

– Nie dodzwoniłem się – powiedział, siadając i oddając mi aparat.

– A zatem – podjęłam rozmowę z uśmiechem – to nie do końca twoja dziewczyna? Nie jesteś pewien, czy z nią chodzisz?

Dobrze pamiętałam początki związku z Noahem, gdy jeszcze nie miałam pewności, czy jesteśmy razem, czy nie. Cały czas czułam się cudownie stremowana.

– Zdradziła mnie – odpowiedział wprost.

Ech, źle go zrozumiałam. Kiepska sprawa. Poczułam jego ból w samym środku piersi. Naprawdę.

– To nie była jej wina – dodał po chwili. – Przynajmniej nie całkiem. Ja...

Jednak nie poznałam historii Jeba, bo drzwi wagonu gwałtownie się otworzyły i rozległ się jazgot przypominający dźwięk wydawany przez Dziobacza – obrzydliwą, tłustą papugę kakadu, która w czwartej klasie pełniła funkcję klasowej maskotki. Jeremy Rich nauczył Dziobacza wykrzykiwać słowo „dupa". Ptaszydło uwielbiało skrzeczeć i wołać „dupa", a robiło to naprawdę dobrze. Słychać je było po drugiej stronie korytarza w szatni dziewcząt. W końcu Dziobacz przeprowadził się do pokoju nauczycielskiego, w którym chyba wolno gubić tłuste pióra i wrzeszczeć „dupa", ile wlezie.

Jednak to nie był Dziobacz, tylko czternaście dziewczyn w niezwykle obcisłych legginsach ozdobionych na pośladkach napisem CHEERLEADING Z RIDGE. (Taka forma „krzyczenia dupą", jak przypuszczam). Wszystkie dziewczęta miały też ciasne bluzy z imionami nadrukowanymi na plecach. Obległy bar, wrzeszcząc, ile sił w płucach. Pomodliłam się w nadziei, że nie zawołają naraz „O mój Boże!", ale moje modlitwy nie zostały wysłuchane, może dlatego, że Bóg był zbyt zajęty słuchaniem cheerleaderek.

– Nie mają żadnego chudego białka – oznajmiła następnie jedna z nich.

– Mówiłam ci, Madison. Powinnaś była zjeść tortillę z sałatą, kiedy miałaś okazję.

– Myślałam, że będą mieli przynajmniej piersi drobiowe!

Z rosnącym przerażeniem odkryłam, że obie dziewczyny prowadzące tę konwersację mają na imię Madison. Co gorsza trzy kolejne nosiły imię Amber. Poczułam się, jakbym była świadkiem nieudanego eksperymentu socjologicznego w jakiś sposób związanego z klonowaniem.

Kilka cheerleaderek odwróciło się w naszą stronę. To znaczy do nas. Odwróciły się do mnie i Jeba. Prawdę mówiąc, tylko do Jeba.

– O mój Boże! – wykrzyknęła ponownie jedna z Amber. – To chyba najgorsza podróż w moim życiu! Widzieliście ten śnieg?

Bystra była ta Amber. Co zauważy teraz? Pociąg? Księżyc? Zabawne meandry ludzkiego losu? Własną głowę?

Oczywiście nic takiego nie powiedziałam na głos, bo nie chcę odejść z tego świata, ginąc z rąk cheerleaderki. A poza tym Amber nie zwracała się do mnie. Nawet nie zarejestrowała mojego istnienia. Utkwiła wzrok w Jebie. Niemalże widać było, jak linie celownika w jej oczach zbiegają się i namierzają chłopaka.

– Rzeczywiście nie wygląda to dobrze – odrzekł życzliwie.

– Jedziemy na Florydę?

Właśnie tak to powiedziała, z intonacją pytającą.

– Tam powinno być lepiej – przyznał.

– Tak. Jeżeli tam w ogóle dotrzemy. Bierzemy udział w zawodach regionalnych? Ciężka sprawa, bo są ferie? Więc zrobiłyśmy sobie święta wcześniej? Wczoraj miałyśmy Wigilię?

Dopiero teraz zauważyłam, że wszystko, co mają przy sobie, wygląda na nowe. Błyszczące telefony, rzucające się w oczy bransoletki i wisiorki, których dotykały jakby od niechcenia, świeży manikiur, iPody, jakich nigdy jeszcze nie widziałam.

Amber Jeden przysiadła się do nas – ostrożnie, ze złączonymi kolanami i piętami odchylonymi na zewnątrz. Kusząca pozycja osoby, która przywykła do tego, że zawsze jest najbardziej zachwycającą istotą w okolicy.

– To jest Julia – przedstawił mnie Jeb uprzejmie naszej nowej przyjaciółce. Amber oznajmiła mi, że ma na imię Amber, a potem w tempie karabinu maszynowego zaprezentowała pozostałe Amber i Madison. Padły też inne imiona, ale ja wolałam zapamiętać Amber i Madison. Tak było bezpieczniej. Przynajmniej miałam szansę, że się nie pomylę.

Amber zaczęła trajkotać, opowiadając nam szczegółowo o konkursie. W zdumiewający sposób udało jej się jednocześnie włączyć mnie do rozmowy i zupełnie zignorować. Poza tym wysyłała mi wiadomość – głęboko podprogową – że chce, bym wstała i ustąpiła miejsce członkiniom jej plemienia. Połowa dziewczyn rozmawiała przez telefon, a druga połowa uszczuplała kolejowe zapasy wody, kawy i dietetycznej coli.

Uznałam, że nie tego potrzebuję, by żyć w pełni.

– Wracam na swoje miejsce – oznajmiłam.

Jednak, gdy tylko wstałam, pociąg zahamował gwałtownie, rzucając nami do przodu w wielkim rozbryzgu gorących i zimnych cieczy. Koła głośno zaprotestowały, sunąc po torach jeszcze przez dobrą minutę, aż wreszcie stanęliśmy. Bagaże z łoskotem pospadały z półek, a ludzie się poprzewracali, ze mną włącznie. Wylądowałam na jakiejś Madison i uderzyłam o coś policzkiem i brodą. Nie jestem pewna, co to było, ponieważ w tej samej chwili zgasły światła, wywołując powszechny krzyk przerażenia. Poczułam, że czyjeś dłonie pomagają mi wstać, i nie musiałam korzystać ze zmysłu wzroku, by wiedzieć, że to Jeb.

– Nic ci nie jest? – zapytał z troską w głosie.

– Chyba nie.

Światła zamigotały, a potem zaczęły się po kolei włączać. Kilka Amber kurczowo trzymało się baru. Po całej podłodze walało się jedzenie. Jeb podniósł coś, co kiedyś było jego telefonem, a teraz złamało się na dwie równe części. Trzymał je w stulonych dłoniach niczym rannego pisklaka.

Rozległ się trzask w głośnikach, a potem popłynął z nich głos osoby autentycznie roztrzęsionej, w niczym nieprzypominający tego chłodnego, opanowanego tonu, który zapowiada kolejne stacje po drodze.

– Szanowni państwo – powiedział głos – prosimy o zachowanie spokoju. Za chwilę konduktor przejdzie przez wszystkie wagony, by sprawdzić, czy nikomu nic się nie stało.

Przycisnęłam twarz do zimnej szyby w oknie, żeby zobaczyć, co się dzieje. Zatrzymaliśmy się obok czegoś, co wyglądało jak szeroka droga z kilkoma pasami ruchu, może międzystanówka. Po drugiej stronie lśnił zawieszony wysoko jasny, żółty znak. Z powodu zadymki trudno było cokolwiek dojrzeć, ale rozpoznałam ten kolor i kształt. To była restauracja Waffle House. Ktoś z obsługi pociągu brnął przez śnieg, świecąc latarką i zaglądając pod wagony.

Konduktorka weszła do restauracyjnego i zaczęła wypytywać wszystkich o samopoczucie. Zapodziała gdzieś czapkę.

– Co się dzieje? – zapytałam, gdy dotarła do nas. – Wygląda na to, że utknęliśmy.

Pochyliła się i też wyjrzała przez okno, a potem cicho gwizdnęła.

– Nie pojedziemy dalej, skarbie – szepnęła. – Stoimy tuż pod Gracetown. Tory opadają tu niżej i zostały całkowicie zasypane. Może do rana przyślą po nas jakieś awaryjne środki transportu, ale nie mam pewności. I nie liczyłabym na to. Nic ci nie jest?

– Nic – zapewniłam ją.

Amber Jeden trzymała się za nadgarstek.

– Amber! – krzyknęła inna Amber. – Co się stało?

– Skręciłam rękę – jęknęła Amber Jeden. – Bardzo boli.

– To twój nadgarstek do wyrzutu w powietrze!

Sześć cheerleaderek dało do zrozumienia (nie podprogowo), że chcą, bym się odsunęła, aby mogły podejść do swojej poszkodowanej koleżanki i się nią zaopiekować. Jeb utknął w tym tłumie. Światła przygasły, ogrzewanie słyszalnie brzęknęło, a głośnik znów przemówił.

– Szanowni państwo, zmniejszamy zasilanie, żeby oszczędzać energię. Sugerujemy włożenie dodatkowych swetrów lub okrycie się kocami. Postaramy się zrobić, co w naszej mocy, żeby zapewnić państwu komfort cieplny, ale jeżeli posiadacie zbędne okrycia, zachęcamy, byście podzielili się nimi z potrzebującymi.

Ponownie zerknęłam na żółty znak, a następnie na gromadkę cheerleaderek. Miałam dwa wyjścia – zostać w zimnym, ciemnym, unieruchomionym pociągu albo podjąć jakieś działanie. Mogłam przejąć kontrolę nad tym dniem, który wymykał mi się z rąk już zbyt wiele razy. Przedostanie się na drugą stronę drogi i dotarcie do Waffle House nie powinno być trudne. Zapewne mieli tam ogrzewanie i mnóstwo jedzenia. Warto było spróbować, poza tym czułam, że Noah pochwalałby taki plan. Aktywny. Delikatnie przepchnęłam się do Jeba przez ciżbę Amber.

– Po drugiej stronie drogi jest Waffle House – powiedziałam. – Pójdę tam i sprawdzę, czy jest otwarte.

– Waffle House? – upewnił się. – Czyli musimy być pod miastem przy drodze I-40.

– Nie wygłupiaj się! – parsknęła Amber Jeden. – A jeśli pociąg ruszy?

– Nie ruszy – zapewniłam ją. – Rozmawiałam właśnie z konduktorką. Utknęliśmy tu na całą noc. A tam pewnie mają ogrzewanie, jedzenie i dość miejsca, żeby się swobodnie poruszać. Co innego możemy tu robić?

– Mogłybyśmy poćwiczyć machanie pomponami – odważyła się zaproponować jedna z Madison cienkim głosikiem.

– Idziesz sama? – zapytał Jeb. Widziałam, że też ma ochotę pójść, ale Amber uwiesiła się na nim jak goryl na gałęzi.

– Poradzę sobie – zapewniłam go. – To tuż po drugiej stronie drogi. Daj mi swój numer i…

Z ponurą miną uniósł połamany telefon. Kiwnęłam głową i wzięłam swój plecak.

– Nie będę tam długo – dodałam. – Przecież muszę wrócić, prawda? Dokąd miałabym pójść?

Rozdział 3

Wyszłam na zimny korytarz, zasypany śniegiem wpadającym przez otwarte drzwi, i wyjrzałam na zewnątrz. Konduktorzy chodzili wzdłuż pociągu, świecąc latarkami, ale znajdowali się właśnie kilka wagonów dalej, więc ruszyłam do akcji.

Metalowe stopnie były strome, wysokie i całkowicie oblepione zamarzniętym śniegiem. Poza tym najniższy znajdował się jakieś półtora metra nad ziemią. Usiadłam na nim, po czym zsunęłam się najostrożniej, jak mogłam. Oczywiście spadłam na cztery kończyny w półmetrową zaspę i przemoczyłam rajstopy, ale za to śnieg zamortyzował upadek. Miałam do pokonania niewielki odcinek. Pociąg stał tuż przy drodze, w odległości może sześciu metrów od niej. Musiałam tylko zejść z nasypu, przejść przez autostradę, potem pod wiaduktem i już. Cała wyprawa powinna potrwać minutę lub dwie.

Nigdy przedtem nie przechodziłam przez sześciopasmową autostradę. Nie trafiła mi się taka okazja, a nawet gdyby, uznałabym ją za słabą opcję, ale teraz droga była zupełnie pusta. Wyglądała jak po końcu świata, jak początek nowego życia po śmierci starego porządku. Przedostanie się przez międzystanówkę zajęło mi jednak około pięciu minut, ponieważ wiał bardzo mocny wiatr, który wciskał śnieg do oczu. Kiedy już znalazłam się po drugiej stronie, musiałam przebrnąć jeszcze przez coś – może trawnik, a może parking albo zjazd z autostrady – teraz było to po prostu białe i głębokie. W każdym razie miało krawężnik, o który się potknęłam i wywinęłam orła. Zanim dotarłam do Waffle House, wyglądałam jak bałwan.

W barze było ciepło, a właściwie tak gorąco, że szyby zaparowały, a naklejone na nie duże świąteczne kalkomanie zaczęły się odlepiać i spływać w dół. Z głośników sączyły się lekko jazzujące świąteczne standardy, radosne niczym atak alergii. W powietrzu unosił się zapach płynu do mycia podłóg i zużytego oleju do smażenia, który niósł obietnicę: niedawno smażono tu ziemniaki i cebulę, a to, co przygotowano, było smaczne.

Jeśli chodzi o ludzi, sytuacja przedstawiała się niewiele lepiej. W głębi kuchni słychać było dwa męskie głosy przeplatane wybuchami śmiechu i odgłosem przypominającym klapsy. W najdalszym kącie lokalu siedziała kobieta owiana chmurą smutku, a na pustym talerzu przed nią piętrzyły się niedopałki papierosów. Jedynym pracownikiem w zasięgu wzroku był chłopak mniej więcej w moim wieku, trzymający wartę przy kasie. Nad nasuniętym nisko na czoło daszkiem sterczały mu najeżone włosy, a obowiązkową firmową koszulę, za długą na niego, nosił wypuszczoną na spodnie. Na identyfikatorze widniało imię DON-KEUN. Kiedy weszłam, czytał jakiś komiks. Moje pojawienie się zapaliło w jego oczach nikły błysk.

– Hej – odezwał się. – Wyglądasz na zmarzniętą.

Bystra obserwacja. Kiwnęłam głową.

Don-Keuna zżerała nuda. Słychać to było w jego głosie i widać w sposobie, w jaki pochylał się pokonany nad kasą.

– Dziś wszystko jest za darmo – dodał. – Możesz wybierać, co chcesz. Zamówienia kieruj do kucharza i p.o. asystenta kierownika. To ja w dwóch osobach.

– Dzięki – odrzekłam.

Chyba chciał powiedzieć coś jeszcze, ale tylko wzdrygnął się z zażenowaniem, gdy walka na klapsy na zapleczu zrobiła się głośniejsza. Na barze przed jednym z krzeseł leżała gazeta i stało kilka kubków kawy. Zajęłam miejsce obok, bo chciałam się zachować choć odrobinę towarzysko. Gdy siadałam, Don-Keun wykonał nagły ruch w moją stronę.

– Ee, może lepiej znajdź…

Przerwał nagle i cofnął się o krok, gdy ktoś nadszedł od strony toalet. Był to mężczyzna w okularach, może koło sześćdziesiątki, o piaskowych włosach i z niewielkim piwnym brzuchem. A, co warto dodać, był ubrany w folię aluminiową. Od stóp do głów. Miał nawet maleńki foliowy kapelutek. Komplet.

Alufoliowy zajął miejsce z gazetą i kubkami. Skinął mi na powitanie, zanim zdążyłam się ruszyć.

– Jak się masz? – zapytał.

– Mogłoby być lepiej – odpowiedziałam szczerze. Nie wiedziałam, gdzie patrzeć: na jego twarz czy na bardzo, bardzo błyszczące ciało.

– Kiepska noc na wycieczki.

– Ta – zgodziłam się, decydując się jednak patrzeć na jego bardzo, bardzo błyszczący brzuch. – Fatalna.

– Nie trzeba cię odholować?

– Nie, chyba że holuje pan pociągi.

Zastanawiał się przez chwilę. Zawsze czuję się głupio, gdy ktoś nie rozumie żartu i musi przemyśleć to, co powiedziałam. W dwójnasób, gdy ten ktoś jest ubrany w folię aluminiową.

– Za ciężki – orzekł w końcu, kręcąc głową. – To się nie uda.

Don-Keun też pokręcił głową i posłał mi spojrzenie sugerujące, bym się wycofała, póki mogę i póki nie jest za późno na ratunek.

Uśmiechnęłam się, a następnie okazałam nagłe i niepowstrzymane zainteresowanie menu. Należało coś zamówić. Czytałam kartę dań z takim przejęciem, jakbym nie umiała wybrać między kanapką a plackami ziemniaczanymi z serem.

– Napij się kawy – zaproponował Don-Keun, podając mi filiżankę. Kawa była przepalona i miała paskudny zapach, ale w takich warunkach nie można być wybrednym. Myślę, że chłopak po prostu oferował mi wsparcie.

– Podróżujesz pociągiem? – zapytał.

– Tak – potwierdziłam i wskazałam za okno. Don-Keun i Alufoliowy odwrócili głowy i zerknęli na zewnątrz, ale śnieżyca przybrała na sile. Nie było nic widać.

– Nie – umocnił się w decyzji Alufoliowy. – Pociągu nie poholuję.

Poprawił foliowe mankiety, by zaakcentować swoje stanowisko.

– Czy to działa? – zapytałam, ulegając potrzebie, by wspomnieć o rzeczy oczywistej.

– Co działa?

– No ten strój. Czy to coś takiego, co biegacze muszą wkładać, gdy kończą maraton?

– Jaki strój?

– Z folii.

– Jakiej folii? – zdziwił się.

W tym momencie zrezygnowałam z uprzejmości oraz towarzystwa Don-Keuna i przesiadłam się pod okno. Obserwowałam, jak szyba drży pod naporem wichru i śniegu.

Gdzieś tam daleko Smorgasbord trwa w najlepsze. Wystawiono już całe jedzenie: wynaturzone szynki, indyki przyprawione na różne sposoby, klopsiki, ziemniaki pieczone w śmietanie, ryżowy pudding, ciasteczka, cztery rodzaje marynowanych ryb…

Innymi słowy – to zły moment na telefon do Noaha. Tyle że prosił, abym zadzwoniła, jak dotrę na miejsce. A chyba dalej już się nie wybieram.

Zadzwoniłam więc i zostałam natychmiast przekierowana na pocztę głosową. Nie zaplanowałam jednak, co powiedzieć ani jaką przyjąć postawę. Włączyłam więc tryb domyślny w stylu „nie uwierzysz, co za zabawna historia" i zostawiłam krótką, prawdopodobnie niezrozumiałą wiadomość, że rzuciło mnie do obcego miasta przy miedzystanówce i siedzę w Waffle House z człowiekiem ubranym w folię aluminiową. Dopiero gdy się rozłączyłam, przyszło mi do głowy, że wydzwaniam do Noaha i sobie żartuję – dość dziwacznie – gdy on ma urwanie głowy. Moja wiadomość pewnie go zirytuje.

Już miałam ponownie zadzwonić, żeby poważniejszym i smutniejszym głosem wyjaśnić, iż nic, co powiedziałam, nie było żartem… lecz nagle owiało mnie zimne powietrze, gdyż otworzyły się drzwi wejściowe i pojawił się wśród nas kolejny człowiek. Był wysoki, chudy i chyba płci męskiej. Trudno to było określić, ponieważ miał mokre plastikowe reklamówki na głowie, dłoniach i stopach. To już dwie osoby odziane w różnego rodzaju folie.

Zaczynałam czuć niechęć do Gracetown.

– Straciłem panowanie nad samochodem na Sunrise – powiedział nowy gość ogólnie do wszystkich. – Musiałem go tam zostawić.

Don-Keun pokiwał głową ze współczuciem.

– Trzeba cię odholować? – zapytał Alufoliowy.

– Nie, dziękuję. Śnieg jest tak gęsty, że nawet nie wiem, czy odnalazłbym swoje auto.

Gdy przybysz zdjął z siebie torby, okazał się zupełnie zwyczajnym chłopakiem, z mokrymi kręconymi, ciemnymi włosami, dość chudym i ubranym w nieco za duże dżinsy. Zerknął w kierunku baru i natychmiast skierował się w moją stronę.

– Mogę tu usiąść? – zapytał cicho, dyskretnie kiwając głową w stronę Alufoliowego. On też wolał uniknąć jego towarzystwa.

– Pewnie – odrzekłam.

– Jest nieszkodliwy – wyjaśnił szeptem – ale bardzo rozmowny. Kiedyś nie mogłem się mu wyrwać przez pół godziny. Bardzo lubi kubki. Potrafi o nich rozprawiać bez końca.

– Zawsze nosi folię aluminiową?

– Bez niej chybabym go nie rozpoznał. Mam na imię Stuart, tak przy okazji.

– A ja... Julia.

– Skąd się tu wzięłaś? – zapytał.

– Mój pociąg zasypało – odrzekłam, wskazują na śnieg i ciemność za oknem.

– Dokąd jechałaś?

– Na Florydę. Do dziadków. Moi rodzice wylądowali w więzieniu.

Uznałam, że warto spróbować i przedstawić ten fakt tak jakby trochę od niechcenia. Stuart zareagował tak, jak się można było spodziewać. Wybuchnął śmiechem.

– Jesteś sama? – spytał.

– Mam chłopaka – odparłam.

Zazwyczaj nie zachowuję się tak głupio, słowo daję. Po prostu moje myśli zaprzątał Noah. Cały czas martwiłam się zostawioną mu idiotyczną wiadomością.

W kącikach ust Stuarta pojawiły się drobne zmarszczki, jakby chłopak próbował powstrzymać śmiech. Zabębnił palcami po stole i uśmiechnął się, wyraźnie chcąc zatuszować niezręczną sytuację. Mogłam przyjąć wyjście, które mi zaoferował, ale nie umiałam tego tak zostawić. Musiałam jakoś wybrnąć.

– Powiedziałam to wyłącznie dlatego – zaczęłam, widząc, jak grząski tor rozmowy otwiera się przede mną, i przyjmując pozycję do startu – że chciałabym się do niego dodzwonić, ale nie mam zasięgu.

Tak. Wykorzystałam wymówkę Jeba. Niestety nie wzięłam pod uwagę faktu, że mój telefon leży na stole, dumnie prezentując pięć kresek zasięgu. Stuart spojrzał na ekran aparatu, a potem na mnie, ale nic nie powiedział.

No, teraz to już wpadłam po uszy. Nie odpuszczę, dopóki mu nie udowodnię, że jestem zupełnie normalna.

– Jeszcze przed chwilą nie miałam – dodałam.

– To pewnie przez tę pogodę – powiedział wielkodusznie.

– Pewnie tak. Spróbuję jeszcze raz, zaraz wrócę.

– Nie spiesz się – rzucił.

No przecież. Usiadł ze mną tylko po to, by uniknąć pogawędki o kubkach z Alufoliowym. Nie musieliśmy się sobie tłumaczyć ze swoich planów. Pewnie był wręcz zadowolony, że może przerwać tę rozmowę. Wstał i zdjął kurtkę, podczas gdy dzwoniłam. Miał pod spodem uniform Targetu i jeszcze więcej plastikowych reklamówek. Kilkanaście toreb wysypało się na podłogę. Pozbierał je zupełnie niespeszony.

W telefonie zgłosiła się poczta głosowa, a ja próbowałam ukryć frustrację, z natężeniem wyglądając przez okno. Nie chciałam zostawiać mojej żałosnej wiadomości z wyjaśnieniami przy Stuarcie, więc się rozłączyłam.

Stuart, siadając, wzruszył ramionami, jakby pytał: „I nic?".

– Pewnie są bardzo zajęci przy Smorgasbord – wyjaśniłam.

– Smorgasbord?

– Rodzina Noaha jest peryferycznie szwedzkiego pochodzenia, więc urządzają huczny Smorgasbord w Wigilię.

Uniósł brwi, kiedy powiedziałam „peryferycznie". Często posługuję się tym słowem, bo to jedno z ulubionych określeń Noaha, które od niego przejęłam. Muszę pamiętać, żeby nie używać go przy innych, bo to tak jakby „nasz" wyraz. Poza tym gdy prowadzisz kampanię mającą przekonać obcego chłopaka, że nie brakuje ci piątej klepki, szafowanie zwrotami typu „peryferycznie szwedzkiego pochodzenia" nie jest najlepszą strategią.

– Wszyscy uwielbiają Smorgasbord – zauważył uprzejmie.

Nadszedł czas na zmianę tematu.

– Target? – Wskazałam na jego koszulę. Tyle że wymówiłam to z francuska „tarżej", co zabrzmiało raczej idiotycznie.

– No właśnie – przyznał. – Teraz rozumiesz, dlaczego musiałem ryzykować życiem, żeby dotrzeć do pracy. Ktoś, kto wykonuje tak odpowiedzialne zadanie, musi się starać. Inaczej społeczeństwo przestałoby funkcjonować.

Kurczę, ten koleś chyba naprawdę desperacko pragnie gdzieś zadzwonić.

Stuart wskazał za okno. Jeb stał przed budką telefoniczną, którą otaczał półmetrowy wał śniegu, i mocował się z drzwiami.

– Biedny Jeb – powiedziałam. – Powinnam pożyczyć mu telefon… skoro mam już zasięg.

– To Jeb? Masz rację… Czekaj, skąd go znasz?

– Jechaliśmy tym samym pociągiem. Powiedział, że wybiera się do Gracetown. Chyba resztę drogi zamierza przejść piechotą.

– Naprawdę bardzo chce do kogoś zadzwonić – stwierdził Stuart, odklejając przemokniętą papierową laskę cukrową z szyby, żeby lepiej widzieć. – Dlaczego nie skorzysta z komórki?

– Zniszczyła się w wypadku.

– W wypadku? – powtórzył Stuart. – Wasz pociąg w coś wjechał?

– Tylko w śnieg.

Stuart zapewne chciałby się dowiedzieć czegoś więcej o katastrofie kolejowej, ale drzwi stanęły otworem i pojawiły się one: cała czternastka, krzycząca, piszcząca i obsypana płatkami śniegu.

– O mój Boże! – jęknęłam.

Rozdział 4

Nie istnieje chyba sytuacja na tyle fatalna, by nie mogło jej pogorszyć pojawienie się czternastu supercheerleaderek.

Już po trzech minutach skromny lokal Waffle House stał się nową siedzibą kancelarii Amber, Amber, Amber i Madison. Cała gromada rozbiła obóz w paru boksach w rogu naprzeciwko nas. Kilka z nich skinęło mi głową („O, ty jeszcze żyjesz?"), ale większość nie interesowała się nikim poza sobą.

Co nie oznacza, że nimi nie interesowali się inni.

Don-Keun odżył. W chwili gdy przybyły, zniknął na sekundę. Usłyszeliśmy stłumione ekstatyczne okrzyki gdzieś z zaplecza, po czym pojawił się znowu z obliczem promieniejącym jasnością zazwyczaj oznaczającą objawienie religijne. Zmęczyło mnie samo patrzenie na niego. W ślad za nim kroczyło jeszcze dwóch akolitów ogarniętych nabożnym podziwem.

– W czym możemy pomóc, drogie panie? – zapytał Don-Keun w uniesieniu.

– Czy możemy poćwiczyć stanie na rękach? – spytała Amber Jeden. Chyba jej nadgarstek od wyrzutu w powietrze miał się lepiej. Twarde sztuki z tych cheerleaderek. Twarde i szalone. Kto przedziera się przez śnieżycę, żeby ćwiczyć stanie na rękach w Waffle House? Ja tu przyszłam, bo chciałam przed nimi uciec.

– Drogie panie – odpowiedział chłopak – możecie robić wszystko, co chcecie.

Odpowiedź spodobała się Amber Jeden.

– A moglibyście przetrzeć podłogę? Chociaż ten kawałek? Żeby nam się nie pobrudziły ręce? I czy możecie nas asekurować?

Niemalże połamał sobie nogi, rzucając się do szafki po mopa.

Stuart przyglądał się temu wszystkiemu bez słowa. Nie miał takiej wniebowziętej miny jak Don-Keun i jego kompani, ale sprawa wyraźnie go zainteresowała. Przechylił głowę na bok, jakby próbował rozwiązać trudne matematyczne zadanie.

– Sytuacja wyraźnie się komplikuje – zauważył w końcu.

– Święte słowa – zgodziłam się z nim. – Jest w tym mieście jakaś inna knajpka? Może Starbucks?

Drgnął, gdy wspomniałam o Starbucksie. Pomyślałam, że pewnie należy do osób, które są przeciwne wielkim sieciom, co mogło dziwić w wypadku pracownika Targetu.

– Zamknięty – odparł. – Jak prawie wszystko. Jest jeszcze Diuk i Diuszesa. Może być otwarty, ale to bardziej sklep spożywczy. Mamy Wigilię, a przy tej śnieżycy…

Stuart musiał wyczuć moją desperację, gdy zaczęłam lekko uderzać czołem w stół.

– Słuchaj, ja idę do domu – oznajmił, podkładając dłoń, żebym nie zrobiła sobie krzywdy. – Może pójdziesz ze mną? Przynajmniej będziesz miała dach nad głową. Mama nigdy by mi nie wybaczyła, gdybym cię nie zapytał, czy masz gdzie się podziać.

Zastanowiłam się nad jego propozycją. Mój zimny, unieruchomiony pociąg stał po drugiej stronie autostrady. Drugie rozwiązanie obejmowało Waffle House z kolesiem ubranym w folię aluminiową i tabunem cheerleaderek. Rodzice mieszkali na koszt państwa setki kilometrów stąd. I trwała właśnie największa burza śnieżna od pięćdziesięciu lat. Niewątpliwie potrzebowałam schronienia.

A jednak trudno mi było zignorować ostrzeżenie przed „nieznajomym", które miałam zakodowane w głowie, choć tym razem to „nieznajomy" bardziej ryzykował. Zachowywałam się zdecydowanie bardziej podejrzanie. Nie zaprosiłabym siebie do swojego domu.

– No dobra – powiedział – muszę jakoś potwierdzić swoją tożsamość. To moja oficjalna karta zatrudnienia w Target. Nie każdemu pozwalają tam pracować. A tu prawo jazdy. Nie patrz na fryzurę, proszę... Nazwisko, adres, numer ubezpieczenia, wszystko tu jest.

Wyjął dokumenty z portfela. Zauważyłam, że nosi w nim swoje zdjęcie z jakąś dziewczyną, najwyraźniej ze szkolnego balu. To mnie uspokoiło. Był normalnym facetem, który miał dziewczynę. Miał nawet nazwisko – Weintraub.

– Daleko mieszkasz? – spytałam.

– Około ośmiuset metrów w tamtą stronę – odpowiedział, pokazując bezkształtne białe bryły, które mogły być domami, drzewami albo naturalnej wielkości modelami Godzilli.

– Osiemset metrów?

– Jeśli pójdziemy krótszą drogą. Półtora kilometra dłuższą. Nie będzie tak źle. Mogłem spokojnie iść dalej, ale wstąpiłem tu, żeby się trochę ogrzać.

– Jesteś pewien, że twoja rodzina nie będzie miała nic przeciwko temu?

– Mama dosłownie zatłukłaby mnie gumowym wężem, gdybym nie zaproponował człowiekowi pomocy w Wigilię Bożego Narodzenia.

Don-Keun przeskoczył przez kontuar z mopem, niemal się na niego nabijając. Zaczął myć podłogę wokół stóp Amber Jeden. Na zewnątrz Jeb dostał się wreszcie do budki, głęboko pogrążony we własnym dramacie. A ja byłam zupełnie sama.

– Dobrze – podjęłam decyzję – pójdę z tobą.

Chyba nikt poza Alufoliowym nie zauważył, że wstajemy i wychodzimy. Siedział odwrócony plecami do cheerleaderek, zupełnie wobec nich obojętny. Zasalutował nam, gdy skierowaliśmy się do drzwi.

– Będzie ci potrzebna czapka – stwierdził Stuart, kiedy wyszliśmy do lodowatego przedsionka.

– Nie mam czapki. Jechałam na Florydę.

– Ja też nie mam czapki. Ale mam to…

Wyciągnął plastikowe reklamówki i włożył jedną na głowę, owijając ją wokół czoła i wkładając luźny koniec pod spód, tak że powstał zgrabny choć dziwaczny turban, u góry wypełniony powietrzem jak balon. Pomyślałam, że noszenie torby na głowie to coś, na co Amber, Amber i Amber na pewno by się nie zgodziły… więc uznałam, że chętnie udowodnię, iż ja jestem inna. Odważnie nasunęłam reklamówkę na czoło.

– Powinnaś też włożyć je na dłonie – zasugerował Stuart, podając mi kolejne torby. – Natomiast nie wiem, co zrobić z twoimi nogami. Musi ci być w nie zimno.

Było, ale z jakiegoś powodu nie chciałam, aby pomyślał, że jestem mięczakiem.

– Nie – skłamałam. – Mam grube rajstopy. A te buty... są bardzo solidne. Ale włożę torby na ręce.

Uniósł brew.

– Jesteś pewna?

– Całkowicie. – Nie miałam pojęcia, dlaczego kłamię. Po prostu wydawało mi się, że wyznanie prawdy będzie przyznaniem się do słabości.

Stuart mocno naparł na drzwi, żeby je otworzyć mimo wichru i zaspy na progu. Nie miałam pojęcia, że śnieg może tak sypać. Widywałam zamiecie albo równomierne opady, po których pozostawała kilkucentymetrowa warstwa puchu, ale ten śnieg był lepki i ciężki, a płatki miały wielkość ćwierćdolarówek. Po kilku sekundach byłam cała ośnieżona. Zawahałam się u stóp schodów, a Stuart odwrócił się i znów spojrzał na mnie badawczo.

– Jesteś pewna? – powtórzył.

Wiedziałam, że albo teraz zrejteruję, albo nie będę już miała odwrotu.

Szybko zerknęłam za siebie i ujrzałam, że trzy Madison ustawiają się w piramidę na środku restauracji.

– Tak – odparłam. – Chodźmy.

Rozdział 5

Wędrowaliśmy wąską alejką za Waffle House, prowadzeni tylko przez ostrzegawcze światła drogowe, które migały co kilka sekund, przecinając ciemność drgającą żółtą smugą. Szliśmy środkiem uliczki niczym w jakimś postapokaliptycznym świecie. Od piętnastu minut nic nie mówiliśmy. Nie chcieliśmy marnować energii, która była nam potrzebna do marszu, a poza tym podczas rozmowy trzeba by otwierać usta, przez które wdzierałoby się nam do płuc lodowate powietrze.

Każdy krok wymagał wysiłku. Śnieg był tak głęboki i lepki, że musiałam się nieźle wytężać, by wyciągać z niego stopy. Nogi miałam wychłodzone do tego stopnia, że właściwie czułam w nich ciepło. Torby na głowie i rękach nawet się sprawdzały. Gdy wyrównaliśmy tempo, Stuart zapytał:

– Gdzie naprawdę są twoi rodzice?

– W więzieniu.

– Taa. Już to mówiłaś. Ale ja pytam na serio…

– Siedzą w więzieniu – powtórzyłam po raz trzeci.

Miałam nadzieję, że wreszcie to przyjmie do wiadomości. Nie zadał znowu tego samego pytania, ale przez chwilę wyraźnie zmagał się z taką pokusą.

– Za co? – spytał w końcu.

– Wzięli udział w… zamieszkach.

– Czyli są demonstrantami?

– Klientami – sprostowałam. – To były zamieszki w sklepie.

Stanął jak wryty.

– Tylko mi nie mów, że brali udział w zamieszkach we Flobie w Charlotte!

– Właśnie tam.

– O mój Boże! Twoi rodzice należą do Piątki z Flobie!

– Piątki z Flobie? – powtórzyłam słabo.

– Piątka z Flobie była tematem dnia u nas w pracy. Mówili o niej wszyscy klienci. Przez cały dzień puszczano w wiadomościach film z zadymy…

Wiadomości? Film? Cały dzień? Ale super. Po prostu super, super, super! Słynni rodzice – marzenie każdej dziewczyny.

– Wszyscy kochają Piątkę z Flobie – ciągnął Stuart. – To znaczy, na pewno wiele osób ją bardzo lubi. A przynajmniej uważa, że to było śmieszne.

Wtedy chyba zrozumiał, że dla mnie te wydarzenia wcale nie były śmieszne i że właśnie z ich powodu wędruję w Wigilię przez obce miasteczko w plastikowej torbie na głowie.

– Będziesz sławna – dodał, robiąc kilka wielkich kroków i wybiegając przede mnie. – CNN przeprowadzi z tobą wywiad. Córka z Flobie! Ale nic się nie martw, ja cię obronię przed mediami!

Wykonał pantomimę, udając, że powstrzymuje reporterów i siłuje się z fotografami, i była to całkiem ciekawa choreografia. Trochę mnie rozbawiła. Nawet wzięłam w niej udział, osłaniając twarz dłońmi, jakby oślepiały mnie flesze. Dzięki tym wygłupom oderwaliśmy się trochę od naszej smutnej rzeczywistości.

– To żałosne – oznajmiłam w końcu, gdy prawie się wywróciłam, odpychając wyimaginowanego paparazzo. – Moi rodzice wylądowali w pace. Za ceramiczny domek elfów.

– Lepiej niż za dilowanie crackiem – stwierdził, zrównując się ze mną. – Nie sądzisz?

– Zawsze jesteś taki pogodny?

– Zawsze. Tego wymagają od pracowników Targetu. Jestem niczym Kapitan Śmieszek.

– Twoja dziewczyna musi być tym zachwycona!

Powiedziałam to, żeby zrobić wrażenie bystrej i spostrzegawczej, spodziewając się, że odpowie: „Skąd wiesz...?", a ja przerwę mu: „Zauważyłam zdjęcie w twoim portfelu". Uzna mnie za Sherlocka Holmesa w spódnicy i dojdzie do wniosku, że nie jestem aż tak obłąkana, jak się wydawało w Waffle House. (Czasami trzeba odrobinę poczekać na oczyszczenie swojego imienia, ale mimo to warto).

Tymczasem on tylko gwałtownie odwrócił głowę w moją stronę, zamrugał, a następnie ruszył zdecydowanym krokiem naprzód. Żartobliwy nastrój przepadł i Stuart stał się niezwykle rzeczowy.

– To już niedaleko. Ale musimy podjąć decyzję. Mamy stąd dwie drogi. Dalej prosto, co zapewne w tym tempie zajmie nam jakieś czterdzieści pięć minut. Albo skrótem.

– Skrótem – odpowiedziałam bez chwili wahania. – To oczywiste.

– Skrótem jest znacznie bliżej, bo droga robi pętlę, a skrót prowadzi na wprost. Na pewno bym nim poszedł, gdybym był sam, tak jak jeszcze pół godziny temu...

– Skrótem – powtórzyłam.

Stojąc w zamieci, gdy śnieg i wiatr zdzierały mi skórę z twarzy, a głowę i ręce miałam owinięte plastikowymi torbami, czułam, że naprawdę nie potrzebuję więcej informacji. Jakikolwiek by ten skrót był, na pewno nie okaże się gorszy niż to, co już przeszliśmy. A skoro Stuart planował nim pójść wcześniej, nie było powodu, by nie mógł tego zrobić w moim towarzystwie.

– Dobra – zgodził się. – Ogólnie mówiąc, skrót prowadzi za tymi budynkami. Mój dom jest tam, jakieś dwieście metrów stąd. Chyba. Mniej więcej.

Porzuciliśmy migającą żółtą drogę i zanurzyliśmy się w kompletnie ciemną ścieżkę między domami. Wyjęłam z kieszeni telefon, żeby sprawdzić, czy Noah nie dzwonił. Próbowałam to zrobić dyskretnie, ale Stuart mnie przyłapał.

– Nic? – zapytał.

– Jeszcze nie. Pewnie nadal jest zajęty.

– Wie o twoich rodzicach?

– Tak – potwierdziłam. – Mówię mu o wszystkim.

– Czy to układ obustronny?

– To znaczy?

– Powiedziałaś, że ty mówisz mu o wszystkim – wyjaśnił. – A nie, że mówicie sobie o wszystkim.

A cóż to za pytanie?

– Oczywiście – odrzekłam szybko.

– Jaki on jest, poza tym że peryferycznie szwedzkiego pochodzenia?

– Inteligentny. Ale nie przechwala się tym, jak ci, którzy wszystkim podają średnią ocen, mimochodem wspominają o wynikach egzaminów czy funkcji w samorządzie klasowym. U niego to jest naturalne. Nie zakuwa i nie przejmuje się za bardzo ocenami. Ale ma dobre wyniki. Bardzo dobre. Gra w nogę. Bierze udział w konkursach matematycznych. Jest lubiany.

Owszem, właśnie tak to ujęłam. Owszem, zabrzmiało to, jakbym się licytowała. I tak, Stuart znów miał tę minę „próbuję się z ciebie nie śmiać". Ale jak miałam odpowiedzieć na takie pytanie? Wszyscy, których znałam, znali też Noaha. Wiedzieli, jaki jest i co sobą reprezentuje. Zazwyczaj nie musiałam tego drobiazgowo wyjaśniać.

– Niezła charakterystyka – stwierdził Stuart, choć jego ton wcale nie wyrażał podziwu. – Ale jaki on jest?

O Boże, to jeszcze nie był koniec przesłuchania.

– No taki… jak właśnie powiedziałam.

– Chodzi mi o charakter. Czy może w sekrecie pisze wiersze? Tańczy po pokoju, gdy myśli, że nikt go nie widzi? Jest zabawny, tak jak ty? Jaką ma osobowość?

Stuart chyba grał na moich uczuciach tymi historiami z osobowością. Choć coś mnie ujęło w pytaniu, czy Noah jest taki zabawny jak ja. Zrobiło mi się całkiem miło. Ale odpowiedź brzmiała: nie. Noah miał wiele zalet, ale na pewno nie był zabawny. Zazwyczaj wydawało się, że go trochę rozkręcam, ale jak pewnie zauważyliście, czasami nie umiem zamilknąć. I wtedy po prostu wyglądał na znużonego.

– Intensywną – odpowiedziałam. – Ma intensywną osobowość.

– Pozytywnie intensywną?

– Czy w przeciwnym wypadku bym z nim chodziła? Daleko jeszcze?

Tym razem Stuart zrozumiał aluzję i zamilkł. Szliśmy w milczeniu, aż dotarliśmy do niezabudowanego terenu, na którym gdzieniegdzie rosły pojedyncze drzewa. W oddali, na szczycie wzniesienia, stały jakieś domy. Gdy wytężyłam wzrok, zauważyłam odległą poświatę świątecznych lampek. Śnieg padał tak gęsto, że wszystko było zamazane. Mógłby być piękny, gdyby tak mocno nie szczypał. Uświadomiłam sobie, że dłonie przemarzły mi tak bardzo, że przekroczyły pewną granicę i wydawały się teraz gorące. Natomiast w nogach traciłam już czucie.

Wtem Stuart wyciągnął rękę i zatrzymał mnie.

– Dobra, muszę ci coś powiedzieć. Przejdziemy przez niewielki potok. Jest zamarznięty. Widziałem wcześniej, że ludzie się po nim ślizgali.

– Głęboki?

– Nie za bardzo. Ma może półtora metra.

– Gdzie on jest?

– Gdzieś tu przed nami – odrzekł.

Spojrzałam na białą połać. Gdzieś tam znajdował się ukryty pod śniegiem ciek wodny.

– Możemy zawrócić – zasugerował Stuart.

– Zamierzałeś iść tędy, niezależnie od wszystkiego? – upewniłam się.

– Tak, ale ty nie musisz niczego udowadniać.

– Nie ma sprawy – powiedziałam, starając się sprawiać wrażenie pewnej siebie. – A zatem po prostu idziemy naprzód?

– Taki jest plan.

I tak też zrobiliśmy. Zrozumieliśmy, że zbliżamy się do potoku, gdy śnieg zrobił się płytszy i pod stopami wyczuliśmy śliską powierzchnię zamiast gęstego, skrzypiącego, solidnego puchu. Wtedy Stuart zdecydował się znów przemówić.

– Te chłopaki w Waffle House mają szczęście. Czeka ich najlepsza noc w życiu – powiedział.

Jego głos zabrzmiał prowokacyjnie, jakby chciał, żebym złapała się na przynętę. Co oznaczało, że powinnam była uważać. Ale oczywiście dałam się wkręcić.

– Boże – westchnęłam – dlaczego wszyscy faceci są tacy banalni?

– O co ci chodzi? – zapytał. Zerknął na mnie i przy okazji się poślizgnął.

– Twierdzisz, że ci chłopcy mają szczęście.

– Może dlatego, że są uwięzieni w Waffle House z kilkunastoma cheerleaderkami?

– Skąd się bierze to aroganckie przekonanie? – zapytałam, może nieco ostrzej, niż zamierzałam. – Czy faceci naprawdę wierzą, że jeśli są jedynymi osobnikami płci męskiej w okolicy, to wszystkie dziewczyny nagle się na nich rzucą? Tak jakbyśmy polowały na samotnych niedobitków i nagradzały ich grupowym seksem.

– A nie jest tak?

Nawet nie zaszczyciłam tej uwagi odpowiedzią.

– A co masz przeciwko cheerleaderkom? – dociekał, najwyraźniej bardzo zadowolony, że udało mu się mnie zdenerwować. – Nie twierdzę, że podobają mi się wyłącznie cheerleaderki. Po prostu nie mam wobec nich uprzedzeń.

– To nie jest uprzedzenie – zaprzeczyłam zdecydowanie.

– Nie? W takim razie co?

– Chodzi o samą ideę cheerleadingu – wyjaśniłam. – O panienki w krótkich spódniczkach, których zadaniem jest zapewnianie facetów, że są fantastyczni. Wyselekcjonowane na podstawie urody.

– No nie wiem – powiedział drwiąco – osądzanie grupy osób, których się nie zna, robienie założeń, ocenianie ich wyglądu... to zakrawa na uprzedzenie, ale...

– Nie jestem uprzedzona! – krzyknęłam, tracąc nad sobą panowanie. Otaczała nas ciemność. Nad nami wisiało zamglone ołowianosine niebo. Wokół widać było tylko zarysy nagich drzew, wystających z ziemi niczym chude ręce. Niekończąca się biała przestrzeń, wirujące płatki, samotny gwizd wiatru i cienie domów.

– Przesadzasz – odpowiedział Stuart, nie odpuszczając tej irytującej rozgrywki – bo skąd wiesz, że w wolnym czasie nie zajmują się ratownictwem albo czymś w tym rodzaju? Może opiekują się bezdomnymi kotkami, prowadzą banki żywności albo...

– Bo nie – warknęłam, wysuwając się naprzód. Lekko się pośliznęłam, ale udało mi się złapać równowagę. – W wolnym czasie idą na woskowanie ciała.

– Nie wiesz tego! – zawołał zza moich pleców.

– Noahowi nie musiałabym tego tłumaczyć – oznajmiłam. – Od razu by zrozumiał.

– Wiesz co? – powiedział Stuart spokojnie. – Choć ty uważasz tego Noaha za ósmy cud świata, mnie jakoś w tej chwili on nie imponuje.

Miałam dość. Zawróciłam i długim zdecydowanym krokiem ruszyłam w kierunku, z którego przyszliśmy.

– Dokąd idziesz? – zaniepokoił się. – Daj spokój…

Liczył na to, że uznam, iż nic się nie stało, ale ja po prostu miałam dosyć. Stąpałam mocno po lodzie, żeby utrzymać równe tempo.

– To kawał drogi z powrotem! – Podbiegł, by się ze mną zrównać. – Nie rób tego. Mówię poważnie.

– Przepraszam – powiedziałam, jakby mnie to niewiele obchodziło. – Myślę, że będzie lepiej, jeśli…

Rozległ się hałas. Nowy dźwięk wśród gwizdu, szumu, skrzypienia lodu i śniegu. Ostry dźwięk, trochę przypominający trzask polana w ogniu, co było dość nieprzyjemną ironią. Oboje zatrzymaliśmy się w miejscu. Stuart posłał mi zaniepokojone spojrzenie.

– Nie ru…

I wtedy podłoże pod nami się rozstąpiło.

Rozdział 6

Być może nigdy nie wpadliście do zamarzniętego potoku, więc opiszę wam, co się wtedy dzieje:

Jest zimno. Tak zimno, że Wydział do spraw Badań i Regulacji Temperatur w waszym mózgu robi odczyt i stwierdza: „Nie ogarniam problemu. Zmywam się". Wystawia tabliczkę: „Przerwa obiadowa", a całą odpowiedzialność zrzuca na...

Wydział do spraw Reakcji Bólowych, który ni w ząb nie rozumie biurokratycznego bełkotu przekazanego przez Wydział Temperatur. „To nie nasza działka" – oznajmia i zaczyna wciskać przypadkowe guziki, przepełniając cię dziwnymi i nieprzyjemnymi doznaniami, a następnie dzwoni do...

Biura Chaosu i Paniki, w którym zawsze siedzi ktoś chętny, by odebrać telefon natychmiast, gdy tylko rozlegnie się dzwonek. Przynajmniej w tym dziale są zawsze gotowi do działania. Biuro Chaosu i Paniki po prostu uwielbia wciskać guziki.

Zatem przez ułamek sekundy nie byliśmy w stanie wykonać żadnego ruchu z powodu tego biurokratycznego zamieszania w naszych głowach. Gdy trochę doszliśmy do siebie, udało mi się zrobić bilans sytuacji. Dobra wiadomość była taka, że wpadliśmy tylko po pierś. To znaczy ja. Woda sięgała mi dokładnie do piersi. Stuartowi do połowy brzucha. Zła wiadomość była taka, że tkwiliśmy w przerębli, a ciężko się z czegoś takiego wydostać, gdy człowiek jest prawie całkowicie sparaliżowany z zimna. Oboje próbowaliśmy, lecz lód pękał, gdy tylko się na nim opieraliśmy.

Zupełnie odruchowo wtuliliśmy się w siebie.

– D-dobra – powiedział Stuart, drżąc gwałtownie. – Jest z-zimno. I k-kiepsko.

– Coś ty? Serio? – krzyknęłam. Tyle że nie miałam w płucach dość powietrza, więc zabrzmiało to jak złowieszczy cichy świst.

– M-musimy łamać l-lód.

Mnie również przyszedł ten pomysł do głowy, ale poczułam się pewniej, gdy Stuart go potwierdził. Zaczęliśmy niczym zepsute roboty uderzać w lód sztywnymi ruchami, aż dotarliśmy do grubszej warstwy. Woda była tu nieco płytsza, lecz niewiele.

– Podsadzę cię – zaproponował Stuart. – Stań na mojej ręce.

Próbowałam unieść nogę, ale odmówiła współpracy. Dolne kończyny miałam tak skostniałe, że po prostu przestały funkcjonować. Gdy już nimi poruszyłam, Stuart miał tak zmarznięte dłonie, że nie mógł mnie utrzymać. Musieliśmy zrobić kilka prób, ale w końcu się udało.

Kiedy próbowałam wstać, z wielkim zdziwieniem stwierdziłam, że lód jest... śliski i trudno się go chwycić, zwłaszcza gdy ma się dłonie owinięte mokrymi workami.

Podałam Stuartowi ręce i pomogłam mu się wykaraskać. Wylądował na brzuchu.

Wydostaliśmy się. Ale o dziwo na brzegu było dużo gorzej niż w potoku.

– T-to już n-niedaleko – wykrztusił Stuart. Ledwo go rozumiałam. Miałam wrażenie, że nawet moje płuca się trzęsą. Chwycił mnie za rękę i poholował w stronę domu na szczycie wzniesienia. Gdyby nie wlókł mnie za rękę, nigdy bym tam nie dotarła.

Jeszcze nigdy, przenigdy nie byłam tak szczęśliwa na widok domu. Otaczała go blada zielonkawa poświata nakrapiana maleńkimi czerwonymi plamkami. Tylne drzwi nie były zamknięte na zamek, więc bez przeszkód wkroczyliśmy do raju. I wcale nie chodzi o to, że był to najwspanialszy dom, jaki kiedykolwiek odwiedziłam – po prostu był to dom, ciepły, pełen zapachu choinki, pieczonego indyka i ciasteczek.

Stuart ciągnął mnie, aż dotarliśmy do drzwi, które, jak się okazało, prowadziły do łazienki ze szklaną kabiną prysznicową.

– Wejdź – wepchnął mnie do środka. – Prysznic. Szybko. Ciepła woda.

Drzwi się zatrzasnęły i Stuart gdzieś poszedł. Moje ciuchy były przerażająco ciężkie, kompletnie przesiąknięte wodą, śniegiem i błotem, ale zdarłam je z siebie i, słaniając się, otworzyłam kabinę.

Długo stałam pod strumieniem wody, oparta bezwładnie o ścianę, a niewielkie pomieszczenie wypełniało się parą. Raz czy dwa woda zmieniła temperaturę, prawdopodobnie dlatego, że Stuart też brał prysznic gdzieś w innym miejscu w domu.

Zakręciłam kurek dopiero wtedy, gdy woda zaczęła się robić zimna. Wyszłam z zaparowanej kabiny i zauważyłam, że moje ubrania zniknęły. Ktoś zabrał je z łazienki, a ja nawet tego nie zarejestrowałam. W ich miejscu leżały dwa wielkie ręczniki, spodnie od dresu, bluza, skarpety i kapcie. Wszystkie ubrania, poza skarpetami i kapciami, były chłopięce. Skarpety były grube i różowe, a sięgające za kostkę kapcie uszyte z puszystego futerka.

Chwyciłam pierwszą z brzegu rzecz, czyli bluzę, i osłoniłam swoje nagie ciało. Choć teraz byłam w łazience zupełnie sama, ktoś tu przedtem wszedł. Ktoś myszkował, zabrał moje ubrania i zostawił suche ciuchy. Czy Stuart zakradł się, gdy brałam prysznic? Czy widział mnie nagą? Czy powinnam się tym w ogóle przejmować?

Szybko włożyłam wszystko, co mi pozostawiono. Uchyliłam drzwi i wyjrzałam na zewnątrz. Wydawało się, że w kuchni nikogo nie ma. Otworzyłam drzwi szerzej i nagle znikąd wyrosła przede mną kobieta. Była w wieku mojej mamy, miała jasne kręcone włosy, które wyglądały na utlenione domowym sposobem. Nosiła dres z wizerunkiem dwóch przytulonych koali w czapkach mikołajowych. Ale jedyne, co mnie w tej chwili obchodziło, to fakt, że trzymała w ręku parujący kubek.

– Biedactwo! – wykrzyknęła, a miała naprawdę donośny głos. Należała do tych osób, które można z łatwością usłyszeć na drugim końcu parkingu. – Stuart poszedł na górę. Jestem jego mamą.

Wzięłam od niej kubek. Mogłaby to być gorąca trucizna, ale i tak bym ją wypiła.

– Biedulko – ciągnęła – nie martw się. Zaraz cię rozgrzejemy. Przepraszam, że nie mam nic, co by bardziej na ciebie pasowało. To ubrania Stuarta, jedyne czyste, jakie znalazłam w pralni. Twoje wrzuciłam do pralki, a buty i kurtka suszą się na grzejniku. Może chcesz do kogoś zadzwonić? Nie przejmuj się, jeżeli to międzymiastowa.

Tak poznałam mamę Stuarta („Mów mi Debbie"). Znałam ją ledwie od dwudziestu sekund, a ona już widziała moją bieliznę i proponowała mi ciuchy swojego syna. Natychmiast posadziła mnie przy kuchennym stole i zaczęła wyjmować z lodówki półmiski owinięte folią do żywności.

– Zjedliśmy świąteczną kolację, kiedy Stuart był w pracy, ale zrobiłam mnóstwo jedzenia! Całe góry! Wcinaj!

Rzeczywiście było tego mnóstwo: indyk i purée z ziemniaków, sosy, pasztety i cała reszta. Debbie wystawiła wszystko i nalegała, bym sobie nakładała, a do tego podała mi talerz gorącego rosołu z kluseczkami. Poczułam głód – chyba większy niż kiedykolwiek w życiu.

W drzwiach pojawił się Stuart. Tak jak ja ubrał się ciepło. Miał flanelowe spodnie od piżamy i gruby, porozciągany sweter. Nie wiem... może to z wdzięczności, z ogólnego poczucia szczęścia, że żyję, a może dlatego, że nie miał na głowie plastikowej torby... ale wydał mi się bardzo przystojny. I cała moja poprzednia irytacja zniknęła.

– Pościelisz Julii na kanapie? – zapytała mama. – I koniecznie wyłącz choinkę, żeby jej nie budziła.

– Przepraszam... – powiedziałam. Dopiero teraz uświadomiłam sobie, że wtargnęłam w ich życie w Boże Narodzenie.

– Nie przepraszaj! Cieszę się, że wykazałaś się rozsądkiem i tu przyszłaś! Zaopiekujemy się tobą. Daj jej dużo koców, Stuart.

– Dam – zapewnił ją.

– Teraz też przydałby się koc. Patrz, trzęsie się z zimna. Ty też. Nie wstawaj.

Pospieszyła do salonu, a Stuart uniósł brwi, jakby chciał powiedzieć: „Cierpliwości". Debbie wróciła z dwiema wełnianymi narzutami. Opatuliła mnie jedną z nich jak niemowlaka, tak że trudno mi było ruszać rękami.

– Zrobię wam więcej gorącej czekolady – zaproponowała. – A może herbaty? Mamy różne gatunki.

– Poradzimy sobie, mamo – oznajmił Stuart.

– Jeszcze zupy? Jedzcie zupę. Domowy rosół z kurczaka jest jak naturalny antybiotyk. A wy się tak wyziębiliście...

– Poradzimy sobie, mamo.

Debbie zabrała mój do połowy opróżniony talerz, dolała zupy do pełna i wstawiła go do mikrofalówki.

– Pokaż Julii, gdzie wszystko jest, Stuart. Jeśli będziesz czegoś potrzebowała w nocy, po prostu to sobie weź. Czuj się jak u siebie w domu. Teraz należysz do rodziny.

Doceniałam jej przyjazne uczucia, ale miałam wrażenie, że okazuje je w nieco zbyt wylewny sposób.

Rozdział 7

Po wyjściu Debbie przez kilka minut w milczeniu z zapałem napychaliśmy sobie brzuchy. Niestety chyba wcale sobie nie poszła, bo nie słyszałam żadnych kroków w korytarzu. Stuart pewnie myślał podobnie, bo cały czas się za siebie oglądał.

– Zupa jest fantastyczna – zauważyłam, ponieważ wydawało mi się, że to odpowiednia uwaga, gdyby ktoś podsłuchiwał. – Nigdy takiej nie jadłam. To przez te kluseczki…

– Pewnie dlatego, że nie jesteś Żydówką – stwierdził chłopak, wstając i zamykając harmonijkowe drzwi do kuchni. – To knedle z mąki macowej.

– Jesteście Żydami?

Stuart ostrzegawczo uniósł palec. Lekko potrząsnął drzwiami i usłyszeliśmy ciche trzeszczenie desek, jakby ktoś usiłował dyskretnie wbiec po schodach.

– Przepraszam – powiedział – odniosłem wrażenie, że mamy towarzystwo. To pewnie jakaś mysz. Tak, moja mama jest Żydówką, jednak ma ogromną słabość do całej tej bożonarodzeniowej oprawy. Pewnie robi to, żeby się dopasować, ale chyba trochę przesadza.

Kuchnia rzeczywiście tonęła w świątecznych dekoracjach. Ręczniki, pokrowiec na toster, magnesy na lodówce, zasłony, obrus, stroik na stole... Im bardziej się przyglądałam, tym bardziej bożonarodzeniowe wydawało mi się to miejsce.

– Nie zauważyłaś sztucznego elektrycznego ostrokrzewu w hallu? – zapytał Stuart. – Nasz dom nie ma szans, by znaleźć się na okładce „Southern Jew".

– Ale dlaczego...

Wzruszył ramionami.

– Bo tak robią inni – odpowiedział, biorąc kolejny plaster indyka, zwijając go i wkładając do ust. – Zwłaszcza w tym miasteczku. Nie istnieje tu nic, co można by nazwać kwitnącą żydowską wspólnotą. Nasza klasa w szkole hebrajskiej składała się ze mnie i jednej koleżanki.

– Twojej dziewczyny?

Jakiś cień przemknął przez jego twarz. Stuart lekko zmarszczył czoło i zacisnął usta, może powstrzymywał się od śmiechu?

– To, że jest nas tylko dwoje, nie oznacza, że zaraz musimy być parą – zaprotestował. – Nikt nie żąda od razu: „Hej, wy dwoje, jesteście Żydami, to zatańczcie ze sobą!". Nie, ona nie jest moją dziewczyną.

– Przepraszam – rzuciłam szybko. Już drugi raz wspomniałam o jego dziewczynie, próbując się wykazać zmysłem obserwacji, i znów zrobił unik. Koniec, kropka. Nie będziemy o niej wspominać. Najwyraźniej nie miał na to ochoty. Co było dosyć dziwne... Wyglądał na takiego chłopaka, który z radością mógłby nawijać o swojej ukochanej przez siedem godzin non stop. Przynajmniej tak go odbierałam.

– Nie ma sprawy. – Wziął kolejny kawałek indyka. Może zapomniał, jaka czasami potrafię być tępa. – Miejscowych raczej cieszy nasza obecność. Tak jakbyśmy byli lokalną atrakcją. Mogą powiedzieć: mamy plac zabaw, sprawnie działający system recyklingu i dwie żydowskie rodziny.

– Ale czy to nie jest trochę niepokojące? – zapytałam, wskazując solniczkę w kształcie bałwana. – Te wszystkie bożonarodzeniowe akcenty?

– Może. Lecz to po prostu ogólne święto, rozumiesz? Wszystko, co z nim związane, jest takie sztuczne, że nie ma znaczenia. Mama po prostu lubi świętować. Nasi krewni z innych miast dziwią się, że mamy choinkę, ale choinki są spoko. Choinki nie są elementem religii.

– To prawda – zgodziłam się. – A co sądzi o tym twój tato?

– Nie mam pojęcia. Nie mieszka z nami.

Stuart powiedział to tak beztrosko, jakby się tym faktem w ogóle nie przejmował. Wystukał kolejny cichy rytm na blacie stołu, na zakończenie rozmowy, i wstał.

– Pójdę po pościel dla ciebie – oznajmił. – Zaraz wrócę.

Postanowiłam rozejrzeć się po salonie. Stały tu dwie choinki: mała na parapecie i wielka – mierząca dobre dwa i pół metra – w rogu pokoju. Dosłownie uginała się pod ciężarem ręcznie robionych ozdób, mnóstwa światełek i chyba z dziesięciu opakowań srebrnej lamety.

Dostrzegłam też fortepian zarzucony arkuszami nut, poznaczonymi notatkami na marginesach. Nie gram na żadnym instrumencie, więc muzyka zawsze była dla mnie ogromnie skomplikowaną dziedziną sztuki – lecz tutaj wyglądała na jeszcze bardziej skomplikowaną. Najwyraźniej ktoś w tym domu doskonale sobie z nią radził. Ten instrument nie był tylko meblem.

Mój wzrok przede wszystkim przykuło to, co stało na fortepianie. Choć o wiele mniejsza i nie tak technicznie skomplikowana jak nasza, niemniej była to wioska Flobie otoczona ozdobną girlandą.

– Zapewne wiesz, co to takiego – zauważył Stuart, schodząc po schodach z naręczem koców i poduch, które rzucił na sofę.

Oczywiście, że wiedziałam. Mieli pięć domków – kawiarnię Wesołej Kompanii, sklep z żelkami, Świąteczny Magazyn Franka, Elfaterię i lodziarnię.

– Wy pewnie macie tego więcej – dodał.

– Pięćdziesiąt sześć elementów.

Gwizdnął z podziwem i wyciągnął rękę, żeby uruchomić makietę. Nie mieli takiego wymyślnego systemu jak nasz, pozwalającego włączyć wszystkie domki naraz, i Stuart musiał wciskać przełączniki po kolei, żeby obudzić wioskę do życia.

– Moja mama uważa, że są sporo warte – wyznał. – Traktuje je jak inwestycję.

– Oni wszyscy tak do tego podchodzą – pocieszyłam go.

Przyjrzałam się domkom okiem specjalisty. Zazwyczaj się nie chwalę, ale z oczywistych przyczyn sporo wiem na temat wioski Flobie. Poradziłabym sobie w każdym konkursie telewizyjnym na jej temat.

– Ten może być trochę wart. – Wskazałam kawiarnię Wesołej Kompanii. – Widzisz cegły i zielone obramowanie okien? To domek z pierwszej serii. Rok później robili czarne parapety.

Podniosłam go ostrożnie i zajrzałam pod spód.

– Nie ma numeru seryjnego – stwierdziłam, przyglądając się podstawie – ale mimo to... każdy budynek z pierwszej serii z cechami szczególnymi jest dobry. Poza tym przestali produkować kawiarnię Wesołej Kompanii pięć lat temu, co też podnosi jej wartość. Poszłaby za czterysta dolarów, tylko że komin wygląda, jakby się ułamał i został doklejony.

– No, tak. To sprawka mojej siostry.

– Masz siostrę?

– Rachel – dodał Stuart. – Ma pięć lat. Nie martw się, na pewno ją poznasz. A twoje wystąpienie było imponujące.

– To chyba nieodpowiednie określenie. Bardziej by pasowało „smutne".

Wyłączył zasilanie makiety.

– Kto gra na fortepianie? – zapytałam.

– Ja. Taki mam talent. Chyba wszyscy jakiś mamy.

Stuart zrobił zabawną minę, która mnie rozśmieszyła.

– Nie bądź taki skromny – powiedziałam. – Szkoły uwielbiają uzdolnionych muzycznie uczniów.

Boże, zabrzmiało to tak... no, jakbym była jedną z tych osób, które robią coś tylko po to, by zyskać uznanie w szkole. Przeżyłam wstrząs, gdy uświadomiłam sobie, że cytuję Noaha. Nigdy przedtem nie przyszło mi do głowy, iż brzmi to tak odrażająco.

– Przepraszam – rzuciłam tylko. – Jestem zmęczona.

Zbył mnie machnięciem ręki, jakby sprawa nie wymagała wyjaśnień ani przeprosin.

– Matki również – stwierdził. – I sąsiedzi. Jestem na naszym osiedlu czymś w rodzaju tresowanej małpki. Na szczęście lubię grać, więc jakoś daję radę. Masz tutaj prześcieradła i poduchy, i…

– Dziękuję – przerwałam mu. – Super. Naprawdę miło z twojej strony, że mnie zaprosiłeś.

– Już mówiłem, żaden problem.

Odwrócił się, żeby odejść, ale zatrzymał się jeszcze w połowie schodów.

– Hej – odezwał się – przepraszam, że zachowałem się niefajnie tam po drodze. Po prostu…

– Szliśmy przez zamieć – dokończyłam. – Wiem. Było zimno i mieliśmy dość. Nie przejmuj się. Ja też przepraszam. I dzięki.

Wyglądał, jakby miał coś jeszcze dodać, ale tylko kiwnął głową i ruszył na górę. Słyszałam, że dotarł na piętro, ale potem cofnął się o kilka stopni. Spojrzał na mnie znad balustrady.

– Wesołych świąt! – zawołał, zanim zniknął na dobre.

Dopiero wtedy wszystko dotarło do mnie z całą mocą. Do oczu napłynęły mi łzy. Brakowało mi rodziców. Tęskniłam za Noahem. I za domem. Ci ludzie robili, co mogli, ale nie byli moją rodziną. Stuart nie był moim chłopakiem. Leżałam długo, wiercąc się na sofie, słuchając, jak gdzieś na piętrze chrapie pies (przynajmniej myślałam, że to pies), i obserwując bardzo głośno tykający zegar, który odmierzał kolejne dwie godziny.

Po prostu nie mogłam sobie poradzić.

Telefon zostawiłam w kieszeni kurtki, więc poszłam w końcu poszukać swoich ubrań. Znalazłam je w pralni. Kurtka wisiała na grzejniku, ale niestety mojej komórce kąpiel w zimnej wodzie nie wyszła na dobre. Ekran był kompletnie czarny. Nic dziwnego, że Noah nie mógł się dodzwonić.

Na ladzie w kuchni stał telefon. Zakradłam się tam po cichu, podniosłam słuchawkę i wybrałam numer Noaha. Odebrał dopiero po czterech sygnałach. Wydawał się bardzo zdezorientowany, a głos miał zmęczony i stłumiony.

– To ja – wyszeptałam.

– Lee? – zachrypiał. – Która godzina?

– Trzecia nad ranem – odpowiedziałam. – Nie oddzwoniłeś.

Usłyszałam westchnienie, jakby próbował zebrać myśli.

– Przepraszam. Byłem zajęty cały wieczór. Wiesz, jaka jest moja mama podczas Smorgasbord. Możemy pogadać jutro? Zadzwonię, gdy tylko skończymy otwieranie prezentów.

Umilkłam. Przeżyłam największą śnieżycę roku (a właściwie wielu lat), wpadłam do zamarzniętego potoku, rodzice siedzieli w więzieniu... a mój chłopak nawet nie mógł ze mną porozmawiać?

Ale... pewnie późno się położył i nie miało sensu zmuszać go do słuchania mojej opowieści, gdy był na wpół śpiący. Ludzie nie potrafią okazywać współczucia, kiedy się ich nagle wyrywa ze snu, a ja potrzebowałam stu procent jego uwagi.

– Jasne – zgodziłam się. – Jutro.

Wczołgałam się z powrotem do mojej jaskini z koców i poduszek. Miały silny, obcy zapach. Nie nieprzyjemny – po prostu czuć było od nich bardzo wyraźną woń detergentu, która była mi nieznana.

Czasami nie rozumiałam Noaha, wręcz odnosiłam wrażenie, że chodzenie ze mną to jakaś część jego szkolnego planu, tak jakby na podaniu na studia była ankieta, a jedno z pytań do odhaczenia brzmiało: „Czy spotykasz się z inteligentną dziewczyną, która wspiera twoje aspiracje i jest w pełni gotowa zaakceptować fakt, że masz mało czasu? Czy lubi słuchać, gdy całymi godzinami opowiadasz o swoich osiągnięciach?".

Stop! Takie myśli wynikały ze strachu i z zimna. Z poczucia, że byłam w obcym domu z dala od rodziny. Ze stresu związanego z tym, że rodzice zostali aresztowani w wyniku batalii o ceramiczne domki. Jeśli się prześpię, mój mózg wróci na normalne tory.

Zamknęłam oczy i poczułam, że świat wiruje wraz ze śniegiem. Przez moment kręciło mi się w głowie, ogarnęły mnie lekkie mdłości, a potem zapadłam w głęboki, głęboki sen, i śniłam o gofrach oraz o cheerleaderkach robiących szpagaty na stołach.

Rozdział 8

Ranek nadszedł pod postacią pięciolatki wskakującej mi na brzuch. Zrobiła to tak gwałtownie, że oczy niemalże wypadły mi z oczodołów.

– Kto ty jesteś? – zapytała podekscytowana. – Bo ja jestem Rachel!

– Rachel! Nie skacz po niej! Ona śpi!

To był głos Debbie.

Rachel była bardzo piegowatym Stuartem w wersji mini z okropnie potarganymi włosami i szerokim uśmiechem. Lekko pachniała cheeriosami i przydałaby się jej kąpiel. Debbie też przyszła do salonu i z kubkiem kawy w ręku włączyła wioskę Flobie. Stuart pojawił się od strony kuchni.

Nienawidzę, gdy się budzę, a ktoś czai się w pobliżu, i wiem, że widział, jak spałam. Niestety często mi się to zdarza, bo śpię jak suseł. Raz przespałam alarm pożarowy. Wył przez trzy godziny. W mojej sypialni.

– Odłożymy otwieranie prezentów na później – oznajmiła Debbie. – Teraz sobie coś zjemy i miło pogawędzimy!

Oczywiście zmieniła plany, by nie sprawić mi przykrości. Jednak twarz jej córeczki wyglądała, jakby miała pęknąć na dwie części niczym przejrzały owoc. Stuart spojrzał na mamę z wyraźnym powątpiewaniem.

– Prezenty dostanie tylko Rachel – dodała więc szybko.

To zdumiewające, jak szybko zmienia się nastrój małych dzieci. Dziewczynka przeszła od absolutnej rozpaczy do euforii w czasie potrzebnym ledwie na kichnięcie.

– Nie! – zaprotestowała. – Nie, wy też!

Debbie zdecydowanie pokręciła głową i uśmiechnęła się.

– Ja i Stuart możemy poczekać. Może pójdziesz przygotować się do śniadania? – zwróciła się do mnie.

Przemknęłam do łazienki, by spróbować doprowadzić się do względnie normalnego stanu. Moja fryzura wyglądała, jakbym właśnie wróciła z próby kabaretu, a skórę miałam spierzchniętą i popękaną. Zrobiłam, co mogłam, za pomocą wody i ozdobnych mydełek do rąk, co oznacza, że poprawa była znikoma.

– Chcesz może zadzwonić do rodziców? – zapytała Debbie, kiedy wyszłam z łazienki. – Życzyć im wesołych świąt?

Spojrzałam na Stuarta, nie wiedząc, jak wybrnąć z sytuacji.

– To może być trudne – wyjaśnił. – Należą do Piątki z Flobie.

I to by było tyle, jeśli chodzi o zatajanie pewnych faktów. Jednak Debbie nie wyglądała na przerażoną. Właściwie w jej oczach pojawił się taki błysk, jakby spotkała słynną osobistość.

– Twoi rodzice brali w tym udział? – zapytała. – Dlaczego nie powiedziałaś? Uwielbiam wioskę Flobie. Głupio zrobili, wsadzając ich do więzienia. Piątka z Flobie! Och, na pewno pozwolą im porozmawiać z córką przez telefon! W Boże Narodzenie! Przecież nikogo nie zamordowali.

Stuart spojrzał na mnie porozumiewawczo, jakby chciał powiedzieć: „A nie mówiłem?".

– Nawet nie wiem, w którym są więzieniu – wyznałam. Natychmiast ogarnęło mnie poczucie winy. Moi rodzice marnieją gdzieś w celi, a ja nawet nie wiem gdzie.

– Łatwo to sprawdzić. Stuart, wejdź do Internetu i dowiedz się, w którym więzieniu siedzą. Na pewno wspominali coś w wiadomościach.

Chłopak natychmiast wyszedł z pokoju, mówiąc, że się tym zajmie.

– Stuart jest prawdziwym czarodziejem, jeśli chodzi o te rzeczy – zapewniła mnie Debbie.

– Jaki rzeczy?

– Potrafi wszystko znaleźć w Internecie.

Debbie należała do tych rodziców, którzy nadal nie całkiem rozumieli, że korzystanie z Internetu to nie czary i wszyscy umiemy znaleźć wszystko w sieci. Nie powiedziałam tego jednak, bo nieuprzejmie jest uświadamiać komuś, że umyka mu coś oczywistego, nawet jeśli tak jest naprawdę.

Stuart wrócił z numerem do więzienia, a Debbie chwyciła telefon.

– Zmuszę ich, żeby pozwolili ci porozmawiać z rodzicami – obiecała, przyciskając słuchawkę do ucha. – Jeszcze nie wiedzą, jak uparta... O, halo?

Chyba ci w więzieniu stwarzali pewne trudności, ale Debbie ich pokonała. Nasz prawnik Sam byłby pod wrażeniem. Przekazała mi telefon i cała rozpromieniona wycofała się z kuchni. Stuart wziął na ręce opierającą się Rachel i też wyszedł.

– Jubilatko? – powiedziała moja mama. – Kochanie! Nic ci nie jest? Dojechałaś na Florydę? Jak się czują dziadkowie? Och, skarbie…

– Nie dotarłam na Florydę. Zasypało tory. Jestem w Gracetown.

– Gracetown? – powtórzyła. – Tylko tam dojechałaś? Och, skarbie… Co robisz? Nic ci nie jest? Nadal siedzisz w pociągu?

Nie czułam się na siłach, by przedstawiać dokładną historię minionej doby, więc zrobiłam mały skrót.

– Pociąg utknął w zaspie – wyjaśniłam – i musieliśmy wysiąść. Poznałam pewnych ludzi, u których nocowałam.

– Pewnych ludzi? – W głosie mamy zabrzmiała nuta najwyższego niepokoju, oznaczająca, że na pewno podejrzewa ich o handel narkotykami albo o molestowanie nieletnich. – Jakich ludzi?

– Bardzo miłych. Mama z dwójką dzieci. Kolekcjonują wioskę Flobie. Nie jest tak duża jak nasza, ale mają kilka takich samych budynków, na przykład sklep z żelkami z pełną wystawą. I piekarnię pierników. Mają nawet kawiarnię Wesołej Kompanii z pierwszej serii.

– Och – westchnęła z wyraźną ulgą.

Moi rodzice chyba uważają, że trzeba mieć pewne zasady moralne, by należeć do towarzystwa Flobie. Socjopaci przecież nie poświęcają czasu na to, by z czułością ustawiać małe piernikowe ludziki na wystawie piekarni. Tymczasem wiele osób uznałoby akurat taką pasję za objaw odchylenia. To, co dla jednych jest obłędem, dla innych stanowi gwarancję zdrowia psychicznego. Poza tym bardzo sprytnie opisałam Stuarta jako jedno z „dwójki dzieci" zamiast „kolesia z plastikową torbą na głowie, którego poznałam w Waffle House".

– Nadal u nich jesteś? A co z pociągiem?

– Chyba ciągle tkwi w zaspie. Wjechał w nią wczoraj w nocy i musieli wyłączyć zasilanie oraz ogrzewanie. Dlatego wysiedliśmy.

Znów bardzo sprytnie użyłam liczby mnogiej w przeciwieństwie do sformułowania: „wysiadłam sama i przeszłam przez sześciopasmówkę w śnieżycy". To nie było kłamstwo. Jeb wraz z tabunem Amber i Madison również wysiedli, gdy tylko przetarłam szlak. Kiedy masz szesnaście lat, musisz być geniuszem w sztuce niedopowiedzeń.

– A co u... – Jak zapytać mamę o pobyt w więzieniu?

– Wszystko dobrze – odpowiedziała dzielnie. – My... Och, Julio. Kochanie... Przepraszam za to wszystko. Tak bardzo cię przepraszam. Nie chcieliśmy...

Czułam, że zaraz się całkiem załamie, a to oznaczało, że ja też się rozkleję, jeżeli jej nie powstrzymam.

– U mnie wszystko dobrze – uspokoiłam ją. – Bardzo tu o mnie dbają.

– Czy mogę z nimi porozmawiać?

„Oni" oznaczali Debbie, więc ją zawołałam. Wzięła telefon i panie odbyły typową rozmowę, podczas której matki wyrażają ogólny niepokój o dzieci i często robią zatroskane miny. Debbie świetnie sobie radziła z uspokajaniem mojej rodzicielki, ale z jej słów wynikało, że nie zamierza mnie nigdzie puścić przynajmniej przez kolejny dzień. Całkowicie rozwiała nadzieję, że mój pociąg ruszy z miejsca i istnieje jakakolwiek szansa, bym dotarła na Florydę.

– Proszę się nie martwić – powiedziała. – Zaopiekujemy się pani córeczką. Mamy mnóstwo pysznego jedzenia, będzie jej miło, ciepło i przytulnie, dopóki sytuacja się nie unormuje. Spędzi wspaniałe święta, obiecuję. A zaraz potem odeślemy ją do domu.

Nastąpiła przerwa, podczas której moja mama wylewnie zapewniała o swojej dozgonnej wdzięczności.

– Ależ to dla nas żaden kłopot! – oponowała Debbie. – To sama przyjemność. I czy nie o to właśnie chodzi w świętach? Proszę o siebie tam dbać. My, fani Flobie, trzymamy za was kciuki.

Debbie rozłączyła się i, wycierając oczy, zapisała numer w notatniku z nagłówkiem „Lista Elfa" przymocowanym magnesem do lodówki.

– Powinnam dowiedzieć się czegoś o pociągu – powiedziałam. – Mogę zadzwonić?

Nikt nie odbierał telefonu, pewnie z powodu świąt, ale automatyczna informacja powiadomiła mnie, że „doszło do znacznych opóźnień". Wyglądałam przez okno, wybierając tonowo kolejne numery. Śnieg nadal padał. Nie w stylu „końca świata" jak wczoraj, ale wciąż dość obficie.

Debbie przez chwilę kręciła się po kuchni, a potem wyszła. Zadzwoniłam do Noaha. Odebrał po siódmym dzwonku.

– Noah – starałam się mówić cicho – to ja. Jestem w…

– Hej! – przerwał mi. – Słuchaj, właśnie siadamy do śniadania.

– Miałam dość ciężką noc – zdołałam powiedzieć.

– Och, nie, przykro mi, Lee. Słuchaj, oddzwonię do ciebie za chwilę, dobrze? Wyświetlił mi się twój numer. Wesołych świąt!

Żadnego „kocham cię" albo „święta bez ciebie są do niczego".

Uznałam, że mam dość. Poczułam ściskanie w gardle, ale bardzo nie chciałam być jedną z tych dziewczyn, które zalewają się łzami, bo chłopak nie ma czasu z nimi pogadać... Nawet jeśli okoliczności, w jakich się znalazłam, nieco odbiegały od normy.

– Jasne – odpowiedziałam, starając się, by mój głos brzmiał spokojnie. – Później. Wesołych świąt.

A potem pobiegłam do łazienki.

Rozdział 9

Nie można za długo siedzieć w łazience bez wywoływania podejrzeń. Po kilkunastu minutach ludzie zaczynają popatrywać na drzwi i zastanawiać się, co ty tam właściwie robisz. A ja spędziłam tu już co najmniej pół godziny. Zamknęłam się w kabinie prysznicowej i płakałam w ręcznik do rąk z napisem: „Niechaj pada śnieg".

Tak, niechaj pada. Niech pada i pada, i całkiem mnie zasypie. Bardzo zabawna historia.

Trochę się bałam wyjść, ale gdy w końcu to zrobiłam, kuchnia była pusta. Ktoś wprowadził w niej jeszcze bardziej świąteczny nastrój. Leciały szlagiery Binga Crosby'ego, na środku płyty kuchennej paliła się świeczka, a na blacie stały parujący dzbanek świeżej kawy i talerz z ciastem. Debbie wyłoniła się z drzwi pralni obok kuchenki.

– Wysłałam Stuarta do sąsiadów, żeby pożyczył ubranie zimowe dla Rachel – wyjaśniła. – Wyrosła ze swojego, a oni mają kombinezon akurat w jej rozmiarze. Stuart zaraz wróci.

Spojrzała na mnie porozumiewawczo, jakby mówiła: „Wiem, że potrzebowałaś chwili spokoju. Kryję cię".

– Dziękuję – odrzekłam, siadając przy stole.

– I rozmawiałam z twoimi dziadkami – dodała. – Mama dała mi do nich numer. Trochę się o ciebie martwili, ale ich uspokoiłam. Nie smuć się, Jubilatko. Wiem, że święta to trudny okres, ale postaramy się, by te były dla ciebie wyjątkowe.

Oczywiście mama podała jej moje prawdziwe imię. Debbie wymówiła je wyraźnie, jakby chciała podkreślić, że przyjęła je do wiadomości. Że traktuje mnie poważnie.

– Zazwyczaj są cudowne – wyznałam. – Nigdy dotąd nie miałam kiepskich świąt.

Kobieta wstała i nalała mi kawy, po czym postawiła filiżankę przede mną, wraz z mlekiem i wielką cukiernicą.

– Pewnie jest ci ciężko – powiedziała – ale ja wierzę w cuda. Być może to brzmi banalnie, ale tak jest. I czuję, że twoje pojawienie się było dla nas małym cudem.

Zerknęłam na nią, dodając mleka do kawy, i niemalże zalałam stół. Przypomniał mi się napis, który zauważyłam na makatce w łazience: „Przytulanie za darmo!". Nie było w tym nic złego – Debbie wyglądała na miłą osobę – ale chyba miała skłonność do nadmiernej ckliwości.

– Dziękuję – odrzekłam.

– Chodzi mi o to, że... Stuart wygląda na znacznie szczęśliwszego niż... Pewnie nie powinnam, ale... Może sam ci już powiedział. Wszystkim o tym opowiada, a wy dwoje wyraźnie się zaprzyjaźniliście, więc...

– O czym mi powiedział?

– O Chloe – wyjaśniła, szeroko otwierając oczy. – Nie mówił ci?

– Kim jest Chloe?

Zamiast odpowiedzieć, Debbie wstała i ukroiła dla mnie gruby kawałek ciasta. I to naprawdę gruby. Tak jak siódma część przygód Harry'ego Pottera. Mogłabym powalić włamywacza tym kawałem ciasta. Ale gdy go spróbowałam, wydał mi się całkiem odpowiednich rozmiarów. Debbie podchodziła poważnie do roli cukru i masła.

– Chloe – powiedziała w końcu, zniżając głos – była jego dziewczyną. Zerwali trzy miesiące temu, a on... cóż, to taki dobry chłopiec... bardzo to przeżył. Potraktowała go okropnie. Okropnie! Wczorajszego wieczoru kiedy z tobą rozmawiał, po raz pierwszy od dłuższego czasu dojrzałam w nim cień dawnego Stuarta.

– Ee... proszę?

– On ma takie dobre serce – ciągnęła niepomna, że zamarłam z kęsem ciasta w pół drogi do ust. – Kiedy jego ojciec, czyli również ojciec Rachel, a mój były mąż, odszedł od nas, Stuart miał tylko dwanaście lat. Ale żałuj, że nie widziałaś, jak mi pomagał i jak zajmował się siostrą. To naprawdę wspaniały człowiek.

Nie wiedziałam, jak zareagować. Było coś wstrząsająco niezręcznego w rozmawianiu z mamą Stuarta o jego zawodzie miłosnym. Jest takie powiedzenie: najlepszym przyjacielem chłopaka jest matka, nie zaś: najlepszym stręczycielem chłopaka jest matka. Nie bez powodu.

Co gorsza – jeśli w ogóle mogło być gorzej, a najwyraźniej mogło – ja miałam być balsamem na zranione serce Stuarta. Jej bożonarodzeniowym cudem. Chciała mnie tu zatrzymać na zawsze, napychając ciastem i przebierając w za duże dresy. Byłabym narzeczoną z Flobie.

– Mieszkasz w Richmond, tak? – trajkotała dalej. – To tylko dwie lub trzy godziny drogi stąd...

Przyszło mi do głowy, żeby znów zamknąć się w łazience, ale wtedy do kuchni wpadła w podskokach Rachel i wykonała długi ślizg, hamując na moim krześle. Wdrapała mi się na kolana i głęboko spojrzała w oczy. Nadal przydałaby się jej kąpiel.

– Co się stało? – zapytała. – Dlaczego płaczesz?

– Tęskni za rodzicami – wyjaśniła Debbie. – Są święta, a ona nie może się z nimi zobaczyć z powodu śnieżycy.

– Zaopiekujemy się tobą – zapewniła dziewczynka, biorąc mnie za rękę i przybierając ten uroczy ton „zdradzę ci ważną tajemnicę", który uchodzi tylko małym dzieciom. Jednak w świetle ostatnich wynurzeń jej matki poczułam się tym gestem jeszcze bardziej zagrożona.

– To miło, Rachel – wtrąciła Debbie. – Może pójdziesz umyć zęby, jak duża dziewczynka? Jubilatka może umyć zęby tutaj.

Może, ale tego nie zrobi. Nie zabrałam szczoteczki. Byłam w naprawdę kiepskiej formie, gdy się pakowałam.

Usłyszałam, że otworzyły się drzwi wejściowe, i chwilę później w kuchni pojawił się Stuart z kombinezonem.

– Musiałem obejrzeć dwieście zdjęć na cyfrowym wyświetlaczu – oznajmił. – Dwieście! Pani Henderson bardzo chciała mi pokazać, jakie to cudowne, że w tak małym urządzeniu mieści się aż dwieście zdjęć. Czy wspomniałem już, że było ich dwieście? Super.

Odłożył kombinezon, a potem powiedział, że musi się przebrać, ponieważ dżinsy całkowicie mu przemokły od śniegu.

– Niczym się nie martw – zwróciła się do mnie Debbie, gdy Stuart wyszedł. – Zabiorę małą, żeby się pobawiła na dworze, a wy możecie odpocząć. Oboje wczoraj strasznie przemarzliście. Zostaniesz tutaj w cieple, dopóki nie dowiemy się czegoś na temat pociągu. Obiecałam twojej mamie, że się tobą zaopiekuję. Posiedźcie sobie ze Stuartem i poleńcie się trochę. Napijcie się gorącej czekolady, zjedzcie coś, zwińcie się pod kocem...

W innych okolicznościach zakładałabym, że to ostatnie oznacza „zwińcie się pod dwoma osobnymi kocami, w odległości kilku metrów od siebie, a najlepiej żeby między wami leżał wilk na łańcuchu", ponieważ to zawsze mają na myśli rodzice. Jednak Debbie dawała mi odczuć, że zgadza się na rozwój wypadków, niezależnie od tego, jaki kierunek przybierze. Gdybyśmy zapragnęli posiedzieć na sofie pod jednym kocykiem, by ogrzewać się wzajemnie, ona nie miałaby nic przeciwko temu. Właściwie to chyba gotowa była zepsuć piec i pochować wszystkie koce poza jednym. Wzięła kombinezon i poszła poszukać Rachel.

To wszystko było tak niepokojące, że prawie zapomniałam o swoim nieszczęściu.

– Wyglądasz na spłoszoną – zauważył Stuart po powrocie. – Moja mama cię przestraszyła?

Zaśmiałam się nieco zbyt gwałtownie i zakrztusiłam się ciastem, a on obdarzył mnie takim samym spojrzeniem jak ostatniego wieczoru w Waffle House, kiedy bredziłam o peryferycznie szwedzkim pochodzeniu i braku zasięgu w telefonie. Ale podobnie jak poprzednio nie skomentował mojego zachowania. Tylko nalał sobie kawy i obserwował mnie kątem oka.

– Mama zabiera moją siostrę na dwór – dodał. – Zostajemy więc sami. Co masz ochotę robić?

Napchałam sobie usta ciastem i milczałam.

Rozdział 10

Pięć minut później przeszliśmy do salonu, w którym na fortepianie migotała maleńka wioska Flobie. Siedliśmy na sofie, ale nie spełniliśmy nadziei Debbie w kwestii jednego koca. Mieliśmy dwa oddzielne, a ja podkurczyłam nogi, tworząc z kolan zaporę. Z góry dochodziły stłamszone okrzyki Rachel pakowanej w kombinezon.

Przyjrzałam się uważnie Stuartowi. Nadal wydawał mi się przystojny, ale nie w taki sposób jak Noah. Noah nie był idealny. Żaden element jego wyglądu nie był sam w sobie powalający, natomiast wszystkie razem tworzyły bardzo atrakcyjną całość, idealnie opakowaną we właściwe ciuchy. Noah nie był snobem, jeśli chodzi o strój, ale miał niesamowity dar wyprzedzania modowych trendów. Na przykład zaczął nosić koszulkę z jednej strony wetkniętą w spodnie, a z drugiej wypuszczoną, a potem nagle okazało się, że wszyscy modele w katalogach noszą koszulki w taki sam sposób. On zawsze szedł o krok przed innymi.

W Stuarcie nie było niczego stylowego. Prawdopodobnie nie interesował się za bardzo modą i, jak przypuszczałam, nawet nie wiedział, że T-shirty i dżinsy można by nosić na różne sposoby. Teraz zdjął sweter, pod którym miał zwykłą czerwoną koszulkę. Dla Noaha byłaby ona zbyt nijaka, ale Stuart miał w sobie tyle luzu, że wyglądał dobrze. I choć koszulka była obszerna, zauważyłam, że jest dobrze zbudowany. Niektórzy faceci zaskakują takimi drobiazgami.

Nawet jeśli wiedział coś na temat planów swojej mamy, nie dał po sobie niczego poznać. Opowiadał zabawnie o prezentach Rachel, a ja uśmiechałam się z przymusem, udając, że słucham.

– Stuart! – zawołała Debbie. – Możesz tu przyjść? Rachel utknęła.

– Zaraz wrócę – powiedział.

Wbiegł po schodach, pokonując po dwa stopnie naraz, a ja wstałam z sofy i podeszłam do domków Flobie. Może gdybym porozmawiała z Debbie o ich potencjalnej wartości, przestałaby mi zawracać głowę Stuartem? Oczywiście ten plan może przynieść niezamierzony efekt i spodobam jej się jeszcze bardziej.

Z góry dochodziły odgłosy burzliwej rodzinnej narady. Nie wiem, co się stało z Rachel i kombinezonem, ale wyglądało to na skomplikowaną sprawę.

– Może jeśli odwrócimy ją do góry nogami… – zaproponował Stuart.

No i kolejne pytanie: dlaczego nie wspomniał mi o tej Chloe? Nie byliśmy co prawda najlepszymi przyjaciółmi ani nic w tym rodzaju, ale dogadywaliśmy się na tyle dobrze, że nie miał oporów, by wymuszać na mnie informacje o Noahu. Dlaczego nic nie powiedział, kiedy wspomniałam o jego dziewczynie, zwłaszcza że jeśli Debbie się nie myliła, zwierzał się wszystkim dookoła?

Oczywiście wcale mi na tym nie zależało. To nie moja sprawa. Stuart nie chciał się dzielić swoim bólem zapewne dlatego, że nie zamierzał zacieśniać relacji ze mną. Byliśmy kumplami. Co prawda od niedawna, ale zawsze to coś, a ja bardziej niż inni nie powinnam osądzać nikogo na podstawie tego, że jego starsi dziwnie się zachowują i stawiają go w niezręcznej sytuacji. W końcu moi rodzice siedzieli w więzieniu, a ja z tego powodu musiałam wędrować nocą przez zamieć. Nie można chłopaka obwiniać za to, że jego mama jest szaloną swatką.

Gdy zeszli we trójkę na dół (Rachel w ramionach Stuarta, bo chyba nie bardzo mogła się ruszać w kombinezonie), czułam się o wiele bardziej zdystansowana do całej sytuacji. Oboje padliśmy ofiarą dziwactw naszych rodziców. Był dla mnie pod tym względem niczym brat.

Zanim Debbie wypchnęła opakowaną niczym mumia Rachel na dwór, całkiem się uspokoiłam. Spędzę godzinkę w miłej i przyjaznej atmosferze ze Stuartem. Lubiłam jego towarzystwo i nie miałam czym się martwić. Gdy się odwróciłam, by rozpocząć wyżej wspomnianą godzinkę w miłej i przyjaznej atmosferze, zauważyłam, że siedzi na sofie z zachmurzoną miną i przygląda mi się nieufnie.

– Mogę ci zadać pytanie? – spytał.

– Hm…

Nerwowo splótł palce.

– Nie wiem, jak to ująć, ale muszę o to zapytać. Właśnie rozmawiałem z mamą i…

Nie! Nie, nie, nie.

– Naprawdę masz na imię Jubilatka? – wypalił.

Z ulgą opadłam na sofę, przez co on lekko podskoczył. Kwestia, której zazwyczaj się obawiam, teraz była najmilej widzianym, najwspanialszym tematem na świecie. Jubilatka była powodem do jubla.

– Tak, oczywiście. Twoja mama dobrze usłyszała. Otrzymałam imię na cześć Auli Jubilata.

– Kto to?

– Nie kto, lecz co. Jeden z budynków Flobie. Nie macie go. Nie przejmuj się, możesz się śmiać. Wiem, że to durne.

– Ja mam imiona po tacie – wyznał. – Takie samo pierwsze i drugie. To dopiero jest durne.

– No coś ty!

– Ty przynajmniej nadal masz swoją wioskę – odrzekł bezceremonialnie – a ja taty prawie w ogóle nie miałem.

Dobry argument, musiałam przyznać, choć Stuart nie wydawał się szczególnie rozgoryczony. Mówił tak, jakby to była dawno miniona sprawa, niemająca już znaczenia w jego życiu.

– Nie znam żadnych Stuartów – stwierdziłam. – Poza Stuartem Malutkim. I tobą.

– No właśnie. Kto daje synowi na imię Stuart?

– A kto daje córce Jubilatka? To nawet nie imię. Nawet nie konkretny przedmiot. Kim jest jubilatka?

– Bohaterką przyjęcia, prawda? – odrzekł. – Jesteś jedną wielką chodzącą imprezą.

– Coś o tym wiem.

– No dobra. – Wstał i sięgnął po prezent, który dostała Rachel. Była to gra planszowa o nazwie „Pułapka na myszy". – Zagrajmy.

– To gra twojej siostrzyczki – zauważyłam.

– No i co? I tak będę musiał z nią grać. Mogę się nauczyć już teraz. A wygląda na to, że składa się z mnóstwa elementów. Dobry sposób na zabicie czasu.

– Ja nigdy nie zabijam czasu – powiedziałam. – Wolę coś robić.

– Na przykład?

– Na przykład…

Nie miałam pojęcia. Po prostu zawsze gdzieś gnałam. Noah nigdy się nie obijał. Dla rozrywki uaktualnialiśmy choćby stronę internetową samorządu uczniowskiego.

– Wyobrażam sobie – powiedział Stuart, unosząc pokrywkę z pudełka – że prowadzisz fascynujące życie w wielkim mieście. Skądkolwiek jesteś.

– Z Richmond.

– Fascynujące Richmond. Ale tu w Gracetown zabijanie czasu to forma sztuki. No to jaki kolor pionków wybierasz?

Nie wiem, co Debbie i Rachel robiły, lecz spędziły na śniegu ponad dwie godziny, a my przez cały ten czas graliśmy w „Pułapkę na myszy". Za pierwszym razem próbowaliśmy postępować zgodnie z instrukcją, ale jest tam zdecydowanie za dużo różnych gadżetów i urządzeń, z których spadają kulki. Dziwnie to skomplikowane jak na grę dla dzieci.

Za drugim razem stworzyliśmy zupełnie nowe zasady, które podobały nam się o wiele bardziej. Stuart był naprawdę dobrym kompanem – tak dobrym, że udawało mi się nawet nie myśleć (za często) o tym, iż Noah potrzebuje bardzo dużo czasu, by do mnie oddzwonić. Gdy telefon w końcu zabrzęczał, aż podskoczyłam.

Stuart odebrał, bo to był jego dom, i przekazał mi słuchawkę z dziwną miną, jakby był odrobinę zniesmaczony.

– Kto odebrał telefon? – zapytał Noah, gdy usłyszał mój głos.

– Stuart. Mieszkam u niego w domu.

– Wydawało mi się, że miałaś jechać na Florydę.

W tle słyszałam różne hałasy. Muzykę, odgłosy rozmów. W jego domu święta toczyły się normalnie.

– Mój pociąg nie dojechał – wyjaśniłam. – Zasypało tory. Wysiadłam i poszłam do Waffle House, i…

– Dlaczego wysiadłaś?

– Z powodu cheerleaderek – wyjaśniłam z westchnieniem.

– Cheerleaderek?

– W każdym razie poznałam Stuarta i mieszkam u niego. Po drodze wpadliśmy do zamarzniętego potoku. Nic mi nie jest, ale…

– Raju – westchnął Noah – to naprawdę zawiła historia.

W końcu. Zaczynał rozumieć.

– Słuchaj – dodał natychmiast – idziemy właśnie z wizytą do sąsiadów. Zadzwonię do ciebie mniej więcej za godzinę i wtedy wszystko mi opowiesz.

Odsunęłam słuchawkę i spojrzałam na nią z niedowierzaniem.

– Noah – powiedziałam, przykładając ją ponownie do ucha – usłyszałeś, co mówiłam?

– Tak. Musisz mi o wszystkim opowiedzieć. Niedługo wrócimy. Może za godzinę albo dwie.

I rozłączył się. Znowu.

– Szybko poszło – zauważył Stuart, wychodząc do kuchni. Nastawił wodę na herbatę.

– Musiał dokądś iść – odrzekłam bez przekonania.

– I po prostu się rozłączył? To dość głupie.

– Dlaczego głupie?

– Tak tylko gadam. Ja bym się martwił. Często się zamartwiam.

– Nie wyglądasz na zmartwionego – mruknęłam. – Raczej na szczęśliwego.

– Można być szczęśliwym i się martwić. Ja niewątpliwie się martwię.

– Czym?

– Na przykład śnieżycą – odrzekł, wskazując za okno. – Trochę się boję, że jakiś pług uszkodzi mój samochód.

– Bardzo głęboka myśl – prychnęłam.

– A co powinienem powiedzieć?

– Nic nie p o w i n i e n e ś powiedzieć – odparłam. – Ale jeśli ta śnieżyca wynika ze zmian klimatycznych? I co z chorymi, którzy nie mogą dotrzeć do szpitala?

– O tym wspomniałby Noah?

Nie spodobała mi się ta nieoczekiwana uwaga na temat mojego chłopaka. I wcale nie dlatego, że Stuart się mylił. Bo Noah rzeczywiście wspomniałby o takich właśnie kwestiach. Spostrzeżenie Stuarta było przerażająco trafne.

– Zadałaś mi pytanie – wyjaśnił – a ja odpowiedziałem. Czy mógłbym powiedzieć coś, czego nie chcesz usłyszeć?

– Nie.

– On zamierza z tobą zerwać.

Poczułam nieprzyjemny skurcz w żołądku.

– Staram się tylko pomóc i bardzo mi przykro – ciągnął, patrząc na mnie – ale on na pewno zamierza z tobą zerwać.

Gdy wygłaszał te słowa, jakaś część mnie wiedziała, że powiedział coś potwornego, coś... potwornie prawdziwego. Noah unikał mnie, jakbym była obowiązkiem – ale przecież on nigdy nie migał się od obowiązków. Przyjmował je z przyjemnością. Tylko ode mnie się odsuwał. Piękny, lubiany, pod każdym względem cudowny Noah odstawiał mnie na boczny tor. Ta świadomość bolała. Nienawidziłam Stuarta, że mi to uświadomił, i chciałam, żeby o tym wiedział.

– Mówisz to z powodu Chloe? – zapytałam.

Podziałało. Stuart lekko drgnął. Zacisnął mocno szczękę, ale po chwili się uspokoił.

– Niech zgadnę: moja mama wszystko ci powiedziała.

– Nie powiedziała mi wszystkiego.

– To nie ma nic wspólnego z Chloe – zapewnił.

– Och, nie? – zdziwiłam się. Nie miałam pojęcia, co zaszło między nimi, ale doprowadziłam do takiej reakcji, na jakiej mi zależało.

– Chloe nie ma z tym nic wspólnego – powtórzył. – Chcesz wiedzieć, na jakiej podstawie przewiduję, co się stanie?

Nie, prawdę mówiąc. Wcale nie chciałam. Ale Stuart i tak zamierzał mi to przekazać.

– Po pierwsze, unika cię podczas Bożego Narodzenia. Wiesz, kto tak robi? Ludzie, którzy chcą zerwać. Wiesz dlaczego? Bo ważne okazje budzą w nich paniczny lęk. Święta, urodziny, rocznice... Czują się winni i nie potrafią sobie z tym poradzić.

– Po prostu jest zajęty – broniłam Noaha bez przekonania. – Ma mnóstwo roboty.

– Tak, oczywiście, ale gdybym ja miał dziewczynę, której rodzice zostali aresztowani w Wigilię, a ona musi jechać kawał świata w zamieci... nie wypuszczałbym telefonu z ręki przez całą noc. A przede wszystkim odbierałbym go. Po pierwszym sygnale. Za każdym razem. Dzwoniłbym, żeby sprawdzać, co u niej.

Zamilkłam ogłuszona tym wywodem Stuarta. Miał rację. Tak właśnie powinien się zachować Noah.

– Po drugie, właśnie mu powiedziałaś, że wpadłaś do zamarzniętego potoku i spędziłaś noc w obcym mieście. A on się rozłączył? Ja bym coś zrobił. Dotarłbym tutaj, śnieg czy nie śnieg. Może to brzmi głupio, ale tak bym postąpił. I chcesz mojej rady? Jeśli nie zerwie z tobą, sama powinnaś szybko kopnąć go w tyłek.

Stuart mówił pospiesznie, jakby jakiś emocjonalny wicher wypychał słowa z jego wnętrza. Ale była w nich szczerość, która bardzo mnie poruszyła. Ponieważ ewidentnie tak właśnie myślał. Powiedział wszystko to, co chciałabym usłyszeć od Noaha. I chyba nie czuł się z tym dobrze, bo przez długą chwilę kołysał się na piętach, niepewny, jakich szkód narobił. Minęło kilka minut, zanim zdołałam się odezwać.

– Potrzebuję trochę czasu – oznajmiłam w końcu. – Czy jest tu jakieś miejsce, w którym mogłabym posiedzieć sama?

– Mój pokój – zaproponował. – Drugi po lewej. Panuje tam lekki bałagan, ale...

Wstałam od stołu.

Rozdział 11

Stuart rzeczywiście nie kłamał – w jego pokoju panował bałagan. To było absolutne przeciwieństwo pokoju Noaha. Jedyną rzeczą stojącą prosto była oprawiona kopia zdjęcia, które zauważyłam wcześniej w jego portfelu. Podeszłam bliżej i przyjrzałam się fotografii. Chloe była oszałamiająca, bez dwóch zdań. Długie, ciemnobrązowe włosy. Rzęsy, którymi można by zamiatać podłogę. Szeroki, promienny uśmiech, naturalna opalenizna, delikatne piegi. Była po prostu prześliczna.

Usiadłam na niepościelonym łóżku i próbowałam zebrać myśli, ale w głowie słyszałam tylko cichy szum. Z dołu dobiegała kolęda, którą Stuart grał na fortepianie. A robił to naprawdę dobrze. Miał własny styl – nie tak jak ci, którzy tłuką po prostu wyuczone kawałki. Mógłby występować w restauracji albo hotelowym westybulu. Pewnie i w lepszym miejscu, ale tylko tam widziałam pianistów na żywo. Za oknem dwa małe ptaszki przytulały się, siedząc na gałęzi i otrząsając pióra ze śniegu.

Na podłodze stał telefon. Podniosłam słuchawkę i wybrałam numer. Tym razem w głosie Noaha zabrzmiała wyraźna irytacja.

– Hej – powiedział – o co chodzi? Właśnie wychodzimy i…

– W ciągu ostatnich dwudziestu czterech godzin – przerwałam mu – moich rodziców aresztowano, a ja zostałam zapakowana do pociągu, który utknął w śnieżycy. Musiałam brnąć kilka kilometrów po pas w śniegu z plastikową torbą na głowie. Wpadłam do lodowatego potoku i zamieszkałam w obcym mieście u ludzi, których nie znam. A ty wymigujesz się od rozmowy pod pretekstem… czego właściwie? Bożego Narodzenia?

Mój monolog zamknął mu usta. Choć nie do końca taki miałam cel, ale ucieszyłam się, że ma choć trochę wstydu.

– Chcesz nadal ze mną być? – zapytałam. – Zdobądź się na szczerość, proszę.

Po drugiej stronie słuchawki przez dłuższą chwilę panowała cisza. Za długą, by odpowiedź miała brzmieć: „Tak, jesteś miłością mego życia".

– Lee – odpowiedział w końcu Noah cicho tonem pełnym napięcia – to nie jest odpowiedni moment na taką rozmowę.

– Dlaczego? – nie odpuszczałam.

– Bo jest Boże Narodzenie.

– Czy to aby nie kolejny powód, dla którego należałoby rozmawiać?

– Wiesz, co się u mnie dzieje.

– Cóż – odrzekłam, zaskoczona wściekłością we własnym głosie – a jednak musisz ze mną porozmawiać, bo właśnie z tobą zrywam.

Nie wierzyłam, że to mówię. Czułam tylko, że słowa wypływają z jakiegoś miejsca głęboko wewnątrz mnie, głęboko pod świadomymi myślami, daleko za sformułowanymi ideami… z jakiejś czeluści w głębi, o której istnieniu nawet nie miałam pojęcia.

Zapadła długa cisza.

– Okay – powiedział. Nie umiałam określić, jaki ton miało to „okay". Może brzmiał w nim smutek, a może ulga. Nie błagał mnie, żebym zmieniła decyzję. Nie płakał. Nic nie robił. Milczał.

– No i? – zapytałam.

– I co?

– Nic więcej nie powiesz?

– Chyba spodziewałem się takiej rozmowy od jakiegoś czasu – dodał. – Ja też się nad nami zastanawiałem. Jeśli chcesz ze mną zerwać, chyba tak będzie lepiej, i…

– Wesołych świąt – rzuciłam i się rozłączyłam. Ręka mi drżała. Właściwie cała się trzęsłam. Siedziałam na łóżku, obejmując się ramionami. Muzyka na dole ucichła i dom wypełniła głucha cisza.

Stuart stanął w progu i ostrożnie uchylił drzwi.

– Chciałem sprawdzić, czy wszystko u ciebie w porządku..

– Zrobiłam to – oznajmiłam. – Zadzwoniłam i zrobiłam to.

Wszedł do pokoju i usiadł. Nie objął mnie, tylko siedział obok, dość blisko, jednak nie dotykając mnie.

– Chyba nie był zaskoczony – dodałam.

– Z bufonami tak jest. Co powiedział?

– Coś w ten deseń, że spodziewał się tego od jakiegoś czasu i że tak będzie lepiej.

Z jakiegoś powodu dostałam nagle czkawki. Siedzieliśmy przez chwilę w milczeniu. Kręciło mi się w głowie.

– Chloe była taka jak Noah – odezwał się w końcu Stuart. – Naprawdę... perfekcyjna. Piękna. Świetna uczennica. Śpiewała, działała charytatywnie i była – spodoba ci się to – cheerleaderką.

– Prawdziwy ideał – skomentowałam ponuro.

– Nigdy nie rozumiałem, dlaczego się mną zainteresowała. Byłem zwykłym kolesiem, a ona była Chloe Newland. Chodziliśmy ze sobą przez czternaście miesięcy. Byliśmy szczęśliwi, ja na pewno. Jedyny problem polegał na tym, że ona ciągle miała mnóstwo zajęć, w miarę upływu czasu coraz więcej i więcej. Była zbyt zalatana, żeby zatrzymać się przy mojej szafce w szatni, pod moim domem, żeby zadzwonić albo napisać maila. Tak więc ja stawałem pod jej domem. I dzwoniłem. I pisałem maile.

Wszystko to brzmiało przerażająco znajomo.

– Pewnego wieczoru – kontynuował – mieliśmy się razem uczyć, a ona po prostu nie przyszła. Podjechałem do niej, ale jej mama powiedziała, że wyszła. Zacząłem się trochę martwić, bo zazwyczaj przynajmniej przysyłała SMS-a, jeśli musiała odwołać spotkanie. Zacząłem więc jeździć po okolicy, rozglądając się za jej autem. W Gracetown nie ma zbyt wielu miejsc, w których można posiedzieć. Zauważyłem samochód pod Starbucksem, co miało sens. Często się tam uczymy, bo... jakie inne możliwości oferuje nasze miasteczko? Starbucks albo śmierć – czasami to jedyny wybór.

Wykręcał nerwowo dłonie, naciągając palce.

– Pomyślałem sobie, że się pomyliłem – kontynuował z wyraźną ironią – i że mieliśmy się spotkać w Starbucksie, a ja o tym zapomniałem. Chloe nie bardzo lubiła przychodzić do mojego domu. Mama ją peszyła, jeśli możesz to sobie wyobrazić.

Spojrzał na mnie, jakby spodziewał się, że parsknę śmiechem. Zdobyłam się ledwie na słaby grymas.

– Ogarnęła mnie wielka ulga, gdy zobaczyłem jej samochód, ponieważ byłem już bardzo zaniepokojony. Poczułem się jak kretyn. To oczywiste, że czekała na mnie w Starbucksie. Wszedłem do środka, ale nigdzie jej nie zauważyłem. Moja kumpela Addie pracuje tam jako baristka. Zapytałem ją, czy widziała Chloe, bo jej auto stoi na parkingu.

Stuart zmierzwił włosy. Oparłam się pokusie, by je przygładzić. Poza tym nawet mi się takie podobały. Coś w jego potarganej fryzurze poprawiło mi samopoczucie – złagodziło trochę ból, który czułam w piersi.

– Addie odpowiedziała mi ze smutną miną: „Chyba jest w toalecie". Nie rozumiałem, co jest takiego smutnego w pójściu do toalety, więc kupiłem coś do picia dla siebie i dla Chloe, a potem usiadłem, żeby na nią poczekać. W naszym Starbucksie jest tylko jedna ubikacja, w końcu musiała z niej wyjść. Nie miałem przy sobie laptopa ani książek, więc gapiłem się na mural na ścianie, w której znajdują się drzwi do toalety. Myślałem o tym, jaki byłem durny, tak się denerwując i każąc jej czekać, ale po jakimś czasie uświadomiłem sobie, że Chloe dziwnie długo siedzi w tej łazience, a Addie nadal spogląda na mnie ze smutkiem. W końcu zapukała do drzwi i Chloe wyszła. A z nią Todd Kuguar.

– Todd Kuguar?

– To nie przezwisko. On dosłownie jest Kuguarem. To maskotka naszej drużyny. Nosi kostium kuguara, tańczy jako kuguar i tak dalej. Przez minutę mój mózg usiłował to wszystko poskładać do kupy... Ogarnąć, dlaczego Chloe i Kuguar poszli razem do toalety w Starbucksie. Chyba w pierwszym odruchu miałem nadzieję, że to nie może być nic złego, ponieważ wszyscy wiedzieli, że oni tam są. Ale z powodu miny Addie i z powodu miny Chloe – na Todda nie patrzyłem – nagle zaskoczyłem. Nadal nie wiem, czy poszli tam, bo widzieli, że przyjechałem, czy byli tam już od jakiegoś czasu. Jeśli ukrywasz się z Kuguarem w toalecie przed swoim chłopakiem... takie szczegóły jakoś nie mają znaczenia.

Natychmiast zupełnie zapomniałam o mojej rozmowie telefonicznej. Byłam w tym Starbucksie ze Stuartem i patrzyłam, jak nieznana mi cheerleaderka wyłania się z ubikacji z Kuguarem. Tyle że w mojej wizji chłopak miał na sobie swój kuguarzy strój, co chyba było mało prawdopodobne w tych okolicznościach.

– I co zrobiłeś? – zapytałam.

– Nic.

– Nic?

– Nic. Po prostu stałem bez ruchu i bałem się, że zaraz zwymiotuję. Za to Chloe się wściekła. Na mnie.

– Jak to? – zdziwiłam się, oburzona w jego imieniu.

– Myślę, że wkurzył ją fakt, że została przyłapana, i to była jedyna reakcja, jaka jej przyszła do głowy. Oskarżyła mnie, że ją szpieguję. Powiedziała, że jestem zaborczy i wywieram na nią presję. Chyba chodziło jej o presję emocjonalną, ale to zabrzmiało fatalnie. Zatem na domiar złego przedstawiła mnie jak jakiegoś obsesjonata przed wszystkimi w Starbucksie, czyli właściwie przed całym miasteczkiem, bo u nas plotka niesie się lotem błyskawicy. Chciałem powiedzieć: „To ty obmacujesz się w klopie z Kuguarem. Nie ja jestem czarnym charakterem w tej historii". Ale nie powiedziałem tego, bo dosłownie odjęło mi mowę. Zapewne więc wyglądało to tak, jakbym przyznawał jej rację. Jakbym zgadzał się z oskarżeniem, że jestem zaborczym, obsesyjnie zazdrosnym, opętanym na punkcie seksu prześladowcą... a nie facetem, który ją uwielbia, który kocha się w niej od ponad roku, który zrobiłby dla niej wszystko, o co by poprosiła...

Zapewne po zerwaniu nastąpił taki okres, w którym Stuart często opowiadał tę historię, ale wyraźnie dawno już tego nie robił. Wyszedł z wprawy. Wyraz jego twarzy nie zmieniał się zanadto, tak jakby wszystkie emocje wyrzucał z siebie poprzez dłonie. Przestał je wykręcać, lecz teraz delikatnie drżały.

– W końcu Addie wyprowadziła Chloe na zewnątrz i kazała jej się uspokoić – mówił. – I tak się to wszystko skończyło. A ja dostałem darmowe latte, więc nie ma tego złego... Zasłynąłem jako koleś, którego dziewczyna publicznie porzuciła po tym, gdy zdradziła go z Kuguarem. Nieważne. Opowiedziałem to wszystko z pewnego powodu. A powód jest taki, że ten typ... – wskazał oskarżycielsko na telefon – ...jest zwykłym gnojkiem. Choć teraz zapewne nie ma to dla ciebie większego znaczenia.

Przez głowę z zawrotną prędkością przemykały mi wspomnienia z ostatniego roku, ale w tej chwili patrzyłam na nie z innej perspektywy. Oto ja – Noah trzyma moją rękę, idąc krok przede mną, ciągnąc przez hall i rozmawiając ze wszystkimi prócz mnie. Siedzę z nim w pierwszym rzędzie na szkolnym turnieju koszykówki, mimo że wie, iż od kiedy dostałam piłką do kosza prosto w twarz, panicznie boję się miejsc tuż przy boisku. Tak więc sparaliżowana ze strachu oglądam rozgrywki, które nawet mnie nie interesują. Owszem, dzięki Noahowi mogłam siedzieć w stołówce przy jednym stole z elitą ze starszych klas, ale rozmowy zawsze dotyczyły tego samego. Mówili ciągle tylko o tym, jak są totalnie zajęci i jak zdobywają punkty na studia. O rozmowach kwalifikacyjnych. O organizowaniu kalendarza online. O swoich referencjach.

Boże... przez rok umierałam z nudów. Od wieków nie mówiłam o s o b i e. A teraz Stuart mówił o mnie. Poświęcał mi uwagę. Czułam się dziwnie, trochę to było zawstydzająco intymne, ale cudowne. Łzy napłynęły mi do oczu.

Na ten widok Stuart zebrał się w sobie i odrobinę otworzył ramiona, jakby zachęcał mnie, bym zaniechała wysiłków, żeby nad sobą zapanować. Wcześniej w którymś momencie siedliśmy nieznacznie bliżej siebie, a teraz dało się wyczuć pełne oczekiwania napięcie. Coś miało się wydarzyć. Czułam, że jestem gotowa wybuchnąć. I to mnie zezłościło. Noah nie zasługiwał na moje łzy. Nie zacznę płakać!

Tak więc pocałowałam Stuarta.

Z pełnym zaangażowaniem. Przewróciłam go na plecy. A on nie pozostał bierny. To był dobry pocałunek, trzeba przyznać. Nie za suchy i nie za mokry. Nieco szaleńczy, ponieważ żadne z nas nie przygotowało się na to psychicznie, więc oboje myśleliśmy: Tak! Całowanie! Szybko! Szybko! Więcej akcji! Z języczkiem!

Potrzebowaliśmy około minuty, żeby się trochę opanować i wprowadzić nieco spokojniejszy rytm. Gdy ogarnęło mnie zupełne oszołomienie, na dole rozległo się tupanie, trzaskanie i krzyki. Najwyraźniej Debbie i Rachel wybrały akurat ten moment, by przywiązać psy i wrócić ze swego osobistego wyścigu zaprzęgów po ulicach Gracetown. Wpadły do domu w ten śmieszny hałaśliwy sposób, typowy dla ludzi wracających z dworu, gdy pada deszcz lub śnieg. (Dlaczego zła pogoda sprawia, że zachowujemy się głośniej?).

– Stuart! Jubilatka! Kupiłam specjalne świąteczne babeczki! – zawołała Debbie.

Żadne z nas się nie poruszyło. Nadal leżałam na Stuarcie, przygniatając go do łóżka. Usłyszeliśmy, że Debbie dochodzi do połowy schodów, skąd musiała zauważyć światło w jego pokoju.

I znów normalny rodzic zareagowałby tekstem w stylu: „Wyłaźcie stamtąd natychmiast albo poszczuję was brytanem!". Ale ponieważ Debbie nie była normalnym rodzicem, zachichotała i na paluszkach wróciła na dół, a następnie powiedziała do córki:

– Ciii, Rachel! Chodź z mamusią! Stuart jest zajęty!

Nagłe pojawienie się Debbie w tej scenie sprawiło, że poczułam ucisk w brzuchu. Stuart przewrócił oczami, jakby cierpiał męki. Gdy tylko zsunęłam się z niego, wstał z łóżka.

– Powinienem zejść na dół – stwierdził. – Jak się czujesz? Potrzebujesz czegoś albo…

– Świetnie! – ryknęłam z nagłym, opętańczym entuzjazmem. Stuart zdążył już chyba przywyknąć do mojej metody udowadniania, że jestem osobą zdrową na umyśle.

Całkiem rozsądnie wycofał się z pokoju.

Rozdział 12

Chcecie wiedzieć, ile czasu zajęło mi zerwanie z moim „doskonałym” chłopakiem i wdanie się w pieszczoty z nowym facetem? Zaraz… chwileczkę… dwadzieścia trzy minuty. (Spojrzałam na zegarek Stuarta, gdy podniosłam słuchawkę telefonu. Wcale nie włączyłam stopera).

Mimo że bardzo tego chciałam, nie mogłam się w nieskończoność ukrywać na górze. Prędzej czy później musiałam zejść i stawić czoło światu. Usiadłam na podłodze przy drzwiach i nasłuchiwałam, co się dzieje na dole. Usłyszałam, że Rachel hałasuje jakimiś zabawkami, a potem ktoś wyszedł z domu. Równie dobry sygnał do podjęcia działań jak każdy inny. Cichutko zbliżyłam się do schodów. W salonie Rachel majstrowała przy „Pułapce na myszy”, która nadal stała na stole. Posłała mi szeroki, pełen zębów uśmiech.

– Bawiłaś się ze Stuartem? – zapytała.

Pytanie zabrzmiało dwuznacznie. Byłam rozwiązłą, zepsutą kobietą i nawet pięciolatka to dostrzegała.

– Tak – odpowiedziałam, próbując zachować resztki godności. – Graliśmy w „Pułapkę na myszy”. Jak tam na śniegu?

– Mamusia mówi, że podobasz się Stuartowi. Mogę sobie włożyć kulkę do nosa. Chcesz zobaczyć?

– Nie, raczej nie powinnaś…

Rachel wetknęła sobie w dziurkę do nosa jedną z kulek do gry. Następnie wydłubała ją i dokładnie się jej przyjrzała.

– Widzisz? – upewniła się.

Doskonale widziałam.

– Jubilatko? To ty?

W drzwiach kuchennych pojawiła się Debbie, wyglądała na zarumienioną, zdyszaną i bardzo przemoczoną.

– Stuart poszedł do pani Addler na drugą stronę ulicy pomóc jej odśnieżyć chodnik – wyjaśniła. – Zobaczył przez okno, jak sąsiadka się z tym męczy. Biedulka, ma szklane oko i problemy z plecami. A wy jak tam? Miło spędziliście popołudnie?

– Raczej tak – odrzekłam sztywno. – Graliśmy w „Pułapkę na myszy".

– Tak to się teraz nazywa? – zapytała, posyłając mi przerażający uśmiech. – Muszę szybko wykąpać Rachel. Zrób sobie kakao albo na co tylko masz ochotę!

Niemalże dodała „przyszła żono mojego jedynego syna".

Pogoniła Rachel zdecydowanym: „Natychmiast na górę!", pozostawiając mnie gorącej czekoladzie, wstydowi i udręce. Podeszłam do okna w salonie i wyjrzałam. Gdzieś tam był Stuart, służący pomocną dłonią sąsiadce w potrzebie. Oczywiście w ten sposób uciekał przede mną. Tylko takie wyjaśnienie miało sens. Ja bym postąpiła tak samo. Mógł jasno przewidzieć, że mój stan będzie się tylko pogarszał. Będę się osuwała po spirali cierpienia coraz niżej i niżej w bagno gwałtownych i niewytłumaczalnych zachowań. Podobnie jak moi uwięzieni rodzice, byłam chodzącym zagrożeniem. Lepiej przerzucić kilka ton śniegu dla sąsiadki ze szklanym okiem i mieć nadzieję, że w tym czasie zniknę.

I właśnie to musiałam zrobić. Odejść. Uciec z jego domu i z jego życia, póki został mi choć cień godności. Pójdę odnaleźć pociąg, który powinien niedługo znowu ruszyć.

Gdy tylko podjęłam tę decyzję, szybko przystąpiłam do działania. Pobiegłam do kuchni i zabrałam z szafki mój telefon. Chwilę nim potrząsałam, a potem włączyłam. Nie spodziewałam się, że zadziała, ale los się nade mną zlitował. Ekran był przekrzywiony, a litery rozmazane, ale urządzenie nadal funkcjonowało.

Moje ciuchy, kurtka, buty oraz torba były w pralni obok kuchni i przechodziły różne etapy schnięcia. Wciągnęłam ubrania na siebie, a dres zostawiłam na pralce. W kącie stał pojemnik z plastikowymi torbami, więc wzięłam sobie z dziesięć. Źle się czułam, zabierając coś bez pytania, ale takie torby właściwie nie liczą się jako „coś". Są jak chusteczki do nosa, tylko tańsze. W ostatnim geście chwyciłam z organizera na ladzie kuchennej naklejkę z adresem gospodarzy. Wyślę im wiadomość, gdy dotrę do domu. Może jestem kompletną wariatką, ale za to dobrze wychowaną.

Oczywiście musiałam opuścić dom tylnymi drzwiami, tymi, przez które weszliśmy wczoraj w nocy. Gdybym pojawiła się od frontu, Stuart by mnie zobaczył. Na progu zebrała się zaspa ponadpółmetrowej wysokości – i nie był to już puszysty, mokry śnieg taki jak poprzedniego dnia, lecz stwardniała na mrozie bryła. Ale napędzały mnie wstyd i panika, która, jak już wspomniałam, zawsze jest gotowa do akcji. Naparłam całym ciężarem ciała na drzwi, czując, jak drżą i stawiają opór. Bałam się, że je wyłamię, co rzuciłoby całkiem inne światło na moje zniknięcie. Już to widziałam: Stuart i Debbie znajdują drzwi wyrwane z zawiasów i leżące na śniegu. „Pojawiła się, zbałamuciła chłopaka, ukradła plastikowe torby i wyłamała drzwi podczas ucieczki" – napisałaby policja w liście gończym. „Prawdopodobnie spróbuje odbić rodziców z więzienia".

Udało mi się uchylić drzwi na tyle, że zdołałam się przecisnąć, przy okazji drąc torby i ocierając sobie ramię. Gdy już znalazłam się na zewnątrz, kolejne dwie lub trzy minuty napierałam na drzwi, by się zamknęły. Osiągnąwszy cel, napotkałam następny problem. Nie mogłam wrócić drogą, którą przyszliśmy, ponieważ nie chciałam kolejny raz skąpać się w zamarzniętym potoku. Poza tym i tak nie umiałabym jej odtworzyć. Nasze wczorajsze ślady zasypał śnieg. Stałam na niewielkim wzniesieniu, a przed sobą miałam nieznany zagajnik brzydkich, nagich drzew i tyły kilkunastu identycznych domów. Wiedziałam tylko, że strumyk płynie gdzieś tam w dole, pewnie wśród tych drzew. Najbezpieczniej byłoby się trzymać blisko domów i przedostać się przez tylne ogródki. Potem mogłabym wrócić na ulicę, a stamtąd, jak zakładałam, łatwo odnajdę drogę powrotną na międzystanówkę, do Waffle House i pociągu.

Patrz: poprzednie rozważania na temat moich założeń.

Osiedle Stuarta bynajmniej nie stosowało się do uroczej, schludnej logiki świątecznej wioski Flobie. Domy rozmieszczono zatrważająco przypadkowo – stały w nierównych odległościach, przy krętych alejkach, jakby architekt oznajmił: „Pójdziemy za tym kotem i zbudujemy domy w miejscach, w których usiądzie". Byłam tak zdezorientowana, że nie umiałam się nawet domyślić, gdzie powinna przebiegać ulica. Niczego nie odśnieżono, a lampy się nie paliły. Zamiast szalonej różowawej poświaty z poprzedniej nocy niebo było szarobure. Był to najbardziej ponury pejzaż, jaki kiedykolwiek widziałam, i nie miałam zielonego pojęcia, jaki kierunek obrać.

Brnąc z mozołem przez śnieg, miałam mnóstwo czasu na rozmyślania o tym, co właśnie zrobiłam ze swoim życiem. Jak wytłumaczę zerwanie rodzicom? Uwielbiali Noaha. Oczywiście nie tak bardzo jak mnie, ale wystarczająco. Byli wyraźnie dumni, że miałam takiego imponującego wszystkim chłopaka. Ale przecież trafili do więzienia z powodu Elfiego Hotelu, więc może powinni jakoś przewartościować swoje priorytety? Poza tym jeśli im powiem, że teraz jestem szczęśliwsza, to może zaakceptują moją decyzję.

Moi przyjaciele, znajomi ze szkoły… to już inna historia. Nie chodziłam z Noahem dla dodatkowych korzyści – one były wliczone w układ.

No i oczywiście pozostawała kwestia Stuarta.

Stuarta, który był świadkiem, jak przechodzę przez całe spektrum emocji i przeżyć. Ujrzał mnie jako córkę rodziców osadzonych w więzieniu, jako dziewczę zagubione w obcym mieście, jako wariatkę, która gada od rzeczy, jako złośnicę, która się obraża na człowieka próbującego jej pomóc, jako pannę załamaną zerwaniem, no i – najbardziej spektakularna wersja mnie – jako tygrysicę rzucającą się niespodziewanie na faceta.

Bardzo, bardzo namieszałam. Na wszystkich frontach. Żal i upokorzenie doskwierały mi znacznie bardziej niż chłód. Dopiero kilka ulic dalej uświadomiłam sobie, że wcale nie żałuję straty Noaha… lecz Stuarta. Stuarta, który mnie uratował. Który chciał ze mną spędzać czas. Który rozmawiał ze mną otwarcie i mówił, żebym nie sprzedawała się tanio.

Stuarta, który poczuje ogromną ulgę, kiedy odkryje, że zniknęłam, z wszystkich wyżej wymienionych powodów. Dopóki informacje o aresztowaniu moich rodziców nie staną się zbyt szczegółowe, nie będzie mógł mnie wyśledzić. No prawie. Może znalazłby coś na mój temat w sieci, ale pewnie nie będzie sprawdzał. Nie po tym kretynizmie, który właśnie odstawiłam.

Chyba że znów pojawię się pod jego drzwiami. Co, jak sobie uświadomiłam po godzinie łażenia po okolicy, było całkiem realnym zagrożeniem. Ponownie trafiałam na te same durne domy, docierając do końców ślepych uliczek. Czasami zatrzymywałam się i pytałam o drogę mieszkańców odśnieżających swoje podjazdy, ale wszyscy wydawali się zmartwieni, że zamierzam wędrować aż tak daleko i nie chcieli mi udzielić wskazówek. Przynajmniej połowa zaprosiła mnie do siebie, bym się ogrzała, co brzmiało nieźle, ale nie zamierzałam więcej ryzykować. Już raz przyjęłam zaproszenie do domu w Gracetown i, proszę, dokąd mnie to zaprowadziło.

Mijałam właśnie w ślimaczym tempie grupkę rozchichotanych dziewczynek bawiących się w śniegu, gdy dopadła mnie rozpacz. W oczach wezbrały mi łzy. Nie czułam już stóp. Kolana miałam zesztywniałe. I wtedy usłyszałam za plecami jego głos.

– Zaczekaj – poprosił Stuart.

Zatrzymałam się. Sama ucieczka jest już dość żałosna, ale znacznie gorzej, gdy człowiek zostanie na niej przyłapany. Przez chwilę się nie ruszałam, nie chcąc (a także nie mogąc) odwrócić się i spojrzeć mu w oczy. Próbowałam ułożyć twarz w niezobowiązującą minę wyrażającą zdumienie: Cóż za spotkanie! Czyż życie nie jest zabawne! Ale sądząc po napięciu mięśni w okolicach uszu, moja mina raczej wyrażała: mam szczękościsk!

– Przepraszam – powiedziałam ze sztywnym uśmiechem. – Uznałam, że powinnam wrócić do pociągu i…

– Tak – przerwał mi spokojnie – domyśliłem się.

Nawet na mnie nie patrzył. Wyjął z kieszeni zwyczajną, choć nieco żenującą czapkę. Wyglądała na własność Rachel, bo miała wielgachny pompon.

– Pomyślałem, że ci się przyda – oznajmił, podając mi ją. – Możesz ją zatrzymać. Rachel już jej nie potrzebuje.

Włożyłam czapkę na głowę, bo wydawało mi się, że Stuart gotów jest tak stać z wyciągniętą ręką, dopóki śnieg wokół się nie roztopi. Czapka była ciasna, ale zrobiło mi się cudownie ciepło w uszy.

– Szedłem po twoich śladach – odpowiedział na niezadane pytanie. – W śniegu to łatwe.

Byłam tropiona jak niedźwiedź.

– Przepraszam, że naraziłam cię na tyle kłopotów.

– Wcale nie musiałem daleko iść. Jesteś trzy przecznice od domu, tylko zataczałaś koła.

Nieporadny niedźwiedź.

– Nie do wiary, że wyszłaś w tym stroju – dodał. – Odprowadzę cię. Tędy donikąd nie dojdziesz.

– Poradzę sobie – rzuciłam szybko. – Spytałam o drogę.

– Nie musisz wyjeżdżać.

Chciałam coś jeszcze powiedzieć, ale nic mi nie przychodziło do głowy. Stuart najwyraźniej uznał, że chcę, by mnie zostawił, więc skinął głową.

– Uważaj na siebie, dobrze? Możesz mi dać znać, jak dotrzesz do domu...

Nagle mój telefon zadzwonił. Woda uszkodziła również dzwonek, bo wydawał ostry przeszywający dźwięk – tak pewnie wrzeszczałaby syrena, gdyby ktoś dał jej fangę w nos. Był zaskoczony. Trochę oskarżycielski. Pełen urazy. Jazgotliwy.

Dzwonił Noah. Co prawda na zepsutym ekranie wyświetliło się „Mobg", ale ja wiedziałam kto to. Nie odbierałam, tylko gapiłam się na telefon. Stuart też się na niego gapił. Dziewczynki gapiły się na nas gapiących się na telefon. A on zamilkł na chwilę, a potem zadzwonił znowu, natarczywie wibrując w mojej dłoni.

– Przepraszam, jeśli zachowałem się jak idiota – powiedział Stuart, podnosząc głos, by przekrzyczeć hałas. – I pewnie nie obchodzi cię moje zdanie, ale uważam, że nie powinnaś odbierać tego telefonu.

– Co to znaczy, że zachowałeś się jak idiota? – zapytałam.

Stuart milczał. Telefon ucichł, ale po chwili rozjazgotał się znowu. Mobg naprawdę chciał ze mną porozmawiać.

– Powiedziałem Chloe, że będę na nią czekał – wyznał w końcu. – Tak długo, jak będzie trzeba. Oznajmiła mi, że nie mam na co, ale i tak czekałem. Przez kilka miesięcy byłem zdecydowany nawet nie spojrzeć na inne dziewczyny. Próbowałem nawet nie patrzeć na cheerleaderki. Nie patrzeć, no wiesz, w jakim sensie.

Wiedziałam.

– Ale ciebie zauważyłem – ciągnął. – I doprowadzało mnie to do szaleństwa od pierwszej chwili. Nie tylko to, ale też fakt, że chodzisz z pozornie idealnym kolesiem, który ewidentnie na ciebie nie zasługuje. Co, szczerze mówiąc, przypomina moją niedawną sytuację. Jednak wygląda na to, że twój chłopak zrozumiał swój błąd.

Wskazał głową na telefon, który znów odezwał się przeszywającym dźwiękiem.

– Nadal cieszę się, że pojawiłaś się u nas – mówił Stuart. – I nie ulegaj temu typowi, dobrze? Choćby nie wiem co. Nie ulegaj mu. On nie jest ciebie wart. Nie pozwól, by cię omamił.

Telefon dzwonił i dzwonił, i dzwonił. Spojrzałam ostatni raz na ekran, potem na Stuarta, wzięłam zamach i rzuciłam aparat najdalej, jak umiałam (niestety niezbyt daleko), a on zniknął w zaspie. Ośmiolatki, w tej chwili już bezgranicznie zafascynowane każdym naszym ruchem, rzuciły się, by go odszukać.

– Zgubiłam go – oznajmiłam. – A to pech!

Dopiero teraz po raz pierwszy Stuart spojrzał wprost na mnie. Na szczęście dałam już sobie spokój z tym potwornym grymasem. Chłopak postąpił krok do przodu, uniósł mój podbródek i pocałował mnie. Pocałował mnie, pocałował! Nie zważałam na mróz ani na dziewczynki, które, znalazłszy mój telefon, okrążyły nas, wołając:

– Oooooo! Oooooo! Oooooch!

– Jeszcze jedno – odezwałam się, gdy oderwał się ode mnie, a wirowanie w mojej głowie nieco ustało – może... nie mów o tym mamie. Ona coś sobie roi.

– No co ty? – zdziwił się niewinnie, obejmując mnie ramieniem i prowadząc z powrotem do domu. – Twoi rodzice nie podglądają i nie wiwatują, kiedy się z kimś całujesz? Tam, skąd pochodzisz, to nie jest norma? A, zapomniałem, nie mają zbyt wielu okazji, żeby podglądać. Przecież siedzą w mamrze.

– Milcz, Weintraub. Jeżeli powalę cię na śnieg, te dziewuchy cię osaczą i pożrą.

Zbliżyła się do nas z warkotem samotna furgonetka. Alufoliowy zasalutował nam sztywno, jadąc w stronę Gracetown, a my zeszliśmy mu z drogi. Stuart rozpiął kurtkę i przygarnął mnie pod ramię, a potem ruszyliśmy przez zwały śniegu.

– Chcesz wracać do domu dłuższą drogą czy skrótem? – zapytał. – Pewnie zmarzłaś.

– Dłuższą drogą – odrzekłam. – Zdecydowanie dłuższą.

JOHN GREEN

Bozonarodzeniowy Cud Pomponowy

Ilene Cooper, która niejeden raz przeprowadziła mnie przez zawieruchę

Rozdział 1

Razem z JP i Diuk oglądaliśmy właśnie czwartego z kolei *Bonda*, kiedy moja mama zadzwoniła po raz szósty w ciągu ostatnich pięciu godzin. Nawet nie spojrzałem na ekran komórki. Wiedziałem, że to ona. Diuk wzniosła oczy do nieba i zatrzymała film.

– Czy ona myśli, że ty się dokądś wybierasz? Jest śnieżyca.

Wzruszyłem ramionami i odebrałem telefon.

– No i klapa – oznajmiła mama. W tle donośny głos przynudzał coś o tym, jak ważne jest bezpieczeństwo ojczyzny.

– Przykro mi, mamo. Straszna lipa.

– To jakiś absurd! – jęknęła. – Nie możemy dostać się na absolutnie żaden lot, nie mówiąc o powrotnym do domu.

Od trzech dni tkwili w Bostonie, dokąd pojechali na konferencję lekarską, i mama była przygnębiona perspektywą świąt w Bostonie. Tak jakby miasto leżało w strefie działań wojennych. A ja, prawdę mówiąc, nawet się z tego wszystkiego cieszyłem. Zawsze podobały mi się dramaty i komplikacje wywołane złą pogodą. Im gorszą, tym lepiej, jeśli mam być szczery.

– Rzeczywiście kiszka – odrzekłem.

– Ma się przejaśnić do rana, ale wszystko się poprzesuwało. Nie mogą nam nawet zagwarantować, że będziemy w domu choćby jutro. Tato usiłuje wynająć samochód, lecz są bardzo długie kolejki. A nawet jeśli mu się uda, to dotrzemy najwcześniej na ósmą lub dziewiątą rano, choćbyśmy jechali całą noc! Przecież nie możemy spędzić świąt osobno!

– Pójdę do Diuk – uspokoiłem mamę. – Jej rodzice już zaproponowali, żebym przeniósł się do nich. Pójdę tam, otworzę podarunki i opowiem, jak rodzice mnie zaniedbują, a może wtedy Diuk odda mi kilka swoich prezentów, bo trzeba współczuć biedakowi, którego mama nie kocha. – Zerknąłem na Diuk, a ona się uśmiechnęła.

– Tobin! – prychnęła mama z dezaprobatą. Nieszczególnie lubiła żartować, co w jej zawodzie jest akurat pożądaną cechą. Chyba nikt by nie chciał, żeby chirurg onkolog powitał go w gabinecie taką choćby opowieścią: Facet wchodzi do baru, a barman pyta: „Co dla pana?". Klient odpowiada: „A co pan ma?". Barman na to: „Nie wiem, co ja mam, ale pan ma czerniaka w czwartym stadium rozwoju".

– Chcę tylko powiedzieć, że sobie poradzę. Zamierzacie nocować w hotelu?

– Raczej tak, chyba że tato zdobędzie samochód. Znosi to wszystko z anielską cierpliwością.

– Na pewno – odrzekłem, zerkając na JP, który powiedział bezgłośnie: „Kończ już". Bardzo chciałem wrócić na kanapę na moje miejsce między przyjaciółmi i dalej podziwiać, jak James Bond zabija ludzi na różne przemyślne sposoby.

– W domu wszystko w porządku? – upewniła się mama. Boże, ratuj!

– Tak, pewnie. To znaczy pada śnieg, ale są tu ze mną Diuk i JP. I nie mogą mnie zostawić, bo zamarzliby na śmierć, gdyby próbowali wrócić piechotą do domu. Oglądamy właśnie filmy z Bondem. Mamy prąd i w ogóle wszystko jest okay.

– Dzwoń do mnie, gdyby coś się wydarzyło. Cokolwiek.

– Jasne.

– No dobrze – powiedziała. – Dobrze. Boże, tak mi przykro, Tobin. Kocham cię. Przepraszam.

– To naprawdę nic takiego – zapewniłem ją szczerze. Byłem sam w wielkim domu bez nadzoru dorosłych, za to z najlepszymi przyjaciółmi. Nie mam nic do moich rodziców, są naprawdę spoko i tak dalej, ale nie czułbym się rozczarowany, gdyby zostali w Bostonie do Nowego Roku.

– Zadzwonię z hotelu – obiecała jeszcze mama.

Najwyraźniej JP usłyszał jej słowa, bo kiedy się z nią żegnałem, wymamrotał: „Nie mam co do tego żadnych wątpliwości".

– Uważam, że ona cierpi na lęk separacyjny – oznajmił, gdy się w końcu rozłączyłem.

– Są święta – usprawiedliwiłem mamę.

– A dlaczego nie przyjdziesz na Boże Narodzenie do mnie? – zapytał.

– Przez denne żarcie – odrzekłem. Obszedłem kanapę i zająłem swoje miejsce na środkowej poduszce.

– Rasista! – oburzył się JP.

– To nie jest przejaw rasizmu – zaprotestowałem.

– Powiedziałeś właśnie, że koreańskie jedzenie jest denne.

– Wcale nie – wsparła mnie Diuk, sięgając po pilota, by włączyć film. – Powiedział, że koreańskie żarcie jest denne w wykonaniu twojej mamy.

– No właśnie – przyznałem. – Jedzenie u Keuna mi smakuje.

– Ale z ciebie upośladek – powiedział JP, co mówi zawsze, gdy nie znajduje riposty. I jak na ripostę wynikającą z jej braku, ta nawet nie jest taka zła. Diuk puściła film, a JP dodał: – Powinniśmy zadzwonić do Keuna.

Diuk znów wcisnęła pauzę i przechyliła się nade mną.

– JP?

– Tak?

– Czy mógłbyś na chwilę zamknąć dziób i pozwolić mi w spokoju rozkoszować się nieprzyzwoicie seksownym ciałem Daniela Craiga?

– To takie gejowskie – obruszył się JP.

– Jestem dziewczyną – podkreśliła Diuk. – Nie ma nic gejowskiego w tym, że pociągają mnie mężczyźni. Gdybym powiedziała, że ty masz seksowne ciało, to by było gejowskie, bo jesteś zbudowany jak kobieta.

– Ale go pojechałaś – wtrąciłem.

Diuk przeniosła wzrok na mnie i dodała:

– Choć w porównaniu z tobą JP to niedościgniony wzór męskości.

Ja też nie znalazłem dobrej riposty, więc oznajmiłem:

– Keun jest w pracy. W Wigilię płacą mu podwójnie.

– No tak – przyznał mi rację JP. – Zapomniałem, że Waffle House jest jak Lindsay Lohan: zawsze otwarty dla chętnych.

Zaśmiałem się, a Diuk tylko zmarszczyła brwi i znów włączyła film. Daniel Craig wyszedł z wody w bokserkach udających kąpielówki. Diuk westchnęła, a JP się skrzywił. Po kilku minutach do moich uszu dobiegł cichy szelest – to JP używał nici dentystycznej. Miał bowiem niciową obsesję.

– Obrzydliwość – oznajmiłem. Diuk zatrzymała film i łypnęła na mnie groźnie, ale nie dostrzegłem w jej spojrzeniu prawdziwej złości. Zmarszczyła swój maleńki nos i ściągnęła usta. Zawsze potrafiłem poznać po jej oczach, czy jest na mnie naprawdę wkurzona, a tym razem nadal migotał w nich uśmiech.

– Co? – zapytał JP z nicią dentystyczną wciśniętą między trzonowce i zwisającą mu z ust.

– Używanie nici w towarzystwie. To jest… Proszę, przestań.

Niechętnie spełnił moją prośbę, ale musiał mieć ostatnie słowo.

– Mój stomatolog mówi, że nigdy nie widział zdrowszych dziąseł. Przenigdy.

Przewróciłem oczami ze zniecierpliwieniem. Diuk założyła za ucho niesforny lok i po raz kolejny włączyła *Bonda*. Przez chwilę oglądałem film, a potem spojrzałem w okno. Odległe latarnie uliczne oświetlały wirujący śnieg, który wyglądał jak miliardy miniaturowych spadających gwiazd. Choć martwiłem się sytuacją rodziców i było mi żal, że spędzą święta poza domem, pragnąłem, by śnieżyca trwała jeszcze długo.

Rozdział 2

Telefon zadzwonił dziesięć minut po tym, gdy znów zaczęliśmy oglądać film.

– Jezu Chryste! – wrzasnął JP, chwytając pilota.

– Twoja mama dzwoni częściej niż namolny chłopak – skomentowała Diuk.

Przeskoczyłem przez oparcie kanapy i złapałem telefon.

– Halo – powiedziałem – jak tam?

– Tobin – odrzekł głos po drugiej stronie, ale nie należał do mamy, lecz do Keuna.

– Keun, czy ty nie powi…

– Jest u ciebie JP?

– Tak.

– Możesz przełączyć mnie na głośnik?

– Dlaczego…

– MOŻESZ PRZEŁĄCZYĆ MNIE NA GŁOŚNIK?! – ryknął.

– Chwila. – Szukając odpowiedniego klawisza, wyjaśniłem: – To Keun. Chce, żeby go dać na głośnik. Dziwnie się zachowuje.

– A to dopiero nowina – zakpiła Diuk. – Zaraz mi powiesz, że Słońce to kula gorącego gazu, a JP ma małe jajka.

– Nie zagłębiaj się w to – przestrzegł ją JP.

– W co mam się nie zagłębiać? W twoje majciochy z silnym mikroskopem w poszukiwaniu maciupeńkich klejnotów?

Znalazłem odpowiedni klawisz i nacisnąłem go.

– Keun, jesteś?

– Tak – potwierdził. W tle słychać było jakiś hałas, jakby dziewczęce głosy. – Muszę wam coś powiedzieć.

– To ciekawe, że posiadaczka najmniejszych piersi na świecie – odparował JP – podaje w wątpliwość wielkość czyichś części intymnych.

Diuk rzuciła w niego poduszką.

– POSŁUCHAJCIE MNIE! – wrzasnął Keun z głośnika. Wszyscy zamilkliśmy. Keun był wybitnie inteligentny i zawsze przemawiał tak, jakby wcześniej nauczył się swoich kwestii na pamięć. – Teraz lepiej. Kierownik nie przyszedł dzisiaj do pracy, bo jego samochód utknął w zaspie. Zatem jestem kucharzem i p.o. zastępcą kierownika. Jest tu jeszcze dwóch pracowników – to (jeden) Mitchell Croman i (dwa) Billy Talos. – Obaj chodzili do naszej szkoły, ale skłamałbym, mówiąc, że ich znam, a żaden z nich zapewne nie rozpoznałby mnie podczas identyfikacji. – Jeszcze dwadzieścia minut temu panował w knajpie względny spokój. Jedynymi klientami byli Alufoliowy i Doris, najstarsza żyjąca palaczka w Ameryce. Potem pojawiła się pewna dziewczyna, a po niej Stuart Weintraub... – Kolejny kumpel ze szkoły, dobry człowiek. – ...ubrany w reklamówki z sieci Target. Torby trochę zaniepokoiły Alufoliowego, a ja właśnie czytałem *Mrocznego rycerza* i...

– Keun, zmierzasz do jakieś konkluzji? – zapytałem. Chłopaka czasami ponosiło.

– I to do jakiej! – odrzekł. – Do czternastu konkluzji! Mniej więcej kwadrans po Stuarcie Weintraubie, dobry i wspaniałomyślny Bóg Wszechmogący wejrzał na swojego sługę Keuna i uznał za stosowne zesłać do tego niegodnego lokalu czternaście cheerleaderek w dresach, z Pensylwanii. Panowie, nie robię was w balona! Waffle House jest pełen cheerleaderek. Pociąg, którym jechały, utknął w śnieżycy, i dziewczęta zamierzają spędzić tutaj noc. Są nakręcone od kofeiny. Robią szpagaty na kontuarze. Powiem to zupełnie wprost: w Waffle House wydarzył się Bożonarodzeniowy Cud Pomponowy. Patrzę na te dziewczyny w tej chwili. Są tak gorące, że mogłyby topić śnieg. Tak gorące, że można by na nich piec gofry. Tak gorące, że rozgrzałyby, nie!, że rozgrzeją te miejsca w moim sercu, które od tak dawna pozostawały chłodne, że niemalże zapomniałem o ich istnieniu.

Dziewczęcy głos – radosny i zmysłowy równocześnie – krzyknął do słuchawki. Pochylałem się nad telefonem, wpatrując się w niego z nabożną czcią. Obok mnie stał JP.

– Czy to twoi koledzy? O mój Boże! Powiedz im, żeby przynieśli „Twistera"!

Keun mówił dalej:

– Rozumiecie teraz, o co toczy się gra! Właśnie zaczęła się najwspanialsza noc w moim życiu. A ja zapraszam was, byście się do mnie przyłączyli, bo jestem najlepszym przyjacielem na świecie. Istnieje jednak pewien haczyk. Kiedy się z wami rozłączę, Mitchell i Billy zadzwonią po swoich kumpli. A ustaliliśmy z góry, że mamy tu tylko miejsce dla jeszcze dwóch chłopaków. Nie mogę bardziej psuć proporcji cheerleaderek do facetów. Ja dzwonię jako pierwszy, bo jestem p.o. zastępcą kierownika. Macie więc fory. Wiem, że nie nawalicie. Wiem, że dacie radę przywieźć „Twistera". Panowie, szybkiej i bezpiecznej podróży życzę. Ale jeśli dziś polegniecie, wiedzcie, że poświęciliście życie dla najszlachetniejszej z ludzkich potrzeb: pogoni za cheerleaderkami.

Rozdział 3

Ani ja, ani JP nie kłopotaliśmy się nawet odkładaniem słuchawki telefonu.

– Muszę się przebrać – powiedziałem tylko.

– Ja też – odrzekł.

– Diuk: „Twister"! W szafce z grami – dorzuciłem.

Ruszyłem pędem na górę, ślizgając się w skarpetach po drewnianej podłodze w kuchni, i wpadłem do swojego pokoju. Szarpnięciem otworzyłem drzwi szafy i zacząłem gorączkowo przekopywać stertę ubrań leżących na podłodze w próżnej nadziei, że znajdę tam jakąś cudownie idealną koszulę, w ładne prążki, z guzikami przy kołnierzyku, która będzie mówiła: „Jestem silny i twardy, ale fantastycznie potrafię słuchać, żywię też głębokie i niezmierne zamiłowanie do pomponów oraz tych, które nimi machają". Niestety nie znalazłem takiej koszuli. Szybko zdecydowałem się więc na włożenie brudnej, lecz fajnej żółtej koszulki Threadless pod czarny sweter z wycięciem w karo. Zrzuciłem spodnie do oglądania filmów o Bondzie z JP i Diuk, a następnie błyskawicznie wskoczyłem w moją jedyną parę porządnych, ciemnych dżinsów.

Przytknąłem brodę do piersi i wciągnąłem powietrze nosem. Pobiegłem do łazienki i na wszelki wypadek gorączkowo popsikałem się dezodorantem pod pachami. Obejrzałem się w lustrze. Wyglądałem dobrze, poza może nieco asymetryczną fryzurą. Znów wpadłem do pokoju, podniosłem z podłogi zimową kurtkę, wsunąłem pumy na stopy i popędziłem na dół z rozwiązanymi sznurowadłami, wołając:

– Wszyscy gotowi? Ja już! Jedziemy!

Gdy wbiegłem do salonu, Diuk nadal siedziała na kanapie i oglądała *Bonda*.

– Diuk. „Twister". Kurtka. Auto. – Odwróciłem się i wrzasnąłem: – JP, gdzie ty jesteś?

– Masz jakiś zapasowy płaszcz? – zapytał.

– Nie, włóż swój! – odkrzyknąłem.

– Ale ja przyszedłem w kurtce! – zawołał.

– Po prostu się pospiesz! – Z jakiegoś powodu moja przyjaciółka nadal nie zatrzymała filmu. – Diuk – powtórzyłem. – „Twister". Kurtka. Auto.

Wcisnęła pauzę i odwróciła się do mnie.

– Tobin, jaka jest twoja wizja piekła?

– Możemy o tym porozmawiać w samochodzie!

– Bo moja wizja piekła to wieczność w Waffle House pełnym cheerleaderek.

– Daj spokój – westchnąłem. – Nie wygłupiaj się.

Diuk stanęła tak, że oddzielała nas kanapa.

– Mówisz, że mamy wyjść w najgorszą śnieżycę od pięćdziesięciu lat i przejechać trzydzieści kilometrów, by spotkać się z ekipą obcych lasek za najlepszą zabawę uznających grę, która zgodnie z opisem na pudełku jest przeznaczona dla sześciolatków, i to ja się wygłupiam?

– JP! Pospiesz się! – zawołałem w stronę schodów.

– Staram się! – odkrzyknął. – Ale muszę balansować między koniecznością pośpiechu a potrzebą, by świetnie wyglądać!

Obszedłem kanapę i objąłem Diuk. Uśmiechnąłem się do niej. Przyjaźniliśmy się od dawna i doskonale ją znałem. Wiedziałem, że nienawidzi cheerlederek. Wiedziałem, że nie znosi zimna. Wiedziałem, że cierpi, gdy ma wstać z kanapy, kiedy leci film z Jamesem Bondem.

Ale wiedziałem też, że uwielbia placki ziemniaczane z Waffle House.

– Są dwie rzeczy, którym nie umiesz się oprzeć – powiedziałem. – Pierwszą jest James Bond.

– Zgadza się – przyznała. – A drugą?

– Placki ziemniaczane – odrzekłem. – Złociste, przepyszne placki ziemniaczane z Waffle House.

Nie spojrzała na mnie, nie wprost. Popatrzyła przeze mnie, przez ściany domu, przez śnieg. Mrużyła oczy, wpatrując się w dal. Widziała placki.

– Możesz zamówić grillowane, obłożone cebulką i posypane serem – dodałem.

Zamrugała gwałtownie i potrząsnęła głową.

– Kurde, miłość do placków zawsze mnie gubi. Ale nie chcę siedzieć w Waffle House całą noc.

– Godzinę, chyba że będziesz się za dobrze bawić – obiecałem. Pokiwała głową. Gdy wkładała kurtkę, otworzyłem szafkę na gry i wyjąłem podniszczone pudełko z „Twisterem".

Kiedy się odwróciłem, przede mną stał JP.

– O mój Boże… – przeraziłem się. Z jakiegoś ciemnego kąta szafy mojego ojca wydobył zupełnie koszmarny strój. Miał na sobie rozciągnięty, błękitny jednoczęściowy kombinezon ze zwężanymi nogawkami, a na głowie czapkę z nausznikami.

– Wyglądasz jak zboczony drwal, który lubi przebierać się za dziecko – stwierdziłem.

– Zamknij się, upośladku – odrzekł po prostu. – To seksowna stylizacja prosto ze stoku narciarskiego. Mówi: „Wracam właśnie z gór po długim dniu spędzonym na ratowaniu ludzi w Narciarskim Patrolu".

Diuk wybuchnęła śmiechem.

– Moim zdaniem mówi raczej: „To, że nie byłem pierwszą kobietą w kosmosie, nie oznacza, że nie mogę nosić jej stroju".

– Chryste, dobra, przebiorę się.

– NIE MA CZASU! – ryknąłem.

– Powinieneś włożyć wysokie buty – zasugerowała Diuk, spoglądając na moje pumy.

– NIE MA CZASU! – wrzasnąłem ponownie.

Zaprowadziłem ich do garażu i wsiedliśmy do Carli, białego SUV-a Hondy należącego do moich rodziców. Od telefonu Keuna minęło osiem minut. Prawdopodobnie straciliśmy już całą przewagę. Była godzina 23:42. W zwykły wieczór dojazd do Waffle House zajmował około dwudziestu minut.

Ale to nie miał być zwykły wieczór.

Rozdział 4

Gdy wcisnąłem guzik otwierający drzwi garażu, moim oczom ukazała się kilkudziesięciocentymetrowa ściana śniegu i dotarło do mnie, jakie czeka nas wyzwanie. Przyjaciele pojawili się u mnie w porze lunchu i od tamtej pory musiało napadać co najmniej pół metra.

Przełączyłem Carlę na napęd na cztery koła.

– Hm, i co teraz?... Myślicie, że powinienem przez to przejechać?

– Dawaj! – zachęcił mnie JP z tylnego siedzenia, ponieważ Diuk udało się zająć miejsce z przodu. Wziąłem głęboki wdech i ruszyłem na wstecznym. Carla podniosła się nieco, gdy wjechaliśmy w zaspę, ale udało jej się zepchnąć większość śniegu na boki. Jechałem tyłem po podjeździe. Właściwie nie tyle jechałem, co ślizgałem się, ale bez większych problemów. Po chwili, raczej dzięki szczęściu niż moim umiejętnościom, samochód zjechał z podjazdu, stając przodem mniej więcej w kierunku Waffle House.

Ulicę pokrywała trzydziestocentymetrowa warstwa puchu. W naszej dzielnicy nie jeździły pługi i nie sypano dróg solą.

– To by była totalnie durna śmierć – stwierdziła Diuk, a ja poczułem, że chyba się z nią zgadzam. Lecz JP zakrzyknął z tylnej kanapy:

– Spartanie! Dzisiaj zjemy wieczerzę w Waffle House!

Kiwnąłem głową, przełączyłem auto na jazdę w przód i wcisnąłem gaz. Koła przez chwilę kręciły się w miejscu, a potem nagle Carla ruszyła i padający śnieg ożył w światłach reflektorów. Nie widziałem krawężników, nie wspominając o liniach na ulicy, więc po prostu starałem się trzymać kurs mniej więcej pomiędzy skrzynkami pocztowymi.

Dzielnica Grove Park leży w niecce, zatem aby z niej wyjechać, trzeba pokonać niewielkie wzgórze. Razem z JP i Diuk dorastaliśmy w Grove Park, więc wjeżdżałem na nie tysiące razy.

Dlatego potencjalny problem w ogóle nie przyszedł mi do głowy, zanim nie zaczęliśmy brnąć pod górę. Szybko zauważyłem, że siła nacisku na pedał gazu nijak się nie przekłada na prędkość jazdy. Poczułem ukłucie lęku.

Zaczęliśmy zwalniać. Wcisnąłem gaz mocniej i usłyszałem, że koła buksują w śniegu. JP zaklął. Nadal pełzliśmy pod górę i widzieliśmy już grzbiet wzniesienia oraz czarną nawierzchnię odśnieżonej drogi.

– Dawaj, Carla – mruknąłem.

– Dodaj gazu – podpowiedział JP. Zrobiłem to, a opony zabuksowały mocniej i nagle stanęliśmy.

Nastąpiła długa chwila bezruchu, między momentem, gdy Carla przestała jechać pod górę, a momentem, gdy zaczęła ześlizgiwać się z zablokowanymi kołami z powrotem w dół. Była to chwila spokoju i kontemplacji. Z zasady niechętnie ryzykuję. Nie należę do tych osób, które wybierają się na pieszą wyprawę przez całe Appalachy lub spędzają wakacje w letniej szkole w Ekwadorze, albo chociażby jedzą sushi. Kiedy byłem mały i w nocy zamartwiałem się różnymi sprawami, które nie pozwalały mi zasnąć, moja mama mawiała: „Pomyśl, co takiego może się stać w najgorszym wypadku?". Sądziła, że mnie w ten sposób pocieszy. Zdawało jej się, że uświadamia mi, iż moje potencjalne błędy w zadaniu domowym z matematyki w drugiej klasie nie będą miały większego wpływu na całość mojego życia. Ale jej strategia odnosiła zupełnie odwrotny skutek. W efekcie rzeczywiście myślałem o najgorszym. Załóżmy, że martwiłem się błędami w zadaniu domowym z matematyki. Może moja nauczycielka, pani Chapman, nakrzyczy na mnie? Pewnie nie nakrzyczy, ale subtelnie wyrazi dezaprobatę. A ja przejmę się jej dezaprobatą. I może się rozpłaczę. Wszyscy uznają mnie za beksę, co pogłębi moje społeczne wyobcowanie, a ponieważ nikt mnie nie lubi, znajdę pocieszenie w narkotykach i zanim skończę piątą klasę, uzależnię się od heroiny. A potem umrę. To jest najgorsze, co może się stać. I to naprawdę. Obsesyjnie rozmyślałem o podobnych sytuacjach, bo wierzyłem, że w ten sposób uchronię się przed popadnięciem w nałóg heroinowy i śmiercią z przedawkowania. Ale teraz o wszystkim zapomniałem. I z jakiego powodu? Z powodu cheerleaderek, których nawet nie znałem? Nie mam nic przeciwko cheerleadingowi, ale z pewnością istniały lepsze sprawy, za które można by oddać życie.

Poczułem na sobie wzrok Diuk, więc też na nią spojrzałem. Oczy miała wielkie, okrągłe, przestraszone i chyba trochę złe. I dopiero teraz, w przeciągającej się chwili bezruchu, pomyślałem o najgorszym, co może się wydarzyć: czyli o tym, co właśnie miało się stać. Zakładając, że przeżyję, rodzice zabiją mnie za skasowanie auta. Zostanę uziemiony na całe lata – może nawet dekady. Będę musiał przepracować setki godzin, żeby zapłacić za naprawę samochodu.

A potem stało się nieuniknione. Zaczęliśmy się staczać. Nacisnąłem hamulec. Diuk zaciągnęła ręczny, ale Carla sunęła slalomem w tył, tylko z rzadka reagując na moje histeryczne ruchy kierownicą.

Lekko podskoczyliśmy, więc domyśliłem się, że przejechaliśmy krawężnik. Pędziliśmy teraz przez ogródki sąsiadów, rozgarniając śnieg sięgający powyżej nadkoli. Gnaliśmy tak blisko domów, że przez okna salonów widziałem ozdoby na choinkach. Carla cudem minęła o włos czyjegoś pick-upa zaparkowanego na podjeździe. Obserwując we wstecznym lusterku zbliżające się skrzynki pocztowe oraz kolejne auta i domy, przez przypadek zerknąłem na JP. Uśmiechał się. Wydarzyło się najgorsze, co mogło się stać. I może w pewnym sensie opadł z nas stres. W każdym razie coś w jego uśmiechu mnie też kazało się uśmiechnąć.

Zerknąłem na Diuk, a potem oderwałem ręce od kierownicy. Przyjaciółka pokręciła głową, jakby z dezaprobatą, ale w końcu też się uśmiechnęła. By zademonstrować, że zupełnie nie kontroluję Carli, chwyciłem kierownicę i zacząłem nią szaleńczo kręcić to w jedną, to w drugą stronę. Diuk zaśmiała się głośno i powiedziała:

– Ale jesteśmy porąbani!

A potem nagle hamulce zadziałały i wcisnęło mnie w fotel. W końcu droga się wyrównała, zwolniliśmy i powoli stanęliśmy.

– Ale jazda – odezwał się JP podniesionym głosem – nie wierzę, że nie zginęliśmy. Ani trochę nie zginęliśmy!

Rozejrzałem się wokół, próbując się zorientować, gdzie jesteśmy. W odległości półtora metra od drzwi pasażera znajdował się dom starszej pary emerytów, państwa Olneyów. Światło było włączone i ujrzałem panią Olney: ubrana w białą nocną koszulę gapiła się na nas z twarzą przyciśniętą do szyby i szeroko otwartymi ustami. Diuk spojrzała na nią i pomachała. Ostrożnie wyprowadziłem Carlę z ogródka Olneyów tam, gdzie moim zdaniem powinna znajdować się ulica. Wrzuciłem luz i zdjąłem trzęsące się dłonie z kierownicy.

– Okay – odezwał się JP, próbując się uspokoić. – Okay, okay, okay. – Odetchnął i dodał: – Ale rewelka! Najlepszy rollercoaster w moim życiu!

– Usiłuję się nie zsikać – oznajmiłem. Chciałem wrócić do domu, do filmów o Jamesie Bondzie, siedzieć do późna w nocy, jeść popcorn, przespać się kilka godzin, a potem spędzić Boże Narodzenie z rodziną Diuk. Przez siedemnaście i pół roku żyłem bez towarzystwa cheerleaderek z Pensylwanii. Poradzę sobie bez nich jeszcze jeden dzień.

JP gadał dalej:

– Cały czas myślałem tylko: „Ludzie, umrę w błękitnym kombinezonie narciarskim!". Moja mama będzie musiała zidentyfikować ciało i do końca życia pozostanie przekonana, że w wolnym czasie jej syn lubił się przebierać za cierpiącą na hipotermię gwiazdę porno z lat siedemdziesiątych.

– Myślę, że jakoś wytrzymam bez placków ziemniaczanych – stwierdziła Diuk.

– Pewnie – zgodziłem się. – Pewnie.

JP głośno zaprotestował, bo chciał jeszcze raz przejechać się rollercoasterem, ale ja miałem dość. Postanowiłem zadzwonić do Keuna. Mój palec drżał, gdy wciskałem klawisz szybkiego wybierania.

– Słuchaj, nie możemy się wydostać z Grove Park. Jest za dużo śniegu.

– Koleś! – jęknął Keun – Postarajcie się. Kumple Mitchella jeszcze chyba nawet nie wyjechali. A Billy zadzwonił do jakichś ziomów z college'u i kazał im przywieźć beczkę piwa, bo jedyna metoda, by te urocze damy zniżyły się do rozmowy z Billym, to je upić... Hej, sorki, Billy właśnie mnie walnął swoją papierową czapką. Jestem p.o. zastępcą kierownika, Billy! Złożę raport o twoim zacho... Hej! Proszę, przyjedźcie. Nie chcę tu utknąć z Billym i bandą nieogarniętych pijaków. Zniszczą restaurację, a ja stracę pracę i w ogóle... Proszę.

JP z tylnego siedzenia skandował:

– Rollercoaster! Rollercoaster! Rollercoaster!

Wyłączyłem telefon i odwróciłem się do Diuk. Już miałem zacząć namawiać ich do powrotu, gdy telefon znowu zadzwonił. Mama.

– Nie udało nam się wypożyczyć samochodu, więc wróciliśmy do hotelu – powiedziała. – Za osiem minut Boże Narodzenie i zamierzałam poczekać, ale tato jest zmęczony i chce się kłaść, więc powiemy to teraz.

Tato zbliżył usta do słuchawki i usłyszałem jego zmęczone „Wesołych świąt" o oktawę niższe od entuzjastycznych życzeń mamy.

– Wesołych świąt – odpowiedziałem. – Zadzwońcie, jeśli coś się zmieni. Zostały nam jeszcze dwa Bondy do obejrzenia.

Tuż przed tym, gdy mama się rozłączyła, usłyszałem sygnał oczekującego połączenia. Keun. Przełączyłem go na głośnik.

– Powiedz, że wyjechaliście już z Grove Park!

– Koleś, dopiero co rozmawialiśmy. Nadal stoimy u stóp wzgórza – wyjaśniłem. – Chyba wrócimy do domu.

– Przyjedźcie! Tutaj! Zaraz! Właśnie się dowiedziałem, kogo zaprosił Mitchell: Timmy'ego i Tommy'ego Restonów. Już jadą. Możecie zdążyć przed nimi. Dacie radę! Musicie! Bliźniacy Restonowie nie mogą zrujnować mojego Bożonarodzeniowego Cudu Pomponowego! – Rozłączył się. Keun miał upodobanie do dramatycznych gestów, ale rozumiałem, o co mu chodzi. Bracia Restonowie mogli zrujnować prawie wszystko. Timmy i Tommy byli jednojajowymi bliźniakami, absolutnie od siebie różnymi. Timmy ważył 135 kilogramów, ale wcale nie był gruby, tylko bardzo silny i niewiarygodnie szybki, dlatego też zdobył miano najlepszego gracza w naszej drużynie futbolowej. Z kolei Tommy zmieściłby się w jednej nogawce dżinsów brata, lecz niedostatki w gabarytach z nawiązką nadrabiał szaloną agresją. W gimnazjum bracia wdawali się ze sobą w widowiskowe bójki na boisku do kosza. Chyba żaden z nich nie miał już własnych zębów.

– No dobra – westchnęła Diuk – tu już nie chodzi o nas ani o cheerleaderki. Tu chodzi o chronienie Keuna przed bliźniakami Restonami.

– Jeśli ich zasypie w Waffle House na kilka dni i skończy im się jedzenie, wiecie, do czego może dojść – zasugerował JP.

Diuk w lot pojęła żart.

– Do aktów kanibalizmu. I Keuna pożrą pierwszego.

Pokręciłem głową.

– A co z samochodem?

– Pomyśl o cheerleaderkach – błagał JP.

Ale nie o nich myślałem, gdy skinąłem głową. Myślałem o grzbiecie wzgórza i o odśnieżonych drogach, które mogą nas zaprowadzić w dowolne miejsce.

Rozdział 5

Nadal staliśmy na środku ulicy, ale Diuk jak zwykle natychmiast obmyśliła plan działania.

– Problem w tym, że zabrakło nam prędkości przy podjeździe – powiedziała. – Dlaczego? Bo mieliśmy za małą prędkość już na dole. Więc wycofaj się, jak najdalej możesz w linii prostej, a potem gaz do dechy. Wjedziemy na wzgórze o wiele szybciej, a siła rozpędu zaniesie nas na szczyt.

Jej pomysł nie wydawał mi się szczególnie porywający, ale nie umiałem wymyślić nic lepszego, więc pojechałem na wstecznym, jak daleko mogłem, aż wzniesienie przed nami było ledwo widoczne w świetle reflektorów przez gęsto sypiący śnieg. Zatrzymałem się dopiero w czyimś frontowym ogródku, mając wielki dąb kilka metrów za tylnym zderzakiem. Przejechałem kilka razy w przód i w tył, by ruszyć z utwardzonego śniegu.

– Pasy zapięte? – zapytałem.

– Tak – odparli równocześnie.

– Poduszki powietrzne włączone?

– Potwierdzam – odrzekła Diuk. Zerknąłem na nią, a ona w odpowiedzi uśmiechnęła się i uniosła brwi. Kiwnąłem głową.

– Zaczynamy odliczanie.

– Pięć – powiedzieli razem. – Cztery. Trzy. – Wrzuciłem na luz i zacząłem rozgrzewać silnik. – Dwa. Jeden.

Zmieniłem bieg i wystrzeliliśmy w przód, przyspieszając zrywami, pomiędzy tym chwilami, w których sunęliśmy niczym hydroplan po powierzchni śniegu. Dotarliśmy do stóp wzniesienia z prędkością sześćdziesięciu pięciu kilometrów na godzinę, czyli o dwadzieścia pięć więcej niż dopuszczalna w Grove Park prędkość. Wstałem z siedzenia, napinając pasy i całym ciężarem wdeptując pedał gazu, ale opony zaczęły się ślizgać, a auto zwalniać, więc zmniejszyłem nacisk.

– Dawaj! – krzyczała Diuk.

– Dasz radę, Carlo – mamrotał JP z tyłu, a samochód jechał naprzód, z każdą mijającą sekundą gwałtownie zwalniając.

– Carla, rusz swoje tłuste, pożerające paliwo dupsko i dawaj na szczyt! – rozdarłem się, uderzając w kierownicę.

– Nie wrzeszcz na nią – upomniała mnie Diuk. – Ona potrzebuje łagodnej zachęty. Carlo, maleńka, kochamy cię. Jesteś takim dobrym autem. I wierzymy w ciebie. Wierzymy stuprocentowo.

– Nie uda nam się – JP zaczął panikować.

Diuk odpowiedziała uspokajająco:

– Nie słuchaj go, Carlo. Dasz radę.

Znów widziałem grzbiet wzgórza i niedawno odśnieżoną drogę. Carla zachowywała się, jakby powtarzała w myślach: „Chyba się uda, chyba się uda", a Diuk gładziła tablicę rozdzielczą, mrucząc:

– Kocham cię, Carlo. Wiesz o tym, prawda? Co rano gdy się budzę, myślę o tym, że kocham auto mamy Tobina. Wiem, że to dziwne, maleńka, ale to prawda. Kocham cię. I wiem, że sobie poradzisz.

Wciskałem pedał gazu, a koła się obracały. Prędkość spadła do dwunastu na godzinę. Zbliżaliśmy się do blokującej nam drogę wysokiej na metr zaspy utworzonej ze śniegu zgarniętego przez pług. Byliśmy tak blisko. Prędkościomierz wskazywał już tylko osiem kilometrów na godzinę.

– O Boże, czeka nas kawał drogi w dół – powiedział JP łamiącym się głosem. Zerknąłem we wsteczne lusterko. Miał rację.

Nadal posuwaliśmy się do przodu, ale teraz w całkiem ślimaczym tempie. Co prawda droga zaczęła się wyrównywać, ale już prawie staliśmy w miejscu. Bezskutecznie wciskałem gaz.

– Carlo – mówiła Diuk – czas już, bym wyznała ci prawdę. Jestem w tobie zakochana. Chcę z tobą być. Nigdy nie czułam nic podobnego do samocho…

Opony złapały przyczepność, akurat gdy wcisnąłem gaz prawie do dechy, więc wystrzeliliśmy naprzód w zaspę sięgającą dolnej krawędzi okien, ale przejechaliśmy, częściowo nad, a częściowo przez nią. Carla wylądowała na czterech kołach po drugiej stronie, a ja z całej siły wdepnąłem hamulec, widząc, że zbliżamy się do znaku stopu. Tyłem samochodu zarzuciło i nagle zamiast przed stopem znaleźliśmy się na drodze przodem we właściwym kierunku. Puściłem hamulec i ruszyliśmy przed siebie.

– Taaak! – wrzasnął JP z tyłu. Poczochrał Diuk po szopie kręconych włosów. – ALE KAPITALNIE UDAŁO NAM SIĘ NIE ZGINĄĆ!

– Wiesz, jak przemówić do samochodu – pochwaliłem przyjaciółkę. Czułem, że krew pulsuje w całym moim ciele. Diuk wyglądała na imponująco spokojną, gdy przeczesywała palcami potargane włosy.

– Trudne sytuacje wymagają trudnych rozwiązań – odrzekła.

Kolejnych osiem kilometrów jechało się po prostu rozkosznie – droga wije się tu przez góry, więc zazwyczaj trzeba na niej uważać, lecz w zasięgu wzroku nie było nikogo prócz nas, a dzięki soli nawierzchnia nie była oblodzona, jedynie mokra. Poza tym prowadziłem ostrożnie, z prędkością trzydziestu na godzinę i zakręty wydawały się mniej przerażające. Przez dłuższą chwilę milczeliśmy – choć JP co jakiś czas głośno wypuszczał powietrze przez usta i wygłaszał zdanie: „Nie mogę uwierzyć, że jesteśmy całkiem żywi" lub jakąś jego wariację. Śnieg był zbyt gęsty, a droga zbyt mokra na słuchanie muzyki, więc po prostu siedzieliśmy w ciszy.

Nagle Diuk spytała:

– O co ci chodzi z tymi cheerleaderkami?

Zwracała się do mnie, wiedziałem o tym, bo przez pewien czas chodziłem z dziewczyną o imieniu Brittany, która, tak się złożyło, była cheerleaderką. Nasza drużyna pomponiar reprezentowała bardzo wysoki poziom. Dziewczyny na pewno były o wiele bardziej wysportowane niż drużyna futbolowa, której kibicowały. Słynęły również z tego, że pozostawiały za sobą dziesiątki złamanych serc. Na przykład Stuart Weintraub, ten chłopak, którego Keun widział w Waffle House, został boleśnie sponiewierany przez pewną cheerleaderkę o imieniu Chloe.

– Czyżby chodziło o to, że są seksowne? – zasugerował JP.

– Nie – zaprzeczyłem, próbując zachować powagę. – To był zbieg okoliczności. Brittany nie spodobała mi się, dlatego że była cheerleaderką, ale po prostu fajną dziewczyną.

Diuk prychnęła.

– Tak jak Józef Stalin grożący, że rozniesie wszystkich swoich wrogów w pył.

– Brittany była w porzo – JP zwrócił się do Diuk. – Po prostu cię nie lubiła, bo nie ogarniała tego.

– Czego nie ogarniała? – zdziwiła się Diuk.

– No wiesz, że nie byłaś dla niej zagrożeniem. Większość dziewczyn nie chce, aby ich chłopak spędzał cały wolny czas z inną dziewczyną. A Brittany nie ogarniała, że ty, no, jakby nie jesteś naprawdę dziewczyną.

– Jeśli to oznacza, że nie lubię czasopism o celebrytach, przedkładam jedzenie nad anoreksję, nie oglądam programów telewizyjnych o modelkach i nie znoszę różowego, to owszem. Z dumą stwierdzam, że nie jestem dziewczyną.

Brittany rzeczywiście nie lubiła Diuk, ale nie lubiła też JP. Właściwie mnie też za bardzo nie lubiła. Im dłużej byliśmy ze sobą, tym bardziej drażniło ją moje poczucie humoru, maniery przy stole i wszystko inne, dlatego się rozstaliśmy. I prawdę mówiąc, ten związek nie znaczył dla mnie zbyt wiele. Czułem się przygnębiony, kiedy mnie rzuciła, lecz na pewno nie była to katastrofa porównywalna do dramatu Weintrauba. Chyba nawet jej nie kochałem, a to dość istotna kwestia. Brittany była śliczna, bystra i ciekawie się z nią rozmawiało, ale wcale nie rozmawialiśmy o zbyt wielu sprawach. Nie miałem poczucia, że stawka jest wysoka, bo zawsze wiedziałem, jak to wszystko się skończy. Nigdy nie uważałem, by Brittany była warta ryzyka.

Kurde, nienawidziłem o niej mówić, ale Diuk ciągle wracała do tego epizodu, zapewne dla czystej przyjemności, jaką czerpała ze znęcania się nade mną. Albo może dlatego, że nie miała żadnego własnego dramatu, o którym można by rozprawiać. Podobała się wielu chłopakom, lecz sama nigdy nikim się poważnie nie zainteresowała. Dlatego też nie zagadywała nas na śmierć, ględząc o jakimś typie, o tym, że jest przystojny, że czasami zwraca na nią uwagę, a czasami nie, i o wszystkich tych nonsensach. Lubiłem ją za to. Diuk była po prostu normalna: lubiła żartować, rozmawiać o filmach, nie przeszkadzało jej, że ktoś się na nią wścieka i sama też czasami się wściekała. Była o wiele bardziej człowiekiem niż inne dziewczyny.

– Nie mam słabości do cheerleaderek – zapewniłem.

– Ale – wtrącił JP – obaj mamy słabość do seksownych dziewczyn, które uwielbiają „Twistera". Nie chodzi o zamiłowanie do cheerleaderek, Diuk, chodzi o zamiłowanie do wolności, nadziei i nieposkromionego amerykańskiego ducha.

– Możesz uznać, że nie jestem patriotką, ale nie kumam, o co chodzi z tymi cheerleaderkami. Pomponiarstwo nie jest seksowne. To, co seksowne, musi być mroczne. Ambiwalentne. Sięgające głębiej niż to, co widać na pierwszy rzut oka.

– Jasne – rzucił JP – to dlatego chodzisz z Billym Talosem. Nie ma nic bardziej mrocznego i melancholijnego niż kelner z Waffle House.

Spojrzałem w tylne lusterko, żeby sprawdzić, czy JP nie żartuje, ale wyglądał na zupełnie poważnego. Diuk sięgnęła ręką do tyłu i szturchnęła go w kolano.

– To tylko praca.

– Chwila, chodzisz z Billym Talosem? – zapytałem. Byłem zaskoczony nie tylko dlatego, że wydawało mi się, iż Diuk nigdy z nikim nie będzie chodziła, ale też dlatego, że Billy był raczej typem gustującym w piwie i futbolu, a ona w Shirley Temple i teatrze.

Diuk milczała przez chwilę.

– Nie. Po prostu zaprosił mnie na studniówkę.

Nic nie powiedziałem. To dziwne, że Diuk zwierzyła się z czegoś JP, a mnie nie.

– Nie bierz tego do siebie – odezwał się JP – ale Billy Talos jest trochę oleisty. Mam wrażenie, że gdyby raz na dwa dni wykręcać mu włosy, Ameryka uniezależniłaby się od dostaw oleju z zagranicy.

– Nie wzięłam tego do siebie – zaśmiała się Diuk. Najwyraźniej aż tak bardzo jej na Talosie nie zależało. Ale mimo to nie umiałem jej sobie wyobrazić z Billym – pomijając już tłuste włosy, nie wydawał się, no cóż, zabawny ani interesujący. JP i Diuk wdali się w pełną emocji dyskusję na temat menu w Waffle House i tego, czy tosty rodzynkowe są lepsze od zwykłych. Było to sympatyczne tło dźwiękowe do prowadzenia auta. Płatki śniegu uderzały w przednią szybę i natychmiast topniały, a wycieraczki zgarniały je na bok. Reflektory oświetlały mokrą drogę i widziałem akurat tyle asfaltu, by zorientować się, gdzie jest mój pas i dokąd jechać.

Mógłbym długo tak prowadzić, zanim bym poczuł zmęczenie, ale wkrótce trzeba było skręcić na Sunrise Avenue, a potem skierować się przez centrum na międzystanówkę i do Waffle House. Było dwadzieścia sześć minut po północy.

– Hej – przerwałem im dyskusję.

– Co? – spytała Diuk.

Oderwałem wzrok od drogi i spojrzałem jej w oczy.

– Wesołych świąt.

– Wesołych świąt – odpowiedziała. – Tobie też, JP.

– Wesołych świąt, upośladki.

Rozdział 6

Zaspy śniegu po obu stronach Sunrise Avenue były ogromne, wyższe niż samochód, i czułem, jakbym jechał po dnie niekończącego się snowboardowego half-pipe'u. Wszyscy milczeliśmy, koncentrując się na drodze. Mieliśmy kilka kilometrów do centrum, a Waffle House był jeszcze o dwa i pół kilometra dalej na wschód, tuż przy międzystanówce. Ciszę przerwała komórka JP, która odezwała się rapem z lat dziewięćdziesiątych.

– To Keun – oznajmił JP i włączył głośnik.

– GDZIE WY, DO CHOLERY, JESTEŚCIE?

Diuk nachyliła się nad telefonem, żeby było ją dobrze słychać.

– Keun, wyjrzyj przez okno i powiedz mi, co widzisz.

– Powiem ci, czego nie widzę! Nie widzę ciebie, JP i Tobina na parkingu Waffle House! Nie ma wieści od kumpli Mitchella, ale Billy właśnie rozmawiał z bliźniakami: zaraz skręcają w Sunrise.

– No i dobrze, bo my już jesteśmy na Sunrise – powiedziałem.

– SZYBKO! Cheerleaderki żądają „Twistera"! Chwila, czekajcie… Ćwiczą piramidę i chcą, żebym je asekurował. Asekurował! Wiecie, co to oznacza? Jeśli spadną, to w moje ramiona. Więc muszę natychmiast kończyć. – Rozległo się kliknięcie, gdy Keun się rozłączał.

– Gaz do dechy – ponaglił mnie JP. W odpowiedzi zaśmiałem się i nie zwiększyłem prędkości. Musieliśmy tylko utrzymać przewagę.

Jeśli chodzi o jazdę na nartach SUV-em, to Sunrise Avenue całkiem dobrze się do tego nadawała, ponieważ w przeciwieństwie do większości ulic w Gracetown jest dość prosta. Jechałem koleinami z prędkością czterdziestu kilometrów na godzinę. Policzyłem, że w centrum będziemy za dwie minuty, a za dziesięć będziemy wsuwali specjalność Keuna – serowe gofry niefigurujące w menu. Rozmarzyłem się na myśl o tych gofrach, pokrytych roztopionym serem Kraft, równocześnie pikantnych i słodkich, o smaku tak wyrafinowanym i złożonym, że nie da się go nawet porównać do innych smaków, tylko do emocji. Gofry serowe, pomyślałem, są jak miłość bez lęku przed rozstaniem, a gdy dojeżdżaliśmy do ostrego skrętu tuż przed wjazdem do centrum, niemalże czułem ich smak w ustach.

Wszedłem w zakręt dokładnie tak, jak uczono mnie na kursie: z dłońmi na kierownicy na godzinie dziesiątej i drugiej, lekko skręcając w prawo i równocześnie łagodnie wciskając hamulec. Ale Carla nie zareagowała na ruch kierownicą. Dalej sunęła prosto.

– Tobin – odezwała się Diuk – skręcaj. Skręcaj, Tobin, skręcaj!

Nie odpowiedziałem, tylko obróciłem kierownicę w prawo i wcisnąłem hamulec. Trochę zwolniliśmy, zbliżając się do zaspy, ale nie skręciliśmy nawet o centymetr, tylko wpakowaliśmy się w ścianę śniegu z takim hukiem, jakbyśmy wchodzili w prędkość naddźwiękową.

Niech to szlag! Carla przechyliła się w lewo, a jej przednia szyba wyglądała jak ściana czarno nakrapianej bieli.

Zatrzymaliśmy się, a ja odwróciłem głowę akurat w porę, by zobaczyć, że bryły zamarzniętego śniegu spadają za samochodem i zupełnie nas zasypują. Zareagowałem na rozwój wypadków wytwornym językiem, z którego słynę.

– Gówno, gówno, gówno, gówno, gówno, głupie, głupie, głupie gówno!

Rozdział 7

Diuk sięgnęła do stacyjki i wyłączyła silnik.

– Grozi nam zatrucie tlenkiem węgla – spokojnie wyjaśniła, jakbyśmy nie ugrzęźli na totalnym mrozie piętnaście kilometrów od domu. – Wysiadamy przez bagażnik – poleciła, a jej rzeczowy ton sprawił, że trochę się uspokoiłem. JP wgramolił się do bagażnika i otworzył klapę, po czym wyskoczył na zewnątrz. Diuk poszła w jego ślady, a potem ja, nogami naprzód. Zebrałem w końcu myśli i mogłem elokwentnie wyrazić, co czuję w związku z całą tą sytuacją.

– Gówno, gówno, gówno! – Poczułem, że śnieg topnieje na mojej twarzy i kopnąłem w tylny zderzak Carli. – Durny pomysł, kurde, durny, kurde, moi rodzice, gówno, gówno, gówno.

JP położył dłoń na moim ramieniu.

– Wszystko będzie dobrze.

– Nie – odrzekłem. – Nie będzie. I wiesz o tym.

– Będzie – zapewnił mnie kumpel. – Spokojnie, na pewno damy sobie radę, bo zamierzam odkopać samochód, a ktoś zaraz będzie tędy przejeżdżał i nam pomoże – nawet jeśli to będą bliźniacy. Przecież nie pozwolą nam zamarznąć tu na śmierć.

Diuk obrzuciła mnie wzrokiem z góry na dół i uśmiechnęła się z wyższością.

– Chcę zauważyć – powiedziała – że wkrótce pożałujesz, iż nie posłuchałeś mojej rady dotyczącej obuwia.

Spojrzałem na śnieg pokrywający moje pumy i skrzywiłem się.

JP nie tracił ducha.

– Tak! Będzie dobrze! Bóg nie na darmo dał mi silne ramiona i plecy, koleś. Dał mi je po to, bym mógł wygrzebać twój samochód ze śniegu. Nawet nie potrzebuję waszej pomocy. Wy sobie gadajcie, a Hulk użyje swoich czarów.

Spojrzałem sceptycznie na JP. Ważył może sześćdziesiąt pięć kilogramów. Bardziej imponującą muskulaturę mają nawet wiewiórki. Ale on się nie zrażał. Zawiązał nauszniki czapki, sięgnął do kieszeni obcisłego kombinezonu, wyjął wełniane rękawiczki i ruszył w stronę auta.

Nie miałem ochoty mu pomagać, bo wiedziałem, że sprawa jest beznadziejna. Carla wbiła się na dwa metry w zaspę, która sięgała mi ponad głowę, a nie mieliśmy nawet szufli. Stanąłem więc na drodze obok Diuk i zacząłem wpychać kosmyki mokrych włosów pod czapkę.

– Przepraszam – powiedziałem do przyjaciółki.

– To nie twoja wina, tylko Carli. Próbowałeś skręcić, ale cię nie słuchała. Wiem, że nie powinnam jej kochać. Okazała się taka sama jak wszyscy inni: gdy tylko wyznałam jej miłość, opuściła mnie.

Zaśmiałem się.

– Ja cię nigdy nie opuściłem – powiedziałem, klepiąc Diuk po plecach.

– No tak, ale a) nigdy nie wyznałam ci miłości i b) ty nawet nie zauważasz we mnie kobiety.

– Ale jesteśmy pokręceni – rzuciłem z roztargnieniem, patrząc, jak JP przekopuje tunel wzdłuż samochodu od strony pasażera. Przypominał małego kreta i szło mu zaskakująco dobrze.

– Już jest mi zimno – wyznała i stanęła obok mnie. Nie wyobrażałem sobie, jakim cudem marznie w tej ogromnej kurtce narciarskiej, ale wszystko jest możliwe. Uświadomiłem sobie za to, że przynajmniej nie jestem tu sam. Objąłem Diuk ramieniem, niechcący przekrzywiając jej czapkę.

– Co robimy? – zapytałem.

– Pewnie i tak lepiej się tu bawimy niż w Waffle House – uznała.

– Ale tam jest Billy Talos – zakpiłem. – Już wiem, dlaczego chciałaś pojechać. To nie miało żadnego związku z plackami ziemniaczanymi!

– Wszystko ma związek z plackami ziemniaczanymi – sprostowała. – Jak powiedział poeta: Tak wiele zależy od ziemniaczanych placków, lśniących od tłuszczu, obok jaj sadzonych*.

Nie miałem pojęcia, o czym mówi, więc niezobowiązująco pokiwałem głową i zapatrzyłem się na drogę, zastanawiając się, kiedy ktoś tędy przejedzie i nas uratuje.

– Wiem, że to durne, ale w życiu nie miałam tak pełnego przygód Bożego Narodzenia – wyznała.

– Co wyjaśnia, dlaczego jestem zasadniczo przeciwny przygodom.

---

* Parafraza wiersza W.C. Williamsa *Czerwona taczka* (przyp. tłum.).

– Nie ma nic złego w niewielkim ryzyku od czasu do czasu – zaprotestowała Diuk, patrząc na mnie wymownie.

– Absolutnie się nie zgadzam, a ta sytuacja tylko dowodzi, że mam rację. Zaryzykowałem i Carla tkwi w zaspie, a mnie grozi wydziedziczenie.

– Gwarantuję ci, że wszystko się ułoży – zapewniła mnie przyjaciółka spokojnym, cichym głosem.

– Jesteś w tym dobra – stwierdziłem. – W mówieniu szalonych rzeczy tak, że zaczynam w nie wierzyć.

Stanęła na palcach, chwyciła mnie za ramiona i spojrzała mi w oczy. Nos miała zaczerwieniony i mokry od śniegu.

– Nie lubisz pomponiar. Uważasz, że są denne. Lubisz bystre, zabawne emo dziewczyny, których towarzystwo będzie mi sprawiało przyjemność.

Wzruszyłem ramionami.

– Tym razem ci się nie udało – odrzekłem.

– A niech to. – Uśmiechnęła się.

JP wychynął z wykopu, otrzepał błękitny kombinezon ze śniegu i oznajmił:

– Tobin, mam nie najlepszą wiadomość, ale nie chcę, żebyś przesadnie się przejął.

– Dobra – zgodziłem się cały w nerwach.

– Nie wiem, jak ci to najlepiej przekazać. Hm, twoim zdaniem, jaka by była idealna liczba kół, które Carla powinna aktualnie posiadać?

Zamknąłem oczy i odchyliłem głowę do tyłu. Jasne światło ulicznej latarni przebijało przez moje zaciśnięte powieki, a płatki śniegu kleiły mi się do ust.

– Ponieważ, mówiąc zupełnie szczerze – ciągnął JP – uważam, że najlepszą liczbą kół dla Carli byłoby cztery. A w tej chwili są z nią połączone trzy, co jest liczbą nieidealną. Na szczęście czwarte leży nieopodal, lecz niestety nie jestem ekspertem w mocowaniu kół do samochodów.

Naciągnąłem czapkę na twarz. Dotarł do mnie cały bezmiar mojej niedoli i po raz pierwszy zrobiło mi się zimno – w nadgarstki, tam gdzie była szczelina między rękawiczkami a rękawami kurtki, w twarz i w stopy, bo skarpety zaczęły już nasiąkać wodą z roztopionego śniegu. Rodzice mnie nie spiorą, nie naznaczą rozgrzanym do czerwoności wieszakiem na ubrania ani nic w tym rodzaju. Byli zbyt sympatyczni na okrucieństwo. I dlatego właśnie czułem się tak fatalnie: przecież nie zasłużyli, by mieć dziecko, które oderwało koło od ich ukochanej Carli, bo chciało spędzić wigilijną noc z czternastoma cheerleaderkami.

Ktoś zsunął mi czapkę z oczu. JP.

– Mam nadzieję, że nie pozwolisz, by taka drobna niedogodność jak brak samochodu powstrzymała nas przed dotarciem do Waffle House – powiedział.

Diuk, która opierała się o widoczny do połowy tył auta, parsknęła śmiechem, ale mnie nie było wesoło.

– JP, to nie pora na głupie żarty – upomniałem go.

Wyprostował się, jakby chciał mi przypomnieć, że jest ode mnie nieco wyższy, po czym postąpił dwa kroki na środek ulicy i stanął dokładnie w kręgu światła ulicznej lampy.

– To nie są głupie żarty – zaprotestował. – Czy głupim żartem jest wiara w marzenia? Czy głupim żartem jest walka z przeciwnościami, by te marzenia mogły się spełnić? Czy to był głupi żart, gdy Huckleberry Finn płynął setki kilometrów tratwą po rzece Missisipi, żeby mieć szansę na spotkanie dziewiętnastowiecznych cheerleaderek? Czy to był głupi żart, gdy tysiące mężczyzn i kobiet poświęciło swoje życie na badanie kosmosu, by Neil Armstrong mógł romansować z cheerleaderkami na Księżycu? Nie! I nie jest głupim żartem wiara, że w tę noc cudów nasza trójka mądrych mężów dobrnie, choć nie bez trudu, do wspaniałego złotego światła neonów Waffle House!

– Mądrych ludzi – poprawiła go beznamiętnie Diuk.

– Och, dajcie spokój! – uniósł się JP. – Nie przekonałem was? Nie?! – krzyczał przez tłumiącą hałasy zamieć i jego głos wydawał mi się jedynym dźwiękiem na świecie. – Chcecie usłyszeć więcej? Proszę bardzo. Panie i panowie, gdy moi rodzice opuszczali Koreę, nie posiadając nic prócz ciuchów na własnym grzbiecie oraz znacznego majątku ulokowanego w towarzystwie okrętowym, mieli jedno marzenie. Pragnęli, by pewnego dnia wśród ośnieżonych wzgórz Karoliny Północnej ich syn stracił dziewictwo z cheerleaderką w damskiej toalecie w Waffle House tuż przy międzystanówce. Rodzice wiele poświęcili dla tego marzenia! I dlatego musimy podjąć wędrówkę, wbrew wszelkim trudom i przeciwnościom losu! Nie dla mnie, a przede wszystkim nie dla wyżej wzmiankowanej nieszczęsnej cheerleaderki, lecz dla moich rodziców, a właściwie dla wszystkich imigrantów, którzy przybyli do tego wspaniałego kraju w nadziei, że jakimś cudem ich dzieci doświadczą tego, na co oni nie mieli żadnych szans: seksu z cheerleaderkami!

Diuk biła brawo. Ze śmiechem pokiwałem głową. Co prawda, im dłużej o tym myślałem, tym głupsze wydawało mi się imprezowanie z bandą cheerleaderek, których nawet nie znałem i które miały zostać w mieście tylko przez jedną noc. Nie mam nic przeciwko randkom z cheerleaderkami, ale ponieważ zdobyłem na tym polu pewne doświadczenia, wiem, że choć jest to dobra zabawa, na pewno nie warto dla niej przedzierać się przez śnieżycę. Ale cóż mogłem stracić prócz tego, co już straciłem? Jedynie życie, a miałem większe szanse przetrwać, wędrując pięć kilometrów do Waffle House niż piętnaście do domu. Wpełzłem do bagażnika SUV-a, chwyciłem jakieś koce, a następnie upewniłem się, że wszystkie drzwi są domknięte, wyszedłem, położyłem dłoń na zderzaku Carli i obiecałem:

– Wrócimy po ciebie.

– Na pewno – pocieszyła ją Diuk. – Nigdy nie zostawiamy poległych na polu bitwy.

Przeszliśmy zaledwie trzydzieści metrów, gdy usłyszeliśmy warkot silnika.

To byli bliźniacy.

Rozdział 8

Restonowie jechali starym, wysłużonym, nisko zawieszonym wiśniowym fordem mustangiem – czyli pojazdem nie za bardzo przystosowanym do jazdy w trudnych warunkach. Byłem więc pewien, że oni też nie wyrobią na zakręcie i wjadą Carli w tył. Ale gdy warkot zaczął się zbliżać, Diuk na wszelki wypadek pociągnęła nas na pobocze.

Bliźniacy z rykiem silnika minęli zakręt – za mustangiem wzniósł się tuman białego pyłu, tyłem samochodu trochę zarzuciło, ale o dziwo utrzymał się na drodze – a drobniutki Tommy maniakalnie kręcił kierownicą to w jedną, to w drugą stronę. Najwyraźniej mały gnojek był specem od jazdy w śniegu.

Różnica wagi między braćmi była tak wielka, że mustang wyraźnie przechylał się na prawą stronę, po której siedział gigantyczny Timmy, jakimś cudem wciśnięty w fotel pasażera. Uśmiechał się, a dołki w jego ogromnych mięsistych polikach miały chyba ze trzy centymetry głębokości. Tommy zahamował około dziesięciu metrów za nami, opuścił okno i wystawił głowę.

– Jakieś problemy z autem? – zapytał.

Ruszyłem w jego stronę.

– Tak, tak – potwierdziłem. – Wpakowaliśmy się w zaspę. Cieszę się, że was widzę, chłopaki. Podwieziecie nas? Chociaż do centrum.

– Jasne – odparł. – Wskakujcie. – Ujrzawszy Diuk, Tommy dodał dziwnym tonem: – Cześć, Angie. – Gwoli ścisłości, Diuk tak właśnie ma na imię.

– Cześć – odpowiedziała.

Odwróciłem się do przyjaciół i przywołałem ich gestem ręki. Już prawie dotarłem do mustanga. Podchodziłem od strony kierowcy, bo uznałem, że nie dam rady wcisnąć się na tylne siedzenie za Timmym. Byłem na wysokości maski, gdy Tommy powiedział:

– Wiesz co? Mam z tyłu miejsce dla dwóch frajerów. – A potem głośniej, tak by słyszeli go JP i Diuk, dodał: – Ale nie mam miejsca dla dwóch frajerów i suki.

Wcisnął gaz i przez sekundę koła mustanga obracały się szybko w miejscu. Rzuciłem się do klamki, lecz zanim ją złapałem, samochód ruszył. Straciłem równowagę i runąłem na jezdnię. Odjeżdżający mustang sypnął śniegiem spod kół prosto na moją twarz, szyję i pierś. Wyplułem wilgotną breję i patrzyłem, jak bliźniacy mijają moich przyjaciół.

Stali razem na poboczu, a Diuk wygrażała Timmy'emu i Tommy'emu obiema rękami. Gdy mustang się zbliżył, JP zrobił kroczek do przodu i uniósł nogę. Kiedy auto ich mijało, kopnął je w tylny błotnik. To był słaby kopniak, taki trochę dziewczyński. Nawet go nie usłyszałem, a jednak jakoś naruszył chwiejną równowagę mustanga i nagle samochód obrócił się bokiem. Tommy chyba próbował dodać gazu, żeby wyjść z poślizgu, lecz mu się nie udało. Mustang wystrzelił z drogi prosto w górę zgarniętego przez pług śniegu i całkowicie zniknął. W zaspie widać było tylko blade światła hamulców.

Pozbierałem się i podbiegłem do JP i Diuk.

– Rewelka! – krzyknął JP, przyglądając się swojej stopie. – Ale jestem mocarny!

Diuk zdecydowanie ruszyła w kierunku mustanga.

– Musimy ich wyciągnąć – oznajmiła. – Inaczej tam umrą.

– Daj sobie spokój – zaprotestowałem. – Po tym, co właśnie zrobili? No i nazwali cię suką!

Rumieniec na jej twarzy wywołany zimnem zrobił się trochę ciemniejszy. Zawsze nienawidziłem tego słowa, ale szczególnie mnie wkurzyło, że gbur Tommy miał czelność nazwać tak Diuk, bo choć to było żałosne i absolutnie nieprawdziwe, poczuła się zażenowana, i wiedziała, że my wiemy, iż jest zażenowana i... Nieważne. Po prostu mnie to wkurzyło. Lecz nie chciałem o tym za wiele mówić, żeby nie pogłębiać jej zakłopotania.

Mimo to Diuk odparowała niemalże natychmiast.

– O rety! – prychnęła, przewracając oczami. – Tommy Reston nazwał mnie suką. Chlip. To atak na moją kobiecość. Masakra. A ja właściwie się cieszę się, że ktoś zauważył we mnie istotę płciową.

Spojrzałem na nią ze zdumieniem.

– Nie bierz tego do siebie – powiedziałem, idąc za nią w stronę mustanga – ale wolę sobie nie wyobrażać nikogo, kto zadaje się z Billym Talosem, jako istotę płciową.

Zatrzymała się, odwróciła i podniosła na mnie wzrok.

– Możesz już przestać o nim gadać? – zapytała nadzwyczaj poważnie. – Ja go nawet nie lubię.

Nie rozumiałem, dlaczego akurat ten temat tak ją irytuje. Zawsze się ze sobą droczyliśmy.

– Co jest? – spytałem obronnym tonem.

– Chryste, zapomnij – odrzekła. – Po prostu pomóż mi uratować tych opóźnionych w rozwoju mizoginów przed zatruciem tlenkiem węgla.

I na pewno byśmy to zrobili. Gdyby to okazało się konieczne, spędziłbym wiele godzin, kopiąc tunele do braci Restonów, ale nasze poświęcenie było zbędne, gdyż Timmy jako najsilniejszy człowiek na świecie po prostu odepchnął kilka ton śniegu na bok, otwierając drzwi, i wysiadł. Tylko głowa i ramiona wystawały mu ponad zaspę.

– Zabiję! – ryknął.

Nie było dla mnie całkiem jasne, czy ma na myśli liczbę pojedynczą, na przykład JP, który już puścił się biegiem, czy mnogą, na przykład grupę osób, w tym mnie. Na wszelki wypadek ruszyłem, ponaglając Diuk. Trzymałem się za nią, bo nie chciałem, żeby się poślizgnęła, a ja bym o tym nie wiedział. Jeszcze tylko rzuciłem okiem, by sprawdzić, jak bliźniacy sobie radzą, i ujrzałem oblicze Timmy'ego Restona oraz jego ramiona brnące przez zwały śniegu. Zobaczyłem też podskakującą głowę Tommy'ego w miejscu, w którym jego brat wydostał się z samochodu. Z ust Tommy'ego wydobywał się wściekły, niezrozumiały potok słów, tak ze sobą splątanych, że słychać było tylko furię bliźniaka. Minęliśmy Restonów, gdy wciąż próbowali się wydostać z zaspy, i pobiegliśmy dalej.

– Dawaj naprzód, Diuk – ponagliłem.

– Pró... bu... ję... – wysapała. Słyszałem krzyki braci, a kiedy zerknąłem w tył, zobaczyłem, że wygrzebali się już z zaspy i galopują za nami, doganiając nas z każdym krokiem. Wał śniegu po obu stronach drogi był tak wysoki, że mogliśmy biec tylko przed siebie. Ale gdybyśmy dalej posuwali się w tym tempie, bliźniacy złapaliby nas i prawdopodobnie pożywili się naszymi nerkami.

Słyszałem, że czasami w chwilach wielkiego zagrożenia człowiek dostaje taki zastrzyk adrenaliny, że przez krótką chwilę wykazuje się nadludzką siłą. Być może to wyjaśnia, jakim cudem chwyciłem Diuk, przerzuciłem ją przez prawe ramię i popędziłem po śliskim śniegu niczym olimpijski sprinter.

Niosłem ją przez dobrych kilka minut, zanim w ogóle poczułem zmęczenie. Nie oglądałem się, ponieważ ona patrzyła za mnie, mówiąc:

– Biegnij, biegnij, jesteś od nich szybszy, naprawdę, naprawdę!

Nawet jeśli przemawiała do mnie tak jak do Carli przy podjeździe na wzgórze, nic mnie to nie obchodziło – bo działało. Przebierałem nogami z całych sił, przytrzymując ją ręką w talii, i gnałem tak, aż dotarliśmy do niewielkiego wiaduktu nad jednopasmówką. JP leżał na brzuchu na poboczu. Pomyślałem, że się poślizgnął, i zwolniłem, by pomóc mu wstać, ale on zawołał:

– Nie, nie, biegnij! Naprzód!

Pobiegłem więc. Rzęziło mi już w piersiach i zaczynałem coraz dotkliwiej odczuwać ciężar Diuk.

– Hej, mogę cię postawić? – zapytałem.

– Jasne, i tak już czuję mdłości.

Zatrzymałem się, postawiłem ją i poleciłem:

– Biegnij!

Wystartowała beze mnie, a ja opadłem na czworaki, patrząc, jak JP pędzi w moją stronę. W oddali widziałem bliźniaków – to znaczy, widziałem Timmy'ego. Przypuszczałem, że Tommy kryje się za monstrualną sylwetką brata. Wiedziałem, że sytuacja jest beznadziejna – bliźniacy z całą pewnością nas dopadną, ale uważałem, że należy walczyć do końca. Gdy JP zrównał się ze mną, wziąłem kilka szybkich, głębokich wdechów i ruszyłem, ale on chwycił mnie za kurtkę i powiedział:

– Nie, czekaj. Patrz.

Staliśmy więc na drodze, wilgotne powietrze paliło mnie w płucach, a Tommy zbliżał się do nas z szerokim paskudnym uśmiechem. A potem nagle bez ostrzeżenia zwalił się twarzą na ziemię, jakby dostał kulkę w plecy. Nie zdążył nawet wystawić rąk, by zamortyzować upadek. Timmy potknął się o jego ciało i też wyciągnął się jak długi.

– Kurka, jak to zrobiłeś? – zapytałem, gdy ruszyliśmy biegiem za Diuk.

– Wykorzystałem całą nić dentystyczną i rozciągnąłem ją w poprzek mostu. Napiąłem ją, kiedy mnie minęliście – wyjaśnił.

– Niezły numer – pochwaliłem go.

– Moje dziąsła są rozczarowane – mruknął w odpowiedzi. Truchtaliśmy dalej, ale nie słyszałem już bliźniaków, a kiedy zerknąłem przez ramię, zobaczyłem tylko równo padający śnieg.

Zanim dogoniliśmy Diuk, otoczyły nas ceglane domy w centrum miasta. W końcu wydostaliśmy się z Sunrise na świeżo odśnieżoną Main Street. Ciągle biegliśmy, choć z zimna i wyczerpania nie czułem już stóp. Bliźniaków nie było słychać, lecz nadal się ich obawiałem. Zostało nam jeszcze półtora kilometra. Mogliśmy dotrzeć na miejsce za dwadzieścia minut, gdybyśmy nie zmniejszali tempa.

– Zadzwoń do Keuna – poprosiła Diuk – i spytaj, czy ci faceci z college'u już nas wyprzedzili.

Nie zwalniając, sięgnąłem do kieszeni dżinsów, wyjąłem telefon i zadzwoniłem. Ktoś, ale nie był to Keun, odebrał po pierwszym dzwonku.

– Jest tam Keun? – zapytałem.

– Tobin? – Rozpoznałem ten głos. Billy Talos.

– Ta – potwierdziłem. – Cześć, Billy.

– Hej, jest z tobą Angie?

– E, tak.

– Jesteście już blisko?

Postanowiłem nie ujawniać kart, na wypadek gdyby chciał wykorzystać informacje, żeby pomóc swoim koleżkom.

– W miarę – odrzekłem.

– Okay, daję Keuna – powiedział i po chwili w słuchawce zabrzmiał gromki głos naszego kumpla.

– Co jest? Gdzie się podziewacie? Koleś, Billy się chyba zakochał. Ciągle siedzi z niejaką Madison. Jedną z Madison. Jest ich kilka. Świat jest pełen Magicznych Madison!

Zerknąłem na Diuk, sprawdzając, czy to słyszała, ale patrzyła prosto przed siebie, cały czas biegnąc. Myślałem, że Billy pyta o nią, bo chce ją zobaczyć, a nie dlatego, że boi się, iż go przyłapie na podrywaniu innej. Straszna lipa.

– TOBIN! – wrzasnął mi do ucha Keun.

– O co chodzi?

– To ty do mnie zadzwoniłeś – zwrócił mi uwagę.

– A, faktycznie. Jesteśmy już niedaleko. Na rogu Main i Trzeciej. Powinniśmy dotrzeć na miejsce za pół godziny.

– Doskonale. Myślę, że będziecie pierwsi. Ziomy z college'u utknęły chyba gdzieś po drodze.

– Świetnie. Dobra, zadzwonię, jak będziemy blisko.

– Super. Hej, ale macie „Twistera"?

Spojrzałem na JP, a potem na Diuk. Zasłoniłem mikrofon i zapytałem:

– Zabraliśmy „Twistera"?

Diuk i JP stanęli.

– Kurna, zostawiliśmy go w Carli – jęknął JP.

Odsłoniłem mikrofon i wyznałem:

– Keun, przykro mi, stary, ale zostawiliśmy „Twistera" w aucie.

– Niedobrze – stwierdził z cieniem groźby w głosie.

– Nawaliliśmy, przepraszam.

– Oddzwonię do was – powiedział i się rozłączył.

* * *

Szliśmy przez jakąś minutę, zanim Keun zadzwonił.

– Słuchaj – zaczął – zrobiliśmy głosowanie i niestety będziecie musieli wrócić po „Twistera". Decyzją większości uznaliśmy, że bez gry nikt nie zostanie wpuszczony.

– CO?! A kto głosował?

– Billy, Mitchell i ja.

– Daj spokój, Keun. Przekonaj ich jakoś! Do Carli mamy dwadzieścia minut drogi pod wiatr, a poza tym gdzieś tam nadal czają się Restonowie. Namów jednego z głosujących, żeby zmienił zdanie!

– Niestety wynik głosowania był trzy do zera.

– Co?! Keun, głosowałeś przeciwko nam?

– Nie głosowałem przeciwko wam – wyjaśnił. – Głosowałem za „Twisterem".

– Ty chyba sobie żartujesz! – oburzyłem się. Diuk i JP nie słyszeli, co mówi Keun, ale wyglądali na zaniepokojonych.

– Nigdy nie żartuję na temat „Twistera" – odrzekł Keun. – Nadal możecie tu dotrzeć pierwsi! Tylko się pospieszcie!

Zamknąłem klapkę telefonu i naciągnąłem czapkę na czoło.

– Keun mówi, że nie wpuszczą nas bez „Twistera" – wymamrotałem.

Stałem pod markizą kawiarni i próbowałem otrząsnąć śnieg z zamarzniętych butów. Wzburzony JP chodził po ulicy w tę i we w tę. Przez chwilę nikt z nas się nie odzywał. Wypatrywałem niespokojnie braci Restonów, ale na razie się nie pojawili.

– Idziemy do Waffle House – zadecydował JP.

– Dobra – zgodziłem się.

– Idziemy tam – podjął przyjaciel. – Wrócimy inną drogą, żeby się nie natknąć na bliźniaków, zabierzemy „Twistera" i pójdziemy do Waffle House. To potrwa tylko pół godziny, jeśli się pospieszymy.

Odwróciłem się do Diuk, która stała obok mnie pod markizą. Ona mu powie. Wyjaśni mu, że musimy zadzwonić pod 911 i spytać, czy ktoś może po nas przyjechać.

– Chcę placków ziemniaczanych – powiedziała. – Rumianych, tłustych, z okrasą. Grubo posypanych serem, ugarnirowanych, pokrojonych w kawałki.

– Chcesz zobaczyć Billy'ego Talosa – rzuciłem.

Kuksnęła mnie łokciem w bok.

– Prosiłam, żebyś odpuścił ten temat. Nie. Mam ochotę na placki ziemniaczane. I tyle. Koniec, kropka. Jestem głodna, tym rodzajem głodu, którego nie zaspokoi nic prócz placków, więc wracamy po „Twistera". – Odmaszerowała, a JP za nią. Stałem jeszcze przez chwilę pod markizą, ale w końcu uznałem, że zły humor w towarzystwie przyjaciół jest lepszy niż zły humor w samotności.

Gdy ich dogoniłem, wszyscy naciągnęliśmy kaptury, żeby ochronić się przed wiatrem dmącym ulicą równoległą do Sunrise. Musieliśmy krzyczeć, żeby się słyszeć.

– Cieszę się, że idziesz! – zawołała Diuk.

– Dzięki! – odkrzyknąłem, a ona dodała:

– Szczerze mówiąc, bez ciebie placki ziemniaczane nie mają sensu!

Zaśmiałem się i stwierdziłem, że „Bez ciebie placki ziemniaczane nie mają sensu" to dobra nazwa dla kapeli.

– Albo tytuł piosenki – odrzekła i zaczęła śpiewać, dłonią w rękawiczce trzymając wyimaginowany mikrofon przy ustach i intonując *a capella* glamrockową balladę.

– Dla ciebie smażyłam / lecz teraz cię straciłam / o, *babe*, trę ziemniaki u sił kresu / ale bez ciebie placki ziemniaczane / o, bez ciebie placki ziemniaczane / jee, bez ciebie placki ziemniaczane nie mają żadnego sensu!

Rozdział 9

Diuk i JP narzucili niezłe tempo – nie biegli, ale szli naprawdę szybko. Miałem przemarznięte stopy i byłem wyczerpany dźwiganiem przyjaciółki, więc zostałem trochę z tyłu, a wiatr wiejący nam w twarz powodował, że słyszałem ich rozmowę, za to oni nie słyszeli ani jednego mojego słowa.

Diuk (znów) stwierdziła, że machanie pomponami wcale nie jest sportem, a JP wycelował w nią palec wskazujący i groźnie pokręcił głową.

– Nie chcę słyszeć ani słowa więcej przeciwko cheerleaderkom. Gdyby nie one, kto by nam mówił, kiedy i jak się cieszyć podczas zawodów sportowych? Gdyby nie one, kto motywowałby najładniejsze Amerykanki do wykonywania ćwiczeń fizycznych, tak ważnych dla zdrowego trybu życia?

Zmobilizowałem się, by ich dogonić i też wziąć udział w rozmowie.

– Poza tym gdyby nie cheerleaderki, co by się stało z gałęzią przemysłu produkującego poliestrowe minispódniczki?

– No właśnie – ucieszył się JP, wycierając nos w rękaw kombinezonu mojego taty. – Nie wspominając o produkcji pomponów. Wiesz, ile osób na świecie jest zaangażowanych w produkcję, dystrybucję i sprzedaż pomponów?

– Dwadzieścia? – strzeliła Diuk.

– Tysiące! – zawołał JP. – Na świecie są miliony pomponów w rękach milionów cheerleaderek! A jeśli to złe, że pragnę, by te miliony dziewczyn muskały milionami pomponów moją nagą pierś, to cóż, nie chcę być dobry, Diuk. Ani trochę nie chcę.

– Jesteś pajacem – odrzekła. – I geniuszem.

Znów zostałem z tyłu, ale starałem się nadążyć – ani pajac, ani geniusz. Przyjemnie się obserwowało, jak JP popisywał się intelektem, a Diuk nie ustępowała mu kroku. Dotarcie do Carli okrężną drogą, która omijała Sunrise (i bliźniaków, miejmy nadzieję), zajęło nam piętnaście minut. Wgramoliłem się do środka samochodu przez bagażnik, wziąłem „Twistera", a potem przeszliśmy przez płot z siatki, żeby przez czyjś ogród skierować się prosto na zachód, w stronę autostrady. Doszliśmy do wniosku, że bliźniacy wybiorą tę trasę, którą my przedtem szliśmy. Była krótsza, ale ustaliliśmy, że ani Timmy, ani Tommy nie mieli w ręku „Twistera", więc nie będzie miało znaczenia, jeśli dotrą na miejsce przed nami.

Przez dłuższy czas maszerowaliśmy w milczeniu wzdłuż ciemnych domów. Trzymałem pudełko z grą nad głową, żeby choć trochę osłonić twarz przed padającym śniegiem. Po jednej stronie drogi zaspy sięgały aż do klamek drzwi, a ja myślałem, jak bardzo śnieg zmienia wygląd świata. Całe życie mieszkałem w tym mieście.

Chodziłem i jeździłem tą ulicą tysiące razy. Pamiętałem, jak wszystkie drzewa uschły z powodu jakiejś zarazy i na wszystkich podwórkach zasadzono nowe. A nad płotami widziałem Main Street, którą znałem jeszcze lepiej: każdą galerię ze sztuką ludową dla przyjezdnych, każdy sklep z artykułami turystycznymi sprzedający buty do pieszych wędrówek, które chętnie miałbym w tej chwili na nogach.

Lecz teraz wszystko było dla mnie nowe, wszyściuteńko – odziane w biel tak czystą, że aż niepokojąco groźną. Żadnej ulicy czy chodnika pod stopami, żadnych hydrantów. Nic tylko biel wszędzie, jakby ktoś opakował całe miasto w śnieg niczym świąteczny prezent. I nie tylko wyglądało ono inaczej. Nawet inaczej pachniało, powietrze było ostre od mrozu i od kwaśnej wilgoci śniegu. I ta niepokojąca cisza, zmącona tylko chrzęstem naszych kroków. Nie słyszałem nawet, o czym rozmawiają przyjaciele idący kilka metrów przede mną, tak zupełnie pochłonął mnie ten rozbielony świat.

Mógłbym sobie wyobrazić, że jesteśmy jedynymi ludźmi w całej Karolinie Północnej, którzy nie poszli spać, gdybym nie zobaczył jasnych świateł sklepu spożywczego Diuk i Diuszesa, gdy skręciliśmy z Trzeciej w Maple.

Nazywamy Diuk Diukiem dlatego, że gdy byliśmy w ósmej klasie, wybraliśmy się właśnie do tego sklepu. Różni się od innych tym, że zamiast zwracać się do klientów „proszę pana" czy „proszę pani" albo „ej, ty tam", pracownicy muszą mówić do nich per „diuk" lub „diuszesa".

Diuk zaczęła dojrzewać dość późno, a poza tym ubierała się zazwyczaj w dżinsy i bejsbolówki, zwłaszcza w gimnazjum. Zatem stała się rzecz łatwa do przewidzenia: pewnego dnia wpadliśmy do Diuka i Diuszesy, żeby kupić gumę do żucia Big League albo mountains dew code red, czy czym tam wówczas psuliśmy sobie zęby, a gdy Diuk płaciła za swoje zakupy, kasjer powiedział:

– Dziękuję, diuku.

I tak już zostało. Pewnego razu, chyba w dziewiątej klasie, gdy wybraliśmy się na obiad z JP i Keunem, zaproponowałem, byśmy mówili do niej Angie, ale wyznała, że nienawidzi swojego imienia. Pozostaliśmy więc przy Diuku. Pasował do niej. Miała dumną postawę, była urodzonym liderem i tak dalej, i choć z pewnością pod żadnym względem nie przypominała już chłopaka, nadal zachowywała się jak jeden z nas.

JP zwolnił, żeby zrównać się ze mną.

– Co tam? – zapytałem.

– U ciebie wszystko w porządku? – zagadnął. Wyciągnął rękę i zabrał mi pudełko z grą, które wetknął sobie pod ramię.

– Tak?

– Bo idziesz, jakbyś, no nie wiem, nie miał kostek i kolan?

Spojrzałem w dół i ujrzałem, że rzeczywiście poruszam się osobliwie, na szeroko rozstawionych, sztywnych nogach, ledwie zginając kolana. Trochę jak kowboj po długiej jeździe konnej.

– Hm – mruknąłem, przyglądając się swoim dziwnym krokom. – Hm, chyba jest mi zimno w stopy.

– NAGŁY WYPADEK! STAĆ! – wrzasnął JP. – Mamy tu potencjalne odmrożenie!

Pokręciłem głową. Naprawdę nic mi nie było, ale Diuk odwróciła się, spojrzała na mnie i zarządziła:

– Idziemy do D i D!

Oni pobiegli, a ja powlokłem się, kołysząc się na boki. Dotarli do sklepu sporo przede mną i kiedy wszedłem do środka, Diuk już stała przy kasie i płaciła za czteropak białych bawełnianych skarpet.

Nie byliśmy tu jedynymi klientami. Gdy siadłem przy stoliku w miniaturowej kawiarni, w jej przeciwległym krańcu zauważyłem innego gościa: nad parującym kubkiem siedział Alufoliowy.

Rozdział 10

– Co słychać? – zagadnął Alufoliowego JP, podczas gdy ja zdejmowałem przemoczone buty. Alufoliowego trudno opisać, ponieważ wygląda jak nieco szpakowaty, ale zwykły starszy facet, poza faktem, że nigdy, w żadnych okolicznościach, nie wychodzi z domu, jeśli nie owinie się cały od szyi po palce u nóg folią aluminiową. Odkleiłem od pięt prawie całkiem zamarznięte skarpety. Moje stopy miały odcień jasnoniebieski. JP podał mi serwetkę, żebym je wytarł i wtedy Alufoliowy się odezwał:

– Jak się ma wasza trójka w tę noc? – Alufoliowy zawsze mówił tak, jakby życie było filmem grozy, a on psychopatą trzymającym nóż. Jednak powszechnie uznawano go za nieszkodliwego. Zadał pytanie o naszą trójkę, lecz patrzył prosto na mnie.

– Jak by to ująć w skrócie? – odrzekłem. – Odpadło nam koło w samochodzie, a ja nie czuję stóp.

– Wyglądałeś bardzo samotnie na drodze – rzekł. – Wielki bohater w walce z żywiołami.

– Taa, pewnie. A co u pana? – zapytałem z uprzejmości. Po co pytasz! – zganiłem sam siebie. Głupie maniery południowca.

– Rozkoszuję się pożywnym kubkiem makaronu – odrzekł. – Nie ma nic lepszego niż dobry kubek. A następnie chyba wybiorę się na kolejną przejażdżkę.

– Nie marznie pan w tej folii? – Dlaczego nie mogłem się powstrzymać od zadawania pytań?!

– Jakiej folii? – zdziwił się.

– Hm, no tak – mruknąłem. Diuk przyniosła mi skarpety. Włożyłem jedną parę, potem drugą i na koniec trzecią. Czwartą zachowałem na wypadek, gdybym jeszcze później potrzebował suchych skarpet. Ledwie wcisnąłem stopy w pumy, ale czułem się jak nowo narodzony, gdy wstałem, by iść dalej.

– Cała przyjemność po mojej stronie – rzucił do mnie Alufoliowy.

– No tak. Wesołych świąt.

– Niechaj prosięcy patroni prowadzą cię bezpiecznie do domu – odpowiedział. Jasne. Żal mi było kobiety za ladą, która musiała z nim zostać. Wychodziłem już, gdy mnie zawołała:

– Diuku?

Odwróciłem się.

– Tak?

– Usłyszałam przypadkiem, gdy mówił pan o samochodzie – powiedziała.

– Tak, paskudna historia.

– Możemy go odholować. Mamy pomoc drogową.

– Naprawdę? – ucieszyłem się.

– Tak, proszę dać mi jakąś kartkę, to podam panu numer. – Pogrzebałem w kieszeni kurtki i wyłowiłem stary paragon. Pełnym zawijasów pismem zanotowała na nim numer oraz imię Rachel.

– Dzięki, Rachel.

– Proszę. Sto pięćdziesiąt dolców plus pięć za kilometr, ze względu na święta, złą pogodę i tak dalej.

Skrzywiłem się, ale kiwnąłem głową. Drogie holowanie było o niebo lepsze od żadnego holowania.

Ledwie ruszyliśmy ulicą – a ja na nowo doceniłem fakt posiadania palców u stóp – gdy JP zbliżył się do mnie i powiedział:

– Szczerze mówiąc, fakt, że Alufoliowy jest po czterdziestce i nadal żyje, budzi we mnie nadzieję na całkiem udaną dorosłość.

– Taa. – Diuk szła przed nami, wcinając cheetosy.

– Koleś – zwrócił się do mnie JP – czy ty się gapisz na tyłek Diuk?

– Co? Nie! – Dopiero wypowiadając to kłamstwo, uświadomiłem sobie, że rzeczywiście patrzyłem na jej tył, choć niekoniecznie akurat na tyłek.

Diuk odwróciła się.

– O czym gadacie?

– O twoim tyłku! – krzyknął JP pod wiatr.

Zaśmiała się.

– Wiem, że marzysz o nim w samotne noce.

Zwolniła i zaraz się z nią zrównaliśmy.

– Szczerze, Diuk? – powiedział JP, obejmując ją ramieniem. – Mam nadzieję, że nie urażę twoich uczuć, ale gdybym kiedyś miał erotyczny sen z tobą, musiałbym zlokalizować swoją podświadomość, wywlec ją z siebie za frak i zatłuc kijem na śmierć.

Obrzuciła go spojrzeniem ze zwykłą dla siebie zimną krwią.

– To mnie nie obraża w najmniejszym stopniu – oznajmiła. – Gdybyś tego nie zrobił, sama musiałabym się tym zająć.

Odwróciła się i popatrzyła na mnie. Chyba chciała sprawdzić, czy się śmieję – śmiałem się, ale w duchu.

Mijaliśmy właśnie Park Gubernatora, w którym znajduje się największy plac zabaw w mieście, gdy w oddali usłyszeliśmy warkot silnika, głośny i wyraźny. Przez sekundę myślałem, że może to bliźniacy, ale gdy się obejrzałem, auto akurat wjechało pod latarnię i zobaczyłem koguta na dachu.

– Gliny! – rzuciłem, szybko umykając do parku. JP i Diuk też błyskawicznie zeszli z ulicy. Skryliśmy się do połowy za zaspą, a do połowy w niej, gdy obok powoli przejeżdżała policja , omiatając park światłem szperacza.

Dopiero gdy wóz się oddalił, coś zaświtało mi w głowie.

– Mogli nas podwieźć.

– Jasne, do więzienia – prychnął JP.

– Ale przecież nie popełniamy żadnego przestępstwa – zauważyłem.

JP zastanawiał się przez chwilę. Włóczenie się po mieście o drugiej trzydzieści w noc Bożego Narodzenia z pewnością wydawało się niewłaściwe, ale czy było naprawdę złe?

– Nie bądź upośladkiem – upomniał mnie JP.

Dobra. Zrobiłem więc najmniej upośladkową rzecz, jaka mi przyszła do głowy, czyli przeszedłem kilka kroków w sięgającym kolan śniegu, a następnie padłem na plecy z szeroko rozpostartymi ramionami w gęsty i miękki puch. Przez chwilę leżałem bez ruchu, a potem zrobiłem orła. Diuk opadła koło mnie na brzuch.

– Śnieżny orzeł z cyckami! – oznajmiła.

JP wziął rozbieg, a potem wskoczył w śnieg, lądując na boku i mocno przyciskając do siebie pudełko z „Twisterem". Podniósł się ostrożnie i stanął obok odcisku swojego ciała.

– Zarys zwłok w sprawie zabójstwa!

– Jak zginął zamordowany? – zapytałem.

– Ktoś próbował odebrać mu „Twistera", a on poniósł bohaterską śmierć w jego obronie – wyjaśnił.

Wygrzebałem się z mojego orła i zrobiłem kolejnego, lecz tym razem użyłem rękawiczek, by dorobić mu rogi.

– Śnieżny demon! – zawołała radośnie Diuk. Mając tyle śniegu dokoła, czułem się jak małe dziecko w dmuchanym zamku – wiedziałem, że żaden upadek nie będzie bolał. Nic nie będzie bolało. Diuk ruszyła na mnie, nisko pochylając głowę, i natarła na mój tors ramieniem. Upadliśmy razem na ziemię i rozpęd sprawił, że przeturlałem się na nią, a jej twarz znalazła się tak blisko mojej, że nasze zamarzające oddechy się zmieszały. Czułem jej ciało pod swoim, a kiedy się do mnie uśmiechnęła, poczułem łaskotanie w brzuchu. Był taki ułamek sekundy, kiedy mogłem się z niej ześlizgnąć, ale nie zrobiłem tego, więc po chwili zepchnęła mnie i wstała, strzepując śnieg z kurtki na moje leżące bez ruchu ciało.

Doprowadziliśmy się do porządku i wróciliśmy na ulicę, by kontynuować marsz. Byłem bardziej przemoczony i zziębnięty niż przedtem, ale zostało nam tylko półtora kilometra do autostrady, a stamtąd rzut beretem do Waffle House.

Szliśmy razem. Diuk powiedziała, że powinienem uważać na odmrożenia, a ja, że bardzo będę się starał pogodzić ją z tłustowłosym narzeczonym, potem ona kopnęła mnie w łydkę, a JP zwyzywał nas oboje od upośladków. Po pewnym czasie dotarliśmy do nieodśnieżonego fragmentu drogi, więc poszedłem po świeżym odcisku opon pozostawionym, jak zakładałem, przez samochód policyjny. JP maszerował równoległym śladem, a Diuk kilka kroków przed nami.

– Tobin – odezwał się nagle mój przyjaciel, który znalazł się obok mnie i brnął przez śnieg, wysoko unosząc stopy. – Nieszczególnie podoba mi się ta myśl – powiedział – ale ty chyba lecisz na Diuk.

Rozdział 11

Szła przed nami ze spuszczoną głową, w botkach do połowy łydki i w kapturze. Jest coś w sposobie, w jaki idzie dziewczyna – zwłaszcza gdy nie nosi szpilek i innych wymyślnych butów, tylko zwykłe trampki czy adidasy – coś w sposobie, w jaki poruszają się jej biodra i uda. W każdym razie Diuk szła i w jej chodzie było to coś, a ja czułem się zniesmaczony sobą, że o tym myślę. Oczywiście, że moje kuzynki pewnie też tak chodziły, ale rzecz w tym, iż czasami się to zauważa, a czasami nie. Kiedy idzie cheerleaderka Brittany, zauważasz to. A kiedy Diuk, nie. Zazwyczaj.

Tak bardzo pochłonęły mnie myśli o Diuk i jej chodzie, i o luźnych mokrych lokach na jej plecach, i o tym, że gruba kurtka sprawia wrażenie, jakby jej ramiona nieco odstawały od ciała, i o różnych takich, że trochę trwało, zanim odpowiedziałem JP. Ale w końcu mi się udało.

– Nie bądź upośladkiem – rzuciłem.

– Bardzo długo zajęło ci obmyślenie tej celnej riposty.

– Nie – zaprzeczyłem w końcu zdecydowanie. – Nie lecę na Diuk, nie w taki sposób. Powiedziałbym ci, gdyby było inaczej. To tak, jakbyś leciał na własną kuzynkę.

– Zabawne, że o tym wspomniałeś, ponieważ mam naprawdę seksowną kuzynkę.

– To odrażające.

– Diuk! – zawołał JP. – Co mi opowiadałaś o bzykaniu kuzynek? Że to zupełnie bezpieczne?

Odwróciła się do nas i szła dalej plecami do wiatru, a śnieg ją owiewał i pędził w naszą stronę.

– Nie, wcale nie zupełnie. Nieco podnosi ryzyko wad wrodzonych. Ale czytałam taką lekturę na historię i tam było napisane, że istnieje 99,9999 procent szans, że przynajmniej jeden z twoich pra-praszczurów poślubił kuzynkę w pierwszej linii.

– Zatem twierdzisz, że nie ma nic złego w bzykaniu kuzynek?

Diuk zatrzymała się i poczekała na nas. Westchnęła głośno.

– Wcale tak nie twierdzę. I jestem już trochę znużona rozmowami o bzykaniu kuzynek i seksownych pomponiar.

– Więc o czym w takim razie mamy rozmawiać? O pogodzie? Wygląda na to, że pada śnieg – rzucił sarkastycznie JP.

– Szczerze, wolę już rozmawiać o pogodzie.

– Wiesz, Diuk – wtrąciłem – są też cheerleaderzy płci męskiej. Zawsze możesz się z którymś umówić.

Nagle Diuk totalnie się wściekła.

– Wiesz co? To seksistowskie! – wrzasnęła na mnie, wykrzywiając twarz. – Kumasz? Nie cierpię bronić praw kobiet, ale kiedy całą noc gadacie o bzykaniu dziewczyn tylko dlatego, że noszą krótkie spódniczki, albo o tym, że pompony są seksowne, czy co tam jeszcze, to jest seksizm, rozumiesz? Cheerleaderki w skąpych strojach z męskich fantazji – seksizm! Założenie, że bezustannie myślą, żeby się z wami bzykać – seksizm! Rozumiem, że cały czas rozsadza was pragnienie, aby ocierać się o damskie ciało, ale czy moglibyście przynajmniej spróbować mówić o tym nieco mniej w mojej obecności?!

Obserwowałem, jak śnieg opada na śnieg. Poczułem się, jakbym został przyłapany na ściąganiu na egzaminie. Chciałem ją zapewnić, że naprawdę zupełnie mi nie zależy, by iść do Waffle House, ale milczałem. Wędrowaliśmy dalej gęsiego. Porywisty wiatr wiał nam teraz w plecy, a ja ze wzrokiem wbitym w ziemię pozwalałem, by pchał mnie naprzód.

– Przepraszam – zwróciła się Diuk do JP.

– Nie, to nasza wina – odpowiedział, nie patrząc na nią. – Zachowałem się jak upośladek. My tylko... No nie wiem, czasami się zapominamy.

– Ta, może powinnam bardziej wypinać cycki – powiedziała głośno, jakby zależało jej, żebym ja też to usłyszał.

Zawsze istnieje takie ryzyko: wszystko układa się dobrze, dobrze, dobrze, a potem nagle robi się niezręcznie. Raptem ona zauważa, że się jej przyglądasz, i przestaje z tobą żartować, aby nie wyjść na flirciarę, bo nie chce, byś uznał, że jej się podobasz. To katastrofa, kiedy w bliskiej relacji ktoś kruszy mur oddzielający przyjaźń od całowania. Burzenie tego muru to historia, która może mieć szczęśliwy środek – o, patrz, zwaliliśmy ten mur, będę patrzył na ciebie jak na dziewczynę, a ty na mnie jak na chłopaka, i pobawimy się w zabawną grę nazywaną: „Czy mogę położyć rękę tutaj i tutaj, a potem tu?". Czasami ten szczęśliwy środek wygląda tak świetnie, że potrafisz sobie wmówić, iż to nie tylko środek, i że tak będzie już wiecznie.

Jednak historie nigdy nie poprzestają na środku. Tak się stało w przypadku Brittany, Bóg jeden to wie najlepiej. A my nawet nie byliśmy bliskimi przyjaciółmi. Nie tak jak ja i Diuk. Diuk była moim najlepszym przyjacielem, gdyby ktoś pytał. Jedyna osoba, którą bym zabrał na bezludną wyspę? Diuk. Jedyna płyta? Składanka o tytule *Ziemia jest niebieska jak pomarańcza*, którą zrobiła dla mnie na poprzednie święta. Jedyna książka? Najdłuższa, jaka mi się kiedykolwiek podobała, *Złodziejka książek*, którą mi Diuk poleciła. Nie chciałem przeżyć szczęśliwego środka z Diuk kosztem Nieuniknionej Wiecznej Katastrofy.

Ale cóż (i jest to jedna z moich głównych skarg dotyczących ludzkiej świadomości): gdy raz się coś pomyśli, bardzo trudno jest to wymazać z umysłu. A mnie przyszła do głowy t a myśl.

Narzekaliśmy na zimno. Diuk pociągała nosem, bo nie mieliśmy chusteczek, a ona nie chciała smarkać na ziemię. JP, zgodziwszy się nie wspominać o cheerleaderkach, w zamian cały czas nawijał o plackach ziemniaczanych.

Używał „placków ziemniaczanych" jako synonimu cheerleaderek, co było oczywiste dzięki choćby takim zdaniom: „Najbardziej lubię w plackach ziemniaczanych w Waffle House to, że noszą takie króciuteńkie spódniczki", „Placki ziemniaczane są zawsze w świetnym nastroju. I to się udziela. Kiedy patrzę na szczęśliwe placki ziemniaczane, sam czuję się szczęśliwy".

Wyglądało na to, że dopóki takie rzeczy mówi JP, Diuk się nie irytuje. Tylko się śmiała i odpowiadała opisami prawdziwych placków.

– Będą takie ciepłe – mówiła. – Takie chrupiące, złociste i przepyszne. Zamówię sobie cztery duże porcje. I tosta rodzynkowego. Boże, jak ja uwielbiam tosty rodzynkowe. Mmm, to będzie naprawdę węglowodanistyczne!

Ujrzałem w oddali wiadukt nad międzystanówką, ze śniegiem piętrzącym się wysoko po obu stronach. Do Waffle House zostało nam prawdopodobnie jeszcze jakieś osiemset metrów, ale droga była już prosta. Czarne litery na żółtych kwadratach będą oznaczały gofry z serem, psotny uśmiech Keuna i ten rodzaj dziewcząt, przy którym łatwiej jest nie myśleć.

W końcu przez grubą zasłonę śniegu przebiło się światło. Nie było jeszcze widać znaku, tylko łunę, która go otaczała. A wreszcie pojawił się i znak, górujący nad maleńką knajpką, większy i jaśniejszy niż budynek, w którym mieściła się restauracja, czarne litery na żółtych kwadratach obiecywały ciepło i posiłek. Padłem na kolana na środku ulicy i zawołałem:

– Nie w zamku i nie na posterunku, lecz w Waffle House poszukamy ratunku!

Diuk zaśmiała się i chwyciła mnie pod ramiona, żeby pomóc mi się podnieść. Oszronioną czapkę miała naciągniętą nisko na czoło. Patrzyłem na nią, a ona na mnie i nie ruszaliśmy się z miejsca. Staliśmy naprzeciwko siebie, a jej oczy były takie i n t e r e s u j ą c e. Nie w banalny sposób, nie chodziło o to, że były niezwykle niebieskie, wyjątkowo duże czy okolone obscenicznie długimi rzęsami, czy coś w tym rodzaju. To, co mnie zafascynowało w jej oczach, to wielość kolorów – ona zawsze twierdziła, że wyglądają jak dno śmietnika – mieszanina zieleni, brązu i żółci. Ale ona bagatelizowała swoje zalety. Zawsze je umniejszała.

Chryste, jak trudno jest nie myśleć.

Mógłbym się w nią wgapiać wiecznie, podczas gdy ona spoglądała na mnie pytająco, gdybym nie usłyszał warkotu silnika. Odwróciłem się w tamtą stronę i ujrzałem, jak czerwony ford mustang ze sporą prędkością wypada zza zakrętu. Chwyciłem Diuk za ramię i pociągnąłem w stronę śnieżnego wału na poboczu. Spojrzałem wzdłuż drogi w poszukiwaniu JP, który zostawił nas dość daleko w tyle.

– JP! – wrzasnąłem. – BLIŹNIACY!

Rozdział 12

JP obrócił się na pięcie. Popatrzył na nas, przyczajonych razem w zaspie, a następnie na samochód. Na chwilę zamarł w bezruchu. A potem odwrócił się i zaczął pędzić drogą z taką prędkością, że jego nogi wyglądały jak rozmazana plama. Próbował dobiec do Waffle House. Mustang bliźniaków minął nas z rykiem. Drobny Tommy Reston wychylił się przez opuszczone okno, trzymając „Twistera", i oznajmił:

– Zabijemy was później!

Na razie najwyraźniej zadowoliłoby ich zabicie JP, więc gdy za nim ruszyli, krzyknąłem:

– Biegnij, JP! Uciekaj!

Na pewno nie mógł mnie usłyszeć przez warkot mustanga, ale i tak wrzasnąłem, posyłając ostatni rozpaczliwy, jałowy krzyk w pustkę. Od tej chwili mogliśmy z Diuk być już tylko świadkami wydarzeń.

Przewaga JP szybko stopniała – biegł bardzo szybko, ale nie miał żadnych szans na dopadnięcie WH przed brawurowo prowadzonym fordem mustangiem.

– Naprawdę miałam ochotę na placki ziemniaczane – wyznała moja przyjaciółka posępnym tonem.

– Taa – mruknąłem. Mustang dotarł już do JP i mógł go wyprzedzić, ale nasz kumpel nie przestawał biec i nie schodził z drogi. Dźwięk klaksonu rozdarł noc w tej samej chwili, w której zabłysły światła hamowania, lecz JP nadal pędził. Zrozumiałem nagle jego szaloną strategię: wykoncypował, że ulica nie jest dość szeroka, by mustang, którego zarzucało na śliskim śniegu, mógł go minąć z którejś strony, a wierzył, że bliźniacy go nie przejadą. Wydało mi się, że taka wiara w ich wspaniałomyślność może się okazać nieco przesadna, ale na razie się sprawdzała. Mustang trąbił wściekle, acz bezradnie, a JP biegł przed jego maską.

Kątem oka zarejestrowałem jakiś ruch. Spojrzałem na wiadukt i dostrzegłem dwie krępe męskie sylwetki, rozkołysanym krokiem powoli zmierzające w stronę zjazdu. Kolesie nieśli beczułkę, która wyglądała na bardzo ciężką. Piwo! Chłopaki z college'u! Pokazałem ich Diuk, a ona szeroko otworzyła oczy.

– Na skróty! – krzyknęła, po czym wyprysnęła w stronę autostrady, przedzierając się przez wał śniegu. Nigdy nie widziałem, żeby ruszała się tak żwawo, i nie miałem pojęcia, co wymyśliła, ale ufałem jej bezgranicznie, więc popędziłem za nią. Wdrapaliśmy się na skarpę biegnącą wzdłuż międzystanówki, co przyszło nam z łatwością w głębokim śniegu. Przeskakując barierkę ochronną, zobaczyłem, że JP nadal biegnie. Ale mustang się zatrzymał i teraz Restonowie gonili mojego kumpla na piechotę.

Ruszyliśmy w stronę chłopaków z college'u. Jeden z nich uniósł wzrok i powiedział:

– Hej, czy wy…

Ale nie skończył zdania. Minęliśmy ich, a Diuk zawołała do mnie:

– Wyjmij matę! Wyjmij matę!

Otworzyłem pudełko z „Twisterem" i rzuciłem na środek drogi. Trzymałem tablicę ze strzałką w zębach, matę w dłoniach, i w końcu pojąłem, co Diuk chce zrobić. Może bliźniacy byli szybsi, ale dzięki jej błyskotliwemu pomysłowi chyba mieliśmy szansę.

Gdy dotarliśmy do górnej części zjazdu, jednym ruchem rozłożyłem matę. Diuk usiadła na niej, a ja tuż za nią, wkładając pod siebie tarczę ze strzałką.

– Będziesz musiał zanurzyć prawą rękę w śnieg, żebyśmy skręcili w prawo! – zawołała.

– Dobra! – odkrzyknąłem.

Zaczęliśmy zjeżdżać w dół, nabierając prędkości, a gdy droga skręciła łukiem, włożyłem rękę w śnieg i też zakręciliśmy, ciągle przyspieszając. Zauważyłem, że JP wskoczył Timmy'emu na plecy, na próżno próbując spowolnić jego gargantuiczne cielsko sunące w stronę Waffle House.

– Może nam się udać – rzuciłem, choć miałem wątpliwości. I wtedy usłyszałem za plecami głośny łomot. Odwróciłem się i ujrzałem, że z góry z wielką prędkością toczy się beczka piwa. Studenciki próbowały nas zabić. To nie było sportowe zachowanie!

– BECZKA! – krzyknąłem i Diuk szybko odwróciła głowę. Piwo pędziło prosto na nas. Nie wiem, ile waży antałek piwa, ale biorąc pod uwagę, jak bardzo tych dwóch się mordowało, niosąc go, musiał być wystarczająco ciężki, by zabić dwójkę obiecujących uczniów liceum, którzy wyszli sobie pojeździć na „Twisterze" w bożonarodzeniową noc. Diuk nie spuszczała wzroku z pędzącej beczki, a ja za bardzo się bałem, żeby patrzeć. Nagle dziewczyna zawołała:

– Teraz! Skręcaj! Skręcaj!

Wcisnąłem rękę w śnieg, a przyjaciółka przetoczyła się na mnie, niemalże zrzucając mnie z maty. Wtem czas jakby zwolnił i ujrzałem, że baryłka przemyka obok, a potem odbija się od czerwonych kropek, na których przed chwilą siedziała Diuk. Pomknęła dalej, trafiła w barierkę ochronną i odbiła się od niej. Nie zobaczyłem, co się stało później, ale dokładnie to usłyszałem: beczka uderzyła w coś ostrego i eksplodowała niczym piwna bomba.

Wybuch był na tyle głośny, że Tommy, Timmy i JP zamarli bez ruchu przynajmniej na pięć sekund. Po chwili znów puścili się biegiem, ale Tommy nieszczęśliwie trafił na oblodzony fragment drogi i przewrócił się na twarz. Gdy mamuci Timmy ujrzał upadek brata, zmienił nagle taktykę: zamiast gonić JP, przebił się przez zaspę na poboczu i sam ruszył na podbój Waffle House. JP, mający kilka metrów przewagi, natychmiast wykonał ten sam manewr, więc obaj parli do drzwi, tylko pod nieco innym kątem. Diuk i ja byliśmy już blisko – tak blisko końca zjazdu, że mata zaczęła zwalniać, i tak blisko bliźniaków, że słyszeliśmy, jak wrzeszczą do JP i do siebie nawzajem. Mogłem już zajrzeć przez zaparowane okna do Waffle House. Widziałem cheerleaderki w zielonych dresach. I ich włosy zebrane w końskie ogony.

Ale kiedy wstaliśmy i podniosłem matę do „Twistera", zrozumiałem, że nie jesteśmy jednak dostatecznie blisko. Timmy biegł po wewnętrznym torze do drzwi frontowych, energicznie machając ramionami, pudełko z „Twisterem" wyglądało na komicznie małe w jego potężnej dłoni. JP zbliżał się pod nieco innym kątem, pędząc ile sił przez sięgający kolan puch. Diuk i ja biegliśmy najszybciej, jak mogliśmy, ale zostaliśmy sporo w tyle. Całą nadzieję pokładałem w JP, dopóki Timmy nie znalazł się kilka kroków od drzwi i nie stało się jasne, że na pewno będzie pierwszy. Żołądek uciekł mi w pięty. JP był o włos od zwycięstwa. Jego rodzice imigranci tak wiele poświęcili. Diuk nie dostanie swoich placków ziemniaczanych, a ja gofrów z serem.

I wtedy, gdy Timmy już sięgał ręką do klamki, JP skoczył. Uniósł się w powietrze, wyciągając ciało niczym skrzydłowy łapiący podanie, i poleciał tak daleko, jakby odbił się od trampoliny. Trafił Restona barkiem w klatkę piersiową i razem zwalili się w ośnieżone krzaki koło wejścia. JP pozbierał się pierwszy, rzucił się do drzwi, otworzył je szybko i zamknął za sobą na zamek. Diuk i ja znajdowaliśmy się teraz w odległości kilku metrów, na tyle blisko, że usłyszeliśmy przez szybę wrzask radości. JP unosił nad głową zaciśnięte pięści, a jego triumfalny okrzyk trwał, wydawało się, dobre kilka minut.

Patrzył w naszą stronę w ciemność z uniesionymi ramionami, a Keun – w czarnym daszku z literami WH, w koszuli w biało-żółte paski i w brązowym fartuchu – podszedł do niego od tyłu, chwycił go w pasie i uniósł. JP nadal trzymał ręce w górze. Cheerleaderki, tłumnie zgromadzone w przejściu między boksami, spokojnie im się przyglądały. Zerknąłem na Diuk, która nie patrzyła na tę scenę, lecz na mnie, i wybuchnąłem śmiechem, a ona mi zawtórowała.

Restonowie przez chwilę dobijali się do okien, ale Keun tylko wzruszył ramionami, jakby chciał powiedzieć: „Nic nie mogę na to poradzić", więc w końcu ruszyli z powrotem w stronę mustanga. Kiedy się z nimi mijaliśmy, Timmy wykonał groźny ruch w moją stronę, lecz na tym poprzestał. Odwróciłem się, by odprowadzić ich wzrokiem, i zobaczyłem, że trzech chłopaków z college'u ucieka zjazdem w dół.

W końcu dotarliśmy do Waffle House. Chwyciłem za klamkę, a Keun otworzył drzwi, mówiąc:

– Formalnie rzecz biorąc, nie powinienem was wpuścić, ponieważ tylko JP pokonał Restonów. Ale to wy macie „Twistera".

Ciepłe powietrze owiało moją twarz. Dopiero teraz uświadomiłem sobie, że straciłem czucie w różnych częściach ciała, które teraz wracały do życia z nieprzyjemnym mrowieniem. Rzuciłem przemoczoną matę i strzałkę na wykafelkowaną podłogę i obwieściłem:

– Przybył „Twister"!

– Hurra! – wrzasnął Keun, niestety dobra nowina jedynie przelotnie przyciągnęła uwagę rozgadanego zielonego stadka po drugiej stronie sali.

Objąłem Keuna jedną ręką, a drugą poczochrałem go po czuprynie sterczącej nad daszkiem.

– Rozpaczliwie potrzebuję gofrów z serem – oznajmiłem. Diuk poprosiła o placki ziemniaczane, a potem opadła na siedzenie w boksie obok szafy grającej. Ja i JP przystanęliśmy przy ladzie i gawędziliśmy z Keunem, który przygotowywał dla nas jedzenie.

– Z przykrością stwierdzam, że cheerleaderki coś nie bardzo cię oblegają – dodałem po chwili.

– Taa – mruknął, gdy odwrócony do nas plecami rozgrzewał gofrownice. – No niestety. Mam nadzieję, że „Twister" to zmieni. Próbowały flirtować z kolesiem „noszę kucyk, ale i tak jestem prawdziwym macho". – Keun kiwnął głową w stronę chłopaka przysypiającego w jednym z boksów. – Ale on ma obsesję na punkcie swojej dziewczyny.

– Aha, „Twister" rzeczywiście czyni cuda – zauważyłem z przekąsem. Mokra mata leżała zmięta na podłodze, a pomponiary całkowicie ją ignorowały.

JP przechylił się, żeby popatrzeć na dziewczyny, i pokręcił głową.

– Tak sobie myślę, że równie dobrze mogę sobie oglądać cheerleaderki, jedząc codziennie lunch.

– No – potwierdziłem.

– One wcale nie chcą z nami rozmawiać.

– Masz rację – zgodziłem się. Stały zbite w gromadę obok trzech boksów niczym jakieś ogromne winne grono. Trajkotały z przejęciem jak nakręcone. Docierały do mnie niektóre słowa, ale nie ich sens – wyrzuty, szpagaty i piramidy. Najwyraźniej rozmawiały o konkursie cheerleadingu. Istnieje kilka tematów do dyskusji, które uważam za mniej interesujące. Ale niewiele.

– Hej, śpiący królewicz się budzi – zauważył JP.

Ciemnooki chłopak z kucykiem wpatrywał się we mnie. Rozpoznałem go po chwili.

– On chodzi do naszej szkoły – stwierdziłem.

– Tak – potwierdził Keun. – To Jeb.

– Zgadza się. – Jeb był w pierwszej klasie, nie znałem go zbyt dobrze, ale czasami widywałem. On najwyraźniej też mnie rozpoznał, bo wstał od stołu i podszedł bliżej.

– Tobin? – zapytał.

Pokiwałem głową i uścisnąłem mu dłoń.

– Znasz Addie? – indagował dalej.

Spojrzałem na niego pustym wzrokiem.

– Z pierwszej klasy, taka piękna dziewczyna… – podpowiadał.

Zmrużyłem oczy.

– Nie.

– Długie, jasne włosy, bardzo energiczna? – pytał dalej. W jego głosie brzmiała desperacja, a równocześnie jakby nie mógł się pogodzić z faktem, że nie znam tej dziewczyny, która tak zaprząta jego myśli.

– Sorki, stary. Nie kojarzę.

Zamknął oczy. Miałem wrażenie, że całe jego ciało sklęsło.

– Zaczęliśmy ze sobą chodzić w Wigilię – wyznał, wpatrując się gdzieś w przestrzeń.

– Wczoraj? – zdziwiłem się, myśląc: Chodziłeś z nią jeden dzień i jesteś taki zdołowany? Kolejny powód, dla którego warto zrezygnować ze szczęśliwego środka.

– Nie wczoraj – sprostował ze znużeniem. – Rok temu.

– Koleś – zwróciłem się do Keuna – ten facet jest naprawdę w kiepskim stanie.

Keun pokiwał głową, rozkładając placki na blasze.

– Odwiozę go rano do miasta – zapewnił. – A jaka jest główna zasada, Jeb?

– Nie wychodzimy, dopóki nie wyjdzie ostatnia cheerleaderka – wyrecytował Jeb, jakby słyszał to zdanie od Keuna już z tysiąc razy.

– Zgadza się, stary. A teraz idź się jeszcze przespać.

– Tak na wszelki wypadek – dodał Jeb – gdybyście ją zobaczyli, powiedzcie jej, że coś mnie zatrzymało.

– No dobra – zgodziłem się, ale chyba nie zabrzmiało to przekonująco, bo odwrócił się i nawiązał kontakt wzrokowy z Diuk.

– Przekaż jej, że przyjdę – poprosił. O dziwo, Diuk zrozumiała. A przynajmniej tak się wydawało. W każdym razie pokiwała głową, jakby mówiła: „Jasne, przekażę, jeśli z jakiegoś powodu o czwartej nad ranem spotkam gdzieś w zaspie tę dziewczynę, której wcale nie znam". A gdy uśmiechnęła się do niego współczująco, mnie znów naszła ta nieodwracalna myśl.

Chyba jej uśmiech dodał Jebowi trochę otuchy. Chłopak ociężałym krokiem wrócił do swojego stolika.

Gawędziłem z Keunem, dopóki nie skończył przygotowywać moich gofrów. Były tak gorące, że aż parowały.

– Kurczę, Keun, wyglądają super – pochwaliłem, ale on już się odwrócił , żeby przełożyć na talerz placki dla Diuk. Gdy tylko skończył, pojawił się Billy Talos, chwycił talerz, zaniósł go do stołu i usiadł naprzeciwko mojej przyjaciółki.

Zerknąłem na nich kilka razy. Pochylali się nad stołem i rozmawiali o czymś z przejęciem. Chciałem się wtrącić i uświadomić Diuk, że wcześniej Billy flirtował z jedną z Madison, podczas gdy my brnęliśmy przez śnieżycę, ale doszedłem do wniosku, że to nie moja sprawa.

– Chyba utnę sobie pogawędkę z jedną z nich – oznajmiłem chłopakom.

JP nie mógł uwierzyć:

– Z kim? Z pomponiarą?

Pokiwałem głową.

– Koleś – westchnął Keun – cały wieczór próbuję. Są za bardzo zbite w kupę, żeby zagaić tylko jedną. A jak zwracasz się do wszystkich, to cię ignorują.

Ale ja musiałem z którąś porozmawiać, a przynajmniej udać, że to robię.

– Trzeba mieć taktykę lwa polującego na gazele – wyjaśniłem, bacznie przyglądając się grupce dziewczyn. – Wyławiasz sztukę, która odłącza się od stada i… – Drobna blondynka odwróciła się od koleżanek. – Uderzasz! – oznajmiłem, zeskakując ze stołka.

Podszedłem do niej pewnym siebie krokiem.

– Jestem Tobin – przedstawiłem się, wyciągając rękę.

– Amber – odpowiedziała.

– Piękne imię – zauważyłem.

Skinęła głową, ale wzrok miała rozbiegany. Chciała się wymknąć, lecz nie mogłem jej jeszcze na to pozwolić. Próbowałem wymyślić jakieś pytanie.

– Wiadomo już coś o waszym pociągu?

– Możliwe, że jutro nadal nie wyruszy – poinformowała mnie.

– Fatalna sprawa – odrzekłem z uśmiechem. Zerknąłem przez ramię na Billy'ego i Diuk, ale nie było jej przy stole. Jedzenie parowało na talerzu. Wlała do miseczki obok trochę keczupu, żeby zanurzać w nim placki, tak jak lubiła, a potem zniknęła. Zostawiłem Amber i podszedłem do Billy'ego.

– Wyszła na zewnątrz – wyjaśnił krótko.

Kto przy zdrowych zmysłach wyszedłby na zewnątrz, skoro ciepło, placki ziemniaczane i czternaście cheerleaderek było w środku?

Chwyciłem czapkę z lady, naciągnąłem ją mocno na uszy, włożyłem rękawiczki i wyszedłem w zamieć. Diuk siedziała na krawężniku, ledwie osłonięta przez markizę przed gęsto padającym śniegiem.

Usiadłem obok niej.

– Zatęskniłaś za katarem?

Pociągnęła nosem, ale nie spojrzała na mnie.

– Wracaj do środka – powiedziała. – Nic się nie stało.

– Gdzie nic się nie stało?

– Nigdzie nic się nie stało. Po prostu idź sobie.

– „Nigdzie nic się nie stało" to dobra nazwa dla kapeli – stwierdziłem. Chciałem, żeby na mnie popatrzyła, bym mógł ocenić sytuację. W końcu to zrobiła, nos miała zaczerwieniony, więc w pierwszej chwili pomyślałem, że zmarzła, a potem przyszło mi do głowy, że może płakała. To było dziwne, bo Diuk nigdy nie płacze.

– Po prostu… wolałabym, żebyś tego nie robił na moich oczach. Co jest w niej takiego interesującego? Powiedz, co, tak na poważnie? W którejkolwiek z nich?

– Nie wiem – odrzekłem. – Ty rozmawiałaś z Billym Talosem.

Znów na mnie popatrzyła, ale tym razem nie spuściła wzroku.

– Powiedziałam mu, że nie mogę z nim iść na ten durny bal, bo nic nie poradzę, że podoba mi się ktoś inny. – Powoli zaczęło mi coś świtać. Odwróciłem się do niej. – Wiem, że one chichoczą, a ja się tylko śmieję – mówiła. – Pokazują rowek między piersiami, a ja nie mam co pokazywać. Ale, wiesz, ja też jestem dziewczyną.

– Wiem o tym – zapewniłem ją obronnym tonem.

– Naprawdę? Ktokolwiek o tym wie? Bo idę do D i D i jestem Diukiem. I jestem jednym z trzech mądrych mężów. I to gejowskie, kiedy uważam, że Bond jest seksowny. I nigdy nie patrzysz na mnie tak, jak na inne dziewczyny, tylko… nieważne. Nieważne, nieważne, nieważne! Kiedy tu szliśmy, tuż przed tym, gdy pojawili się bliźniacy, przez sekundę miałam wrażenie, że patrzyłeś na mnie tak, jakbym rzeczywiście była kobietą, i pomyślałam, hej, może Tobin nie jest jednak najbardziej powierzchownym dupkiem na świecie, ale kiedy zrywałam z Billym, nagle okazało się, że rozmawiasz z jakąś dziewczyną tak, jak nigdy nie rozmawiasz ze mną i… nieważne.

A potem z opóźnieniem wszystko do mnie dotarło. Ta myśl, którą starałem się wymazać, przyszła również do głowy Diuk. Próbowaliśmy nie myśleć tej samej myśli. Podobałem się Diuk. Spuściłem wzrok. Musiałem się nad tym zastanowić, zanim znów na nią spojrzę. Dobra. Dobra – postanowiłem – popatrzę na nią, a jeśli ona patrzy na mnie, przyjrzę jej się, a potem znów spuszczę wzrok i ponownie ocenię sytuację. Tylko jedno spojrzenie.

Zerknąłem na nią. Głowę zwróciła w moją stronę, a oczy, w których widziałem wszystkie kolory, miała szeroko otwarte. Przygryzła spierzchnięte wargi, potem je rozchyliła. Spod czapki wymknęło jej się pasmo włosów, a nos miała zaróżowiony i pociągała nim. I nie chciałem odrywać od niej wzroku, ale w końcu mi się udało. Ponownie wbiłem spojrzenie w zaśnieżony asfalt pod moimi stopami.

– Czy mógłbyś coś powiedzieć? – poprosiła.

Przemówiłem do asfaltu.

– Zawsze miałem przekonanie, że nie powinno się rezygnować ze szczęśliwego środka w nadziei na szczęśliwe zakończenie, bo coś takiego po prostu nie istnieje. Wiesz, co mam na myśli? Można tak wiele stracić.

– Wiesz, dlaczego chciałam tu przyjść? Dlaczego uparłam się, żebyśmy wjechali na to wzgórze? Na pewno nie dlatego, że martwiłam się o to, czy Keun poradzi sobie z braćmi Restonami, ani nie dlatego, że chciałam oglądać, jak podrywasz cheerleaderki.

– Myślałem, że z powodu Billy'ego – odrzekłem.

Odwróciła się do mnie. Widziałem, jak para z jej oddechu otacza mnie w zimnym powietrzu.

– Chciałam, żebyśmy przeżyli przygodę. Bo uwielbiam takie historie. Bo nie jestem tą, jak jej tam na imię.

Nie uważam, że to taka masakra iść sześć kilometrów przez śnieg. Potrzebuję tego. Kocham to. Gdy siedzieliśmy u ciebie i oglądaliśmy filmy, chciałam, żeby śnieg nigdy nie przestał padać. Żeby było go więcej i więcej! Bo tak jest ciekawiej. Może się mylę, ale ty chyba też taki jesteś.

– Ja też tego chciałem – przerwałem jej, nadal nie patrząc w lęku, co mógłbym zrobić, gdybym spojrzał. – Żeby ciągle padał śnieg.

– Tak? Super. No, super. I co z tego, jeśli przez śnieg szczęśliwe zakończenie będzie mniej prawdopodobne? Może rozwalimy samochód – i co z tego? Może zniszczymy naszą przyjaźń – i co z tego? Całowałam facetów, niczym nie ryzykując, i powodowało to tylko tyle, że pragnęłam pocałunku, przez który zaryzykuję wszystkim…

Uniosłem wzrok przy „niczym nie ryzykując", poczekałem do „wszystkim" i dłużej już nie mogłem zwlekać. Moja dłoń znalazła się na jej karku, jej wargi na moich, mroźne powietrze zniknęło, zastąpione przez ciepło jej ust, miękkich, słodkich i cudownych, i otworzyłem oczy, dłonią w rękawiczce dotykając skóry jej twarzy, bladej z zimna. To był mój pierwszy pocałunek z dziewczyną, którą kochałem. Gdy się od siebie oderwaliśmy, spojrzałem na nią onieśmielony i wydusiłem tylko:

– Rety.

Zaśmiała się i znów przyciągnęła mnie do siebie, a wtedy za naszymi plecami rozległ się brzęk otwierających się drzwi do Waffle House.

– JASNA CHOLERA! CO TU SIĘ DZIEJE?

Uniosłem wzrok na JP, starając się powstrzymać głupkowaty uśmiech.

– KEUN! – wrzasnął JP. – PRZYWLECZ TU SWÓJ TŁUSTY KOREAŃSKI TYŁEK!

Keun pojawił się w drzwiach, a JP dalej wrzeszczał:

– POWIEDZCIE MU, CO WŁAŚNIE ROBILIŚCIE!

– Hm – powiedziałem.

– Całowaliśmy się. – Diuk była wymowniejsza.

– Jesteście gejami? – zdziwił się Keun.

– JA JESTEM DZIEWCZYNĄ.

– No, to tak jak Tobin – odparował Keun.

JP dalej krzyczał, najwyraźniej nie panując nad modulacją głosu:

– CZY JESTEM JEDYNYM CZŁOWIEKIEM, KTÓREMU LEŻY NA SERCU DOBRO NASZEJ GRUPY? CZY NIKT NIE POMYŚLI O LOSIE CAŁEGO ZESPOŁU?

– Idź się gapić na pomponiary – poradziła mu Diuk.

JP przez chwilę przyglądał się nam, a potem się uśmiechnął.

– Tylko nie lepcie się do siebie za bardzo.

Odwrócił się i wszedł do środka.

– Twoje placki stygną – zauważyłem.

– Jeśli tam wrócimy, koniec flirtów z cheerleaderkami.

– Flirtowałem tylko po to, by zwrócić twoją uwagę – wyznałem. – Mogę cię znów pocałować?

Kiwnęła głową. Drugi pocałunek był równie cudowny jak pierwszy. Mógłbym całować ją bez końca, ale w przerwie na oddech wyszeptała:

– Prawdę mówiąc, mam wielką ochotę na moje placki.

Wstałem z krawężnika, otworzyłem drzwi, Diuk zanurkowała pod moim ramieniem i zjedliśmy obiad o trzeciej nad ranem.

Potem ukryliśmy się na zapleczu pomiędzy wielkimi stalowymi lodówkami, a JP wpadał do nas od czasu do czasu i zdawał nam zabawne relacje z próżnych wysiłków, by wciągnąć cheerleaderki w konwersację. A następnie zasnęliśmy na czerwonych płytkach w kuchni Waffle House, moje ramię służyło Diuk za poduszkę, a mnie służyła moja kurtka. Kumple obudzili nas o siódmej. Keun złamał przysięgę, że nie opuści cheerleaderek ani na moment, i odwiózł nas do Diuka i Diuszesy. Okazało się, że Alufoliowy pracuje u nich jako kierowca pomocy drogowej, więc pomógł nam zawieźć auto do domu. Ustawiłem je na podnośniku, żeby oś się nie złamała, a koło schowałem w garażu. Potem poszliśmy do Diuk otworzyć prezenty, a ja bardzo się starałem, żeby jej rodzice nie zauważyli, że mam na punkcie ich córki absolutnego bzika. Nieco później wrócili moi rodzice, którym wyjaśniłem, że samochód się popsuł, kiedy próbowałem odwieźć Diuk do domu. Nakrzyczeli na mnie, ale nie za bardzo, bo było Boże Narodzenie, no i mieli ubezpieczenie, no i to przecież tylko samochód. Wieczorem zadzwoniłem do Diuk, JP i Keuna, kiedy cheerleaderki w końcu opuściły Waffle House i wszyscy zjedli już świąteczną kolację. Przyszli do mnie, obejrzeliśmy dwa filmy o Jamesie Bondzie, a potem siedzieliśmy do późna, wspominając naszą eskapadę. Kiedy ułożyliśmy się do snu całą czwórką w swoich śpiworach, jak robiliśmy od zawsze, wszystko było tak samo, poza tym, że ani ja, ani Diuk nie zasnęliśmy, tylko patrzyliśmy na siebie, a potem, gdzieś o wpół do czwartej, w końcu wstaliśmy i przeszliśmy półtora kilometra przez śnieg do Starbucksa, tylko we dwoje. Uporałem się z niejasnym francuskim systemem zamawiania i udało mi się kupić latte z kofeiną, której naprawdę poważnie potrzebowałem. Później półleżeliśmy obok siebie w fioletowych aksamitnych fotelach. Byłem tak koszmarnie zmęczony jak nigdy w życiu, tak zmęczony, że ledwie mogłem się uśmiechać. I rozmawialiśmy o niczym, co nadal wychodziło nam doskonale, a kiedy zapadła cisza, Diuk spojrzała na mnie sennymi oczami i powiedziała:

– Na razie jest nieźle.

– Kocham cię – odpowiedziałem.

– Och – westchnęła.

– Dobre „och"? – upewniłem się.

– Najlepsze „och" na świecie.

Odstawiłem latte na stolik, upojony szczęśliwym środkiem mojej największej przygody.

Lauren Myracle

Święta patronka świnek

Tacie i ślicznemu górskiemu miasteczku Brevard
w Karolinie Północnej…
Oboje są pełni niezwykłego uroku.

Rozdział 1

Bycie mną jest słabe. Bycie mną w tę potencjalnie cudowną noc, z potencjalnie cudownym śniegiem zalegającym w półtorametrowych zaspach pod oknami mojej sypialni, jest podwójnie słabe. Biorąc pod uwagę fakt, że to Boże Narodzenie, wynik się potraja. A gdy dodamy do tego smutną, bolesną, druzgocącą nieobecność Jeba, ogłuszy nas donośne dong-dong! To dzwon oznajmiający przekroczenie górnej skali Słabometru.

Wokół świąteczne dzwonki i śmiechy, a u mnie ponure gongi deprechy. Bosko.

Przecież jesteś małym, wesołym, figowym puddingiem, powiedziałam do siebie, marząc, by Dorrie i Tegan pospieszyły się i już przyszły. Nie wiedziałam, co to jest figowy pudding, ale kojarzył mi się z daniem, które stoi i stygnie na samym końcu stołu, bo nikt nie ma na nie ochoty. Jestem jak ono. Zimna, samotna i pewnie z zakalcem.

Brrrr. Nie cierpię się nad sobą użalać, dlatego zadzwoniłam do Tegan i Dorrie z prośbą, żeby wpadły. Ale ich ciągle nie było, a ja nie mogłam się powstrzymać od litowania się nad sobą.

Bo tak bardzo tęskniłam za Jebem.

Bo nasze rozstanie, które nastąpiło raptem tydzień temu i bolało jak świeża rana, było wyłącznie moją winą.

Bo napisałam do Jeba mail (żałosny?), bardzo, bardzo prosząc o spotkanie w Starbucksie i o rozmowę. Ale nie przyszedł. Nawet nie zadzwonił.

Bo po tym, jak wczoraj czekałam na niego ponad dwie godziny, tak dogłębnie znienawidziłam życie i siebie, że powlokłam się przez parking do Fantastic Sam's i poprosiłam fryzjerkę, by obcięła mi włosy, a to, co zostało, zafarbowała na różowo. Co też zrobiła, bo czy to jej problem, że chciałam popełnić fryzjerskie samobójstwo?

Jak widać, miałam powody do rozżalenia: byłam oskubanym różowym kurczakiem o złamanym sercu, przepełnionym odrazą do siebie.

– O rety, Addie – jęknęła moja mama wczoraj po południu, gdy w końcu wróciłam do domu. – To... dosyć radykalna zmiana fryzury. I koloru. Zafarbowałaś swoje piękne, jasne włosy.

Posłałam jej spojrzenie, mówiące: „Może mnie jeszcze bardziej dobijesz?", na które odpowiedziała ostrzegawczym przekrzywieniem głowy oznaczającym: „Uważaj, kochanie. Wiem, cierpisz, ale to nie znaczy, że masz się na mnie wyżywać".

– Przepraszam – rzuciłam. – Chyba jeszcze się nie przyzwyczaiłam.

– Cóż... to rzeczywiście wymaga przyzwyczajenia. A co cię do tego skłoniło?

– Nie wiem. Potrzebowałam zmiany.

Odłożyła trzepaczkę. Przygotowywała wiśniową jubilatkę, nasz tradycyjny wigilijny deser. Oczy mnie aż zapiekły od ostrej woni mielonych wiśni.

– Czy ma to może coś wspólnego z wydarzeniami na imprezie u Charliego w zeszłą sobotę? – zapytała mama.

Gorący rumieniec wypełzł na moje policzki.

– Nie wiem, o czym mówisz. – Zmrużyłam oczy. – A poza tym skąd wiesz, co się wydarzyło u Charliego?

– Kochanie, co wieczór płaczesz tak długo, aż nie zaśniesz...

– Wcale nie.

– I rozmawiasz przez telefon z Dorrie lub Tegan dwadzieścia cztery na siedem.

– Podsłuchujesz moje rozmowy? – wściekłam się. – Podsłuchujesz własną córkę?!

– Trudno to nazwać podsłuchiwaniem, gdy się nie ma wyboru.

Gapiłam się na nią z otwartymi ustami. Udawała, że jest taka matczyna w świątecznym fartuchu, przygotowując wiśniową jubilatkę według rodzinnego przepisu, a tymczasem była... była...

Nie wiedziałam kim, ale miałam pewność, że to niewłaściwe, złe i podłe słuchać rozmów innych osób.

– I nie mów „dwadzieścia cztery na siedem" – odparowałam. – Jesteś za stara, żeby tak mówić.

Mama wybuchnęła śmiechem, co wkurzyło mnie jeszcze bardziej, zwłaszcza że szybko nad sobą zapanowała i spojrzała w ten maminy sposób: „Biedulka, jest nastolatką. Musi swoje wycierpieć".

– Och, Addie – powiedziała. – Chciałaś się ukarać, kochanie?

– No super! – oburzyłam się. – To chyba nie jest najmilszy komentarz na temat czyjejś nowej fryzury! – rzuciłam jeszcze i popędziłam do pokoju, by popłakać bez świadków.

Dobę później nadal leżałam w łóżku, choć wyszłam wieczorem na wiśniową jubilatkę i rano na otwieranie prezentów, ale nie sprawiło mi to żadnej przyjemności. Z całą pewnością nie przepełniał mnie magiczny i radosny nastrój świąt Bożego Narodzenia. Właściwie to wcale nie byłam pewna, czy nadal wierzę w cały ten magiczny i radosny nastrój.

Przewróciłam się na drugi bok i wzięłam iPoda z nocnego stolika. Wybrałam listę utworów zatytułowaną *Szare dni,* zawierającą chyba wszystkie melancholijne piosenki, jakie kiedykolwiek powstały, i wcisnęłam odtwarzanie. Mój iPenquin ponuro zamachał skrzydłami, gdy w jego plastikowym korpusie zabrzmiało *Fools in Love*.

Wróciłam do głównego menu i przewijałam ikony, aż trafiłam na folder „Zdjęcia". Wiedziałam, że wkraczam na niebezpieczne terytorium, ale nie obchodziło mnie to. Podświetliłam album, którego szukałam, i go otworzyłam.

Pojawiła się pierwsza fotka, którą zrobiłam Jebowi ukradkiem komórką trochę ponad rok temu. Tamtego dnia też padał śnieg, więc w jego ciemnych włosach widać było białe płatki. Miał na sobie dżinsową kurtkę, choć panował mróz, i pomyślałam wtedy, że może on i jego mama nie są zbyt zamożni. Słyszałam, że przeprowadzili się tu z Rezerwatu Czirokezów, który znajdował się około stu sześćdziesięciu kilometrów od Gracetown. Uważałam, że to czadowe. Jeb był taki egzotyczny.

W każdym razie chodziliśmy razem na zajęcia z angielskiego, a Jeb z tym kruczoczarnym końskim ogonem i zamglonym spojrzeniem wydawał mi się niewiarygodnie pociągający. Był też baaardzo poważny, co dla mnie stanowiło zupełnie nowe doświadczenie, ponieważ podchodzę do wszystkiego z dość dużym luzem. Każdego dnia pochylał się nad ławką i pilnie notował, a ja zerkałam ukradkiem, zachwycając się jego lśniącymi włosami i wysokimi kośćmi policzkowymi, najpiękniejszymi, jakie w życiu widziałam. Lecz nawet gdy prezentowałam swoją nieodparcie uroczą stronę, Jeb ciągle był tak pełen rezerwy, że wręcz zakrawało to na wyniosłość.

Gdy zasięgnęłam rady przyjaciółek w tej niezwykle problematycznej kwestii, Dorrie zasugerowała, że może Jeb nie czuje się komfortowo w naszym małym górskim miasteczku, w którym wszyscy są osobnikami rasy białej, prawdziwymi południowcami i prawdziwymi chrześcijanami.

– A co w tym złego? – zapytałam obronnym tonem jako posiadaczka wszystkich trzech wymienionych cech.

– Nic – odrzekła Dorrie. – Mówię tylko, że być może chłopak czuje się obco. Być może. – Jako jedna z dwójki – dosłownie – dzieciaków pochodzenia żydowskiego w całej szkole, chyba wiedziała, o czym mówi.

Pomyślałam, że może rzeczywiście Jeb czuje się obco. Czy to dlatego jada obiady z Nathanem Krugle'em, który był outsiderem i nosił wyłącznie koszulki z kolekcji *Star Trek*? Czy to dlatego rano, zanim otwarto szkołę, stał oparty o ścianę z rękoma w kieszeniach, zamiast przyłączyć się do naszego grona plotkującego o *Idolu*? I może nie ulegał mojemu czarowi na angielskim, bo czuł się zbyt skrępowany, żeby się otworzyć?

Im dłużej o tym rozmyślałam, tym bardziej się martwiłam. Nikt nie powinien się czuć obco we własnej szkole – zwłaszcza ktoś tak zachwycający jak Jeb i zwłaszcza że my, jego koledzy z klasy, byliśmy bardzo sympatyczni.

No, przynajmniej ja, Dorrie, Tegan i nasza paczka. Byliśmy b a r d z o mili. Inni niekoniecznie, oni bywali nieuprzejmi. Tak jak Nathan Krugle, rozgoryczony osobnik z pretensjami do świata. Szczerze mówiąc, męczyła mnie myśl, jakie szalone idee Nathan może zasiać w umyśle Jeba.

I nagle pewnego dnia, gdy znów obsesyjnie rozważałam wszystkie te kwestie, moja troska przerodziła się w złość, no bo halo! Dlaczego Jeb wolał spędzać czas z Nathanem Krugle'em, a nie ze mną?

Tak więc podczas lekcji angielskiego dźgnęłam go długopisem i powiedziałam:

– Na litość boską, Jeb, mógłbyś się chociaż uśmiechnąć?

Drgnął nerwowo, zrzucając książkę na podłogę, a ja poczułam się głupio. Spoko, Addie, pomyślałam, może następnym razem zatrąbisz mu do ucha?

Lecz wtedy jego usta nieznacznie się wygięły w uśmiechu, a w oczach zamigotało rozbawienie. I coś jeszcze – coś, co sprawiło, że moje serce zabiło szybciej. Jeb lekko się zarumienił, a potem schylił się szybko, żeby podnieść książkę.

A więc to tak, zrozumiałam pełna wyrzutów sumienia – on jest po prostu nieśmiały.

Opierając się o poduszkę, wpatrywałam się w zdjęcie Jeba na iPodzie, aż ból stał się całkiem nieznośny.

Wcisnęłam środkowy przycisk i pojawiło się następne. Z „wielkiego blitzkriegu" w Parku Hollyhock, który odbył się w zeszłą Wigilię, kilka tygodni po tym, gdy powiedziałam Jebowi, żeby się, na litość boską, uśmiechnął. Ponieważ Wigilia to jeden z tych dni, które ciągną się w nieskończoność, a człowiek tylko z niecierpliwością czeka, aż wreszcie nadejdzie Boże Narodzenie, wybraliśmy się całą paczką do Parku Hollyhock, żeby choć na chwilę wyrwać się z domów. Namówiłam kolegę, żeby zadzwonił po Jeba, a on jakimś cudem zgodził się pójść z nami.

Wyprawa skończyła się bitwą na śnieżki, chłopaki przeciwko dziewczynom, i była naprawdę imponująca. Dorrie, Tegan i ja zbudowałyśmy fort oraz opracowałyśmy system działania, polegający na tym, że Tegan lepiła, ja podawałam, a Dorrie ze śmiertelną precyzją miotała pociskami we wrogów. Wygrywałyśmy z chłopakami, dopóki Jeb nie zaszedł nas od tyłu i nie unieszkodliwił mnie, popychając całym ciężarem ciała w stertę kulek. Śnieg dostał mi się do nosa i bolało jak diabli, ale byłam zbyt rozbawiona, żeby się tym przejmować. Ze śmiechem przewróciłam się na plecy, a twarz Jeba znalazła się ledwie kilka centymetrów od mojej.

Ten właśnie moment Tegan uchwyciła na fotografii zrobionej komórką. Jeb jak zawsze miał na sobie dżinsową kurtkę – jasny błękit seksownie kontrastował z jego ciemną karnacją – i też się śmiał. Patrząc na nasze rozpromienione twarze, przypomniałam sobie, że nie odsunął się ode mnie od razu. Oparł się na łokciach tak, by mnie nie przygniatać, a jego śmiech łagodnie przeszedł w niewypowiedziane pytanie, od którego poczułam gorąco w brzuchu.

Po bitwie śnieżnej postanowiliśmy pójść na mocha latte, tylko we dwójkę. Propozycja wyszła ode mnie, ale on zgodził się bez chwili wahania. Poszliśmy do Starbucksa i usiedliśmy w fioletowych fotelach przy wejściu. Ja byłam podekscytowana, on onieśmielony. A potem stał się śmielszy, a może po prostu bardziej zdeterminowany. Wyciągnął rękę i ujął moją dłoń. Byłam tak zaskoczona, że rozlałam kawę.

– Na litość boską, Addie – powiedział. Jego grdyka drgnęła. – Mógłbym cię chociaż pocałować?

Moje serce oszalało i nagle to ja byłam tą onieśmieloną, co naprawdę nigdy się nie zdarza. Jeb wyjął mi kubek z rąk, odstawił na stół, a potem pochylił się i musnął moje usta swoimi. Kiedy się odsunął, jego oczy były ciepłe jak płynna czekolada. Uśmiechnął się do mnie i poczułam, że ja też się rozpuszczam jak czekolada.

To była najwspanialsza Wigilia na świecie.

– Hej, Addie! – zawołał mój młodszy braciszek z dołu, gdzie wraz z rodzicami grał na Wii, którą dostał pod choinkę. – Poboksujesz się ze mną?

– Nie, dzięki! – odkrzyknęłam.

– A w tenisa zagrasz?

– Nie.

– W kręgle?

Jęknęłam. Gra na Wii nie była szczytem moich marzeń, ale Chris miał tylko osiem lat i próbował poprawić mi humor.

– Może później – odpowiedziałam.

– Dobra – zgodził się i dał mi spokój.

Usłyszałam jeszcze, jak przekazuje rodzicom:

– Odmówiła.

Moja melancholia się pogłębiła. Mama, tata i Chris spędzali czas razem, wesoło wywijając nunczako i okładając się po twarzach, podczas gdy ja siedziałam tutaj, ponura i samotna.

I czyja to wina? – zapytałam samą siebie.

Och, przymknij dziób – odpowiedziałam sobie.

Przewinęłam kolejne zdjęcia.

Jeb z szerokim uśmiechem pozujący z babeczkami Reese's. Wiedział, że je uwielbiam, i zrobił mi niespodziankę, przynosząc je pewnego dnia.

Jeb w lecie, bez koszuli, na imprezie nad basenem u Megan Montgomery. Boże, był po prostu piękny!

Jeb, uroczo pokryty pianą podczas akcji mycia samochodów, którą zorganizowaliśmy w Starbucksie, żeby zebrać pieniądze. Wpatrywałam się w niego, a wszystko mi w środku miękło. To był bardzo wesoły dzień – nie tylko wesoły, ale też dobry, bo mieliśmy szczytny cel. Christina, kierowniczka mojej zmiany w Starbucksie, zaczęła rodzić przed terminem i chcieliśmy jej pomóc w zapłaceniu rachunków za szpital, których nie pokrywało ubezpieczenie.

Jeb zgłosił się na ochotnika i harował bez wytchnienia. Przyszedł o dziewiątej i został do trzeciej, szorował, pucował kolejne samochody i wyglądał tak, że jego fotka powinna się znaleźć w kalendarzu z najseksowniejszymi facetami wszechświata. Zrobił o wiele więcej, niż wymagały od niego obowiązki mojego chłopaka, a ja byłam przeszczęśliwa. Kiedy ostatnie auto wyjechało z parkingu, objęłam go i uniosłam twarz do jego twarzy.

– Nie musiałeś pracować tak ciężko – powiedziałam, wdychając jego mydlany zapach. – Wystarczył mi już pierwszy samochód.

Chciałam z nim poflirtować, robiąc aluzję do sceny w filmie *Jerry Maguire*, gdy Renée Zellweger mówi do Toma Cruise'a: „Wystarczyło mi twoje »Cześć«", ale Jeb zmarszczył brwi.

– Tak? To dobrze – powiedział – ale chyba nie wiem, co masz na myśli.

– Ha-ha – roześmiałam się, zakładając, że domaga się więcej pochwał. – To urocze, że zostałeś do końca, ale jeśli chciałeś zrobić na mnie wrażenie… to nie musiałeś. Tylko tyle.

Spojrzał zdziwiony.

– Myślałaś, że myję samochody, by zrobić na tobie wrażenie?

Policzki zaczęły mnie palić, gdy zaświtało mi, że on nie żartuje.

– Już tak nie myślę.

Próbowałam się od niego odsunąć zawstydzona, lecz mnie nie puścił. Pocałował mnie w czubek głowy i powiedział:

– Addie, mama wychowywała mnie samotnie.

– I?

– I wiem, jakie to może być trudne. Tylko tyle.

Przez chwilę się dąsałam, co było totalnie słabe. Lecz choć wiedziałam, że Jeb chciał pomóc Christinie z dobrych pobudek, nie miałabym nic przeciwko temu, żeby jego motywacja była choć odrobinę związana z moją osobą.

Przytulił mnie.

– Ale cieszę się, że zrobiłem na tobie wrażenie – szepnął, a ja poczułam jego usta na swojej skórze. Czułam też ciepło ciała Jeba przez mokrą koszulkę. – Niczego nie pragnę bardziej, niż robić wrażenie na mojej dziewczynie.

Nie byłam jeszcze gotowa przestać się dąsać.

– A zatem twierdzisz, że jestem twoją dziewczyną?

Zaśmiał się, jakbym spytała, czy niebo nadal jest niebieskie. Nie pozwoliłam mu się wymigać od odpowiedzi, tylko wysunęłam się z jego objęć. Spojrzałam pytająco: I co ty na to?

Ciemne oczy Jeba zrobiły się poważne. Ujął mnie za ręce.

– Addie, jesteś moją dziewczyną. Będziesz nią zawsze.

Mocno zacisnęłam powieki, ponieważ to wspomnienie było zbyt przytłaczające. Zbyt przytłaczające, zbyt trudne, jakbym straciła kawałek siebie, bo tak właśnie czułam. Wcisnęłam wyłącznik na iPodzie i ekran poczerniał. Muzyka ucichła, a mój iPenguin przestał tańczyć. Wydał smutny dźwięk, jakby pytał: „Odrzucasz mnie?", więc odpowiedziałam mu:

– Tak, i ciebie, i samą siebie, Pengy.

Opadłam na poduszkę, zagapiłam się w sufit i zaczęłam myśleć o tym, dlaczego się między nami popsuło. Dlaczego przestałam być dziewczyną Jeba? Znałam oczywistą odpowiedź (no cóż, kretynko, nie trzeba było iść na tę imprezę), ale nie mogłam przestać obsesyjnie analizować, jak doszliśmy do tego punktu, ponieważ już przed zabawą u Charliego nie układało nam się najlepiej. Nie dlatego, że Jeb mnie nie kochał, bo wiem, że to nieprawda. A ja kochałam go aż do bólu.

Myślę, że problem polegał na tym, jak okazywaliśmy sobie miłość. Albo, w wypadku Jeba, jak jej nie okazywał – a przynajmniej tak to odbierałam. Zdaniem Tegan, która namiętnie ogląda doktora Phila, Jeb i ja mówiliśmy innymi językami miłości.

Chciałam, żeby był czuły, romantyczny i uczuciowy, tak jak w Starbucksie, gdy pocałowaliśmy się po raz pierwszy w minioną Wigilię. Miesiąc później dostałam tam pracę i pomyślałam: Cudownie, będziemy mogli przeżywać nasz pocałunek ciągle i ciągle na nowo.

Ale tak się nie stało, ani razu. Mimo że często tam do mnie wpadał i dawałam mu do zrozumienia, że chcę, by mnie pocałował, on jedynie przechylał się nad ladą i ciągnął za troczki mojego zielonego fartucha, mówiąc:

– Hej, kawiareczko.

Co było słodkie, ale… nie wystarczało mi.

To jedno. Były też inne sprawy. Na przykład chciałam, aby dzwonił co wieczór, powiedzieć mi dobranoc, a on czuł się niezręcznie, ponieważ miał małe mieszkanie.

– Nie chcę, żeby mama słyszała nasze czułe słówka – wyjaśnił.

Innym chłopcom jakoś nie przeszkadzało trzymanie się z dziewczynami za ręce na szkolnym korytarzu, ale gdy tylko ja próbowałam to zrobić, Jeb szybko ściskał moją dłoń i równie szybko puszczał.

– Nie lubisz mnie dotykać? – zapytałam.

– Oczywiście, że lubię – odrzekł. Jego oczy nabrały tego wyrazu, który chciałam wywołać, a kiedy się odezwał głos miał ochrypły. – Wiesz o tym, Addie. Uwielbiam być z tobą sam na sam. Ale chcę, byśmy byli naprawdę sami, kiedy jesteśmy sam na sam.

Przez długi czas, mimo że wszystko to mi doskwierało, zachowywałam te wątpliwości dla siebie. Nie chciałam być zrzędliwą babą.

Ale w okolicach naszej półrocznicy (dałam Jebowi playlistę najbardziej romantycznych piosenek na świecie, on nie dał mi nic) coś we mnie pękło. Ogarnęło mnie rozgoryczenie, ponieważ byłam z człowiekiem, którego kochałam, i chciałam, żeby układało się między nami idealnie, ale nie mogłam starać się o wszystko sama. A jeśli to czyniło ze mnie zrzędliwą babę, trudno.

Wracając do tej półrocznicy. Jeb widział, że nie jestem szczęśliwa, i dopytywał dlaczego, aż w końcu odpowiedziałam:

– A jak sądzisz?

– Dlatego, że nic ci nie dałem? – zapytał. – Nie wiedziałem, że wprowadzamy taki zwyczaj.

– A powinieneś – mruknęłam. Nazajutrz podarował mi wisiorek z serduszkiem z maszyny na ćwierćdolarówki, jedynie wyjął go z plastikowego jajka i przełożył do pudełeczka na biżuterię. Byłam głęboko rozczarowana. A następnego dnia Tegan wzięła mnie na bok i powiedziała, iż Jeb się martwi, że nie spodobał mi się prezent, ponieważ go nie noszę.

– Kupił go w Diuku i Diuszesie – wyjaśniłam. – Dokładnie taki sam naszyjnik wisi w maszynie na ćwierćdolarówki przy wejściu. Opatrzony napisem: Każdy może to wygrać!

– A wiesz, ile ćwierćdolarówek musiał wrzucić, zanim go zdobył? – zapytała Tegan. – Trzydzieści osiem. Musiał kilka razy rozmieniać pieniądze u kasjerki.

Zapadła przytłaczająca cisza.

– To znaczy…?

– Chciał ci dać właśnie ten wisiorek. Z sercem.

Nie podobało mi się, jak Tegan na mnie patrzy. Odwróciłam wzrok.

– To i tak mniej niż dziesięć dolarów.

Przyjaciółka milczała. Byłam zbyt przerażona, żeby na nią spojrzeć. W końcu powiedziała:

– Wiem, że wcale nie mówisz poważnie, Addie. Nie zachowuj się kretyńsko.

N i e c h c i a ł a m zachowywać się kretyńsko i oczywiście wcale nie miało dla mnie znaczenia, ile kosztował prezent. Ale najwyraźniej chciałam od Jeba więcej, niż on mógł mi ofiarować, i im dłużej to trwało, tym podlej oboje się czuliśmy.

Kilka miesięcy minęło i nie zgadniecie! – przez moje zachowanie Jeb nadal czuł się podle i *vice versa*. Nie zawsze, ale o wiele za często na zdrowy związek.

– Chciałabyś, żebym był kimś, kim nie jestem – powiedział w wieczór przed zerwaniem. Siedzieliśmy w corolli jego mamy pod domem Charliego, ale jeszcze nie weszliśmy do środka. Gdybym mogła cofnąć się do tamtej chwili i w ogóle nie wysiąść z samochodu, zrobiłabym to natychmiast. Bez sekundy wahania.

– To nieprawda – odrzekłam. Trafiłam dłonią na rozdarcie z boku fotela i zanurzyłam palce w wypełniającej go gąbce.

– Prawda, Addie.

Zmieniłam taktykę.

– No dobrze, a nawet jeśli, czy to naprawdę coś złego? Ludzie się dla siebie zmieniają. Weź jakąkolwiek historię o miłości, wielkiej miłości, i zobaczysz, że ludzie muszą chcieć się zmienić, jeśli ma się im ułożyć. Jak w *Shreku*, kiedy Fiona mówi, że ma dość bekania, puszczania bąków i tak dalej. Shrek na to: „Jestem ogrem, musisz się z tym pogodzić". A Fiona pyta: „A jeżeli nie umiem?". I Shrek pije magiczny napój, który zmienia go w przystojnego księcia. Robi to z miłości do Fiony.

– To było w drugim *Shreku* – zaprotestował Jeb – nie w pierwszym.

– Nieważne.

– Potem Fiona uświadomiła sobie, że wcale nie chce, by Shrek był przystojnym księciem. Pragnęła, żeby znów był ogrem.

Zmarszczyłam czoło. Nie tak to zapamiętałam.

– Rzecz w tym, że on c h c i a ł się dla niej zmienić – podkreśliłam.

Jeb westchnął.

– Dlaczego zawsze to facet musi się zmieniać?

– Dziewczyna też może – zgodziłam się. – Oczywiście. Chodzi mi tylko o to, że jeśli kogoś kochasz, powinieneś chcieć to okazać. Ponieważ mamy w życiu tyko jedną szansę. Jedną jedyną. – Poczułam, że znów ogarnia mnie rozpacz. – Czy nie mógłbyś spróbować, chociażby dlatego, że wiesz, jakie to dla mnie ważne?

Jeb zapatrzył się w okno po stronie kierowcy.

– Chciałabym... chciałabym, żebyś wsiadł za mną do samolotu i zaśpiewał dla mnie serenadę, jak Robbie dla Julii w *Od wesela do wesela* – wyznałam. – Chciałabym, żebyś wybudował dla mnie dom, jak Noah dla Allie w *Pamiętniku*. Chciałabym, żebyś płynął ze mną po oceanie na dziobie transatlantyku! Jak ten chłopak w *Titanicu*, pamiętasz?

Jeb odwrócił się.

– Ten, który się utopił?

– No przecież nie chcę, żebyś się utopił! Nie chodzi o samo tonięcie. Chodzi o to, byś kochał mnie tak bardzo, że zgodziłbyś się utonąć, gdyby to było konieczne. – Głos mi się załamał. – Potrzebuję... potrzebuję wielkiego gestu.

– Addie, wiesz, że cię kocham.

– Albo chociaż średniego. – Nie potrafiłam odpuścić.

Frustracja i cierpienie walczyły na twarzy Jeba.

– Czy nie możesz po prostu wierzyć w naszą miłość i nie kazać mi jej co sekundę udowadniać?

Najwyraźniej nie, jak wykazało to, co stało się później. Nie „co się stało", tylko „co zrobiłam". Ponieważ byłam głupia, beznadziejna, i wypiłam tyle piwa, że było warte trzydzieści osiem ćwierćdolarówek, jeśli nie więcej. A może nie trzydzieści osiem, ale sporo. Co wcale mnie nie usprawiedliwia.

Weszliśmy do domu, lecz każde ruszyło w inną stronę, ponieważ nadal byliśmy skłóceni. Ja wylądowałam w suterenie z Charliem i kilkoma innymi chłopakami, a Jeb został na górze. Dowiedziałam się później, że dołączył do jakichś kinomanów, którzy oglądali *Niezapomniany romans* w pokoju rodziców Charliego. To było tak koszmarnie ironicznie, że mogłoby być nawet śmieszne, gdyby nie było takie smutne.

Graliśmy z chłopakami w monety na picie piwa i Charlie mnie podpuszczał, bo jest diabłem wcielonym. Kiedy skończyliśmy, zapytał, czy mogę z nim porozmawiać, a ja jak idiotka posłusznie powędrowałam za nim do pokoju jego starszego brata. Byłam trochę zdziwiona, bo nigdy nie miałam zbyt serdecznych relacji z Charliem, choć należał do paczki, z którą trzymaliśmy. Był co prawda arogantem, lizusem i ogólnie rzecz biorąc upośladkiem, jak mawia pewien Koreańczyk ze szkoły, ale taki już był Charlie. Ponieważ wyglądał niczym model z katalogów Hollistera, mógł sobie być upośladkiem i uchodziło mu to na sucho.

W pokoju brata Charlie posadził mnie na łóżku i wyznał, że potrzebuje rady w sprawie Brenny, dziewczyny z naszego roku, z którą czasami się umawiał. Posłał mi też spojrzenie mówiące: „Wiem, że jestem atrakcyjny, i zamierzam to wykorzystać", po czym dodał, iż Jeb ma wielkie szczęście, że chodzi z tak fantastyczną kobietą jak ja.

Prychnęłam i odpowiedziałam coś w stylu:

– Jasne, daj spokój.

– Macie jakieś problemy? – zapytał. – No nie mów! Jesteście świetną parą.

– Dlatego Jeb jest gdzieś na górze i robi Bóg wie co, a ja z tobą tutaj. – Dlaczego jestem z tobą tutaj? Pamiętam, że mnie to zdziwiło. Podobnie jak to, kto zamknął drzwi.

Charlie z przejęciem wypytywał mnie o szczegóły, był uroczy i współczujący, a kiedy się rozkleiłam, przysunął się bliżej, żeby mnie pocieszyć. Zaprotestowałam, lecz przycisnął usta do moich warg i w końcu uległam. Zabiegał o mnie naprawdę przystojny, charyzmatyczny chłopak i kogo to obchodziło, że wcale mu na mnie nie zależy?

Mnie. Nawet w chwili, gdy zdradzałam Jeba, obchodziło mnie to! Ciągle na nowo odtwarzałam tamten moment i to właśnie mnie dobijało. Bo co ja sobie myślałam? Przeżywaliśmy z Jebem trudne chwile, ale nadal go kochałam. Kochałam go wtedy i kocham teraz. Zawsze będę go kochała.

Dopiero wczoraj, gdy nie pojawił się w Starbucksie, jasno i wyraźnie dał mi do zrozumienia, że on już mnie nie kocha.

Rozdział 2

Wtem stuknięcie w szybę zakłóciło moje użalanie się nad sobą. Dobrą minutę trwało, zanim wróciłam do rzeczywistości. Rozległo się kolejne puknięcie, więc leżąc na łóżku, wyjrzałam przez okno i zobaczyłam zakutaną po uszy Tegan i jeszcze bardziej zakutaną Dorrie na szczycie zaspy. Przywoływały mnie dłońmi w rękawiczkach, a Dorrie głosem stłumionym przez zamknięte okno wołała, żebym wyszła.

Zwlekłam się z łóżka, a dziwna lekkość głowy przypomniała mi o katastrofie fryzjerskiej. Masakra. Rozejrzałam się wokół, chwyciłam koc i narzuciłam sobie na głowę. Przytrzymując go pod brodą, otworzyłam okno.

– Wyskakuj na parkiet! – darła się Dorrie, a jej krzyk brzmiał teraz dużo głośniej.

– To nie parkiet – odparłam. – To śnieg. Lodowaty, zamarznięty śnieg.

– Jest tak pięknie – wtórowała przyjaciółce Tegan. – Chodź zobaczyć! – Zamilkła, przyglądając mi się badawczo spod wełnianej czapki w paski. – Addie? Dlaczego masz koc na głowie?

– Ech – westchnęłam, machając ze zniechęceniem ręką. – Idźcie stąd. Jestem na dnie. Pociągnę was za sobą.

– Daj spokój – zaprotestowała Dorrie. – Po pierwsze: zadzwoniłaś i oznajmiłaś, że masz kryzys. Po drugie: przyszłyśmy. A teraz złaź tu i doświadcz tego cudu natury.

– Pasuję.

– Rozweselę cię, przysięgam.

– Bez szans. Przepraszam.

Przewróciła oczami.

– Jak z dzieckiem – powiedziała. – Chodź, Tegan.

Zniknęły mi z pola widzenia, a kilka sekund później rozległ się dzwonek u drzwi. Poprawiłam koc, żeby wyglądał jak coś w rodzaju specjalnego turbanu. Usiadłam na krawędzi łóżka i udawałam wędrującego po pustyni nomadę o uderzająco zielonych oczach pełnych smutku. Przecież wiedziałam wszystko o smutku.

Z hallu dobiegły mnie radosne okrzyki rodziców – „Wesołych świąt! Dziewczynki, szłyście taki kawał w tym śniegu?" – do których, ku mojej irytacji, dołączyły głosy przyjaciółek. Wesoła pogawędka całej gromadki brzmiała tak świątecznie, że robiłam się coraz bardziej i bardziej skwaszona, aż w końcu miałam ochotę zawołać:

– Hej! Dziewczynki! Szukacie może strapionej duszy, którą przyszłyście pocieszyć? Jest tutaj!

Wreszcie dwie pary stóp w skarpetach wbiegły po schodach. Pierwsza do pokoju wpadła Dorrie.

– Łaa! – zawołała, zbierając włosy na karku i wachlując się. – Jeśli zaraz nie odpocznę, to chyba się rozpuknę.

Dorrie uwielbiała mówić „chyba się rozpuknę". To był jej autorski zwrot, a oznaczał, że wybuchnie. Lubiła też cheerwine, bajgle i udawanie, że pochodzi ze Starego

Kontynentu, gdzie ponoć mieszkał naród żydowski, zanim przywędrował do Ameryki. Dorrie fascynowała się swoimi żydowskimi korzeniami i posuwała się do tego, że określała swoje przepiękne kręcone włosy jako „jewfro". Gdy usłyszałam to po raz pierwszy, byłam wstrząśnięta, ale potem zaczęło mnie śmieszyć. Oto Dorrie w pigułce.

Tegan z zarumienionymi policzkami weszła tuż za nią.

– O raju, jestem cała mokra – jęknęła, zdejmując z siebie flanelową koszulę, pod którą miała koszulkę. – Ta wyprawa prawie mnie zabiła.

– Mnie to mówisz? – wtrąciła Dorrie. – Najpierw musiałam przebrnąć osiem tysięcy kilometrów do twojego domu.

– To znaczy... sześć metrów? – zapytała Tegan i zwróciła się do mnie: – Chyba mam rację, od domu Dorrie do mojego jest sześć metrów?

Spojrzałam na nią lodowato. Nie będziemy przecież omawiały co do metra nudnej odległości między ich domami.

– No i co ty masz na głowie? – zainteresowała się Dorrie, opadając na łóżko obok mnie.

– Nic – odrzekłam, bo okazało się, że o tym też nie chcę rozmawiać. – Zimno mi.

– Ta, jasne. – Zdarła koc z mojej głowy i wydała zdławiony okrzyk przerażenia. – Oj! Coś ty zrobiła?

– Super, dzięki – powiedziałam kwaśno. – Jesteś równie miła jak moja mama.

– Kurde – jęknęła Tegan. – To znaczy... kurde.

– Zakładam, że to powód twojego kryzysu? – wywnioskowała Dorrie.

– Właściwie to nie.

– Na pewno?

– Dorrie… – zmitygowała ją Tegan. – Wyglądasz… ładnie, Addie. Odważna fryzura.

Dorrie prychnęła.

– Wiesz, co należy zrobić, jak ktoś ci mówi, że masz odważną fryzurę? Powinnaś wrócić do fryzjera i zażądać zwrotu pieniędzy.

– Idź precz. – Odepchnęłam ją stopą.

– Hej!

– Traktujesz mnie podle, gdy jestem w dołku, więc nie należy ci się miejsce na łóżku. – Pchnęłam mocniej i Dorrie wylądowała na podłodze.

– Chyba złamałaś mi kość ogonową – jęknęła.

– W takim razie będziesz musiała siadać na dmuchanym pączku z dziurką.

– Nigdy nie usiądę na dmuchanym pączku.

– Tylko ostrzegam.

– Ja nie traktuję cię podle, gdy jesteś w dołku – wtrąciła Tegan. Kiwnęła głową w stronę łóżka. – Mogę?

– No raczej.

Tegan zajęła miejsce Dorrie, a ja się położyłam z głową na jej kolanach. Przesunęła dłonią po moich włosach, początkowo ostrożnie, lecz potem już odważniej.

– Co się dzieje? – zapytała z troską w głosie.

Milczałam. Chciałam im powiedzieć, ale równocześnie nie chciałam. Pal sześć moje włosy – prawdziwy kryzys był na tyle straszny, że nie wiedziałam, jak ubrać go w słowa, nie zalewając się potokami łez.

– Och, nie – westchnęła Dorrie. Jej twarz odzwierciedlała to, co odbijało się na mojej. – Och, bąbelku!

Dłoń Tegan znieruchomiała.

– Czy coś się stało z Jebem?

Kiwnęłam głową.

– Widziałaś się z nim? – zapytała Dorrie.

Pokręciłam głową.

– Rozmawiałaś z nim?

Znów pokręciłam głową.

Dorrie uniosła wzrok i spojrzała porozumiewawczo na przyjaciółkę. Tegan pociągnęła mnie za ramię, żebym się podniosła.

– Addie, powiedz nam – poprosiła.

– Jestem taka głupia – wyszeptałam.

Tegan położyła rękę na moim udzie, jakby zapewniała: Jesteśmy z tobą, nie martw się. Dorrie pochyliła się i oparła brodę na moim kolanie.

– Dawno, dawno temu… – podpowiedziała.

– Dawno, dawno temu byłam z Jebem – dokończyłam żałośnie. – Ja kochałam jego, a on kochał mnie. A potem wszystko skopałam.

– Sprawa Charliego – podsumowała Dorrie.

– Wiemy – dorzuciła Tegan, klepiąc mnie pocieszająco. – Ale to się stało tydzień temu. Doszło do jakiegoś nowego dramatu?

– Poza twoją fryzurą – dodała Dorrie.

Czekały na moją odpowiedź.

I jeszcze chwilę czekały.

– Napisałam mail do Jeba – wyznałam.

– Nie – jęknęła Dorrie i uderzyła głową w moje kolano: bam-bam-bam.

– Myślałam, że miałaś dać mu czas, by ochłonął – stwierdziła Tegan. – Mówiłaś, że najlepsze, co możesz zrobić, to trzymać się z dala, nawet jeśli to będzie koszmarnie trudne. Pamiętasz?

Bezradnie wzruszyłam ramionami.

– I nie chcę ci dokopywać, ale zdaje się, że Jeb teraz kręci z Brenną – dodała Dorrie.

Przeszyłam ją wzrokiem.

– Nie, skąd, oczywiście wcale nie kręci – wycofała się. – W końcu minął dopiero tydzień. Ale ona na niego leci, nie? Lecz oczywiście z tego, co wiem, on raczej jej nie zniechęca.

– Podła Brenna – powiedziałam. – Powinnyście jej nienawidzić.

– Myślałam, że ona znów zeszła się z Charliem – zdziwiła się Tegan.

– Pewnie, że nienawidzimy Brenny – zapewniła mnie Dorrie. – Jasna sprawa. – Odwróciła się do Tegan. – Liczyłyśmy na to, że wróci do Charliego, ale chyba się nie udało.

– Och… – Tegan nadal wyglądała na zdezorientowaną.

Też westchnęłam.

– Pamiętacie, jak Brenna się przechwalała przed feriami świątecznymi? Ciągle gadała o tym, że jest umówiona z Jebem.

– Uważałyśmy, że chciała tylko wzbudzić zazdrość w Charliem – spróbowała znów Tegan.

– Tak uważałyśmy – przyznała Dorrie – ale nigdy nic nie wiadomo. Jeśli naprawdę mieli takie plany…

– Aaach – zrozumiała Tegan. – Czaję. Jeb nie robi „planów", jeśli nie podchodzi do czegoś na serio.

– Nie chcę, żeby miał plany związane z kimkolwiek, a zwłaszcza z Brenną – zmarszczyłam brwi. – Ona ma doczepiane dredy.

Dorrie wypuściła powietrze przez nos.

– Addie, mogę ci powiedzieć coś, czego nie chciałabyś słyszeć?

– Raczej nie.

– I tak ci powie – uprzedziła Tegan.

– Wiem o tym – odrzekłam. – Mówię tylko, że wolałabym tego nie słyszeć.

– Chodzi o święta – powiedziała Dorrie. – W święta ludzie czują się samotni.

– Nie jestem samotna z powodu świąt! – zaprotestowałam.

– Owszem, jesteś. W święta wszystkie nieszczęścia wydają się większe. A tobie jest podwójnie źle, bo to miała być wasza pierwsza rocznica. Mam rację?

– Wczoraj – przyznałam. – W Wigilię.

– Och, Addie – wzruszyła się Tegan.

– Myślicie, że pary na całym świecie poznają się w Wigilię? – zapytałam, po raz pierwszy się nad tym zastanawiając. – Bo jest… świątecznie i magicznie, ale potem to mija i wszystko się sypie?

– A ten mail, który mu wysłałaś – Dorrie wróciła do tematu bardzo zasadniczym tonem – był z życzeniami świątecznymi?

– Nie całkiem.

– To co napisałaś?

Pokręciłam głową.

– To zbyt bolesne.

– Powiedz nam – nalegała Dorrie.

Wstałam z łóżka.

– Nie powiem. Ale go znajdę. Możecie same przeczytać.

Rozdział 3

Podeszły za mną do biurka, na którym czekał wesoły biały MacBook udający, że nie ma żadnego udziału w mojej hańbie. Był ozdobiony naklejkami z Chococatem, które powinnam była zdrapać po zerwaniu z Jebem, ponieważ dostałam je od niego. Ale nie potrafiłam się do tego zmusić.

Otworzyłam komputer i włączyłam Firefoxa. Weszłam na Hotmail, w folder z wysłanymi wiadomościami, i przesunęłam strzałkę kursora na mail wstydu. Żołądek zawiązał mi się na supeł. Tytuł brzmiał: *Mocha latte.*

Dorrie wsunęła się na krzesło, zostawiając obok miejsce dla Tegan. Kliknęła myszką i mail, który napisałam dwa dni temu, datowany na 23 grudnia, pojawił się na ekranie.

Hej, Jeb.

Piszę te słowa pełna strachu. To paranoja. Jak mogę się bać, zwracając się do CIEBIE? Napisałam wiele wersji tego listu, wszystkie skasowałam, i mam totalnie dosyć swoich akrobacji umysłowych. Koniec kasowania.

Ale jest coś, co bardzo bym chciała wykasować – i wiesz, co to takiego. Pocałunek z Charliem był największym błędem w moim życiu. Przepraszam. Tak bardzo Cię przepraszam. Wiem, że mówiłam Ci to już wiele razy, ale mogłabym powtarzać przeprosiny przez całą wieczność, a i tak byłoby za mało.

Wiesz, w filmach jest tak, że gdy ktoś popełni wielkie głupstwo, na przykład spotka się z inną za plecami swojej dziewczyny, mówi potem: „To nic nie znaczyło! Ona jest dla mnie nikim!". To, co ja Ci zrobiłam, nie było niczym. Zraniłam Cię i nie ma dla mnie usprawiedliwienia.

Ale Charlie j e s t niczym. Nawet nie chce mi się o nim pisać. Podrywał mnie i to było jak… jak jakiś impuls, to wszystko. My byliśmy głupio skłóceni i czułam się urażona, a może po prostu wkurzona, i to całe jego zainteresowanie działało jak balsam. I nie myślałam o Tobie. Myślałam tylko o sobie.

Naprawdę trudno mi to wszystko pisać.

Czuję się ohydnie.

Chcę Ci powiedzieć tylko tyle: potężnie nawaliłam, ale dostałam nauczkę.

Zmieniłam się, Jeb.

Tęsknię za Tobą. Kocham Cię. Jeśli dasz mi jeszcze jedną szansę, oddam Ci całe serce. Wiem, że to zdanie brzmi banalnie, ale jest szczere.

Pamiętasz ostatnią Wigilię? Głupio pytam. Wiem, że pamiętasz. Nie mogę przestać o niej myśleć. O Tobie. O nas.

Wybierz się ze mną na świąteczną kawę, Jeb. O trzeciej w Starbucksie, tak jak w zeszłym roku. Jutro mam wolne, ale przyjdę tam i będę na Ciebie czekała w wielkim fioletowym fotelu. Moglibyśmy porozmawiać… i może coś więcej.

Wiem, że nie zasługuję na nic, ale jeśli mnie chcesz, jestem Twoja.

xoxo,

Ja

Wiedziałam, kiedy Dorrie skończyła czytać, bo odwróciła się i spojrzała w moją stronę, przygryzając wargę. Natomiast Tegan jęknęła ze smutkiem, wstała z krzesła i mocno mnie przytuliła. A ja zaczęłam płakać, choć właściwie nie był to płacz, tylko spazmatyczny szloch, który totalnie mnie zaskoczył.

– Kochana! – przelękła się Tegan.

Wytarłam nos rękawem. Odetchnęłam głęboko.

– No dobra. – Uśmiechnęłam się przez łzy. – Jest mi lepiej.

– Wcale nie – zaprzeczyła Tegan.

– Rzeczywiście nie – zgodziłam się i znów straciłam panowanie nad sobą. Łzy były gorące i słone. Wydawało mi się, że rozpuszczają moje serce. Nie udało im się to do końca, ale zrobiło się galaretowate na powierzchni.

Głęboki wdech.

Głęboki wdech.

Głęboki, drżący wdech.

– Odpisał? – zapytała Tegan.

– O północy – odpowiedziałam. – Nie wczoraj o północy, tylko o północy przed Wigilią. – Przełknęłam, zacisnęłam powieki i znów wytarłam nos. – Po wysłaniu sprawdzałam skrzynkę chyba co godzinę… i nic. Myślałam więc: Daj sobie spokój. Zawaliłaś, a on nie odpisze. Ale potem postanowiłam sprawdzić jeszcze jeden ostatni raz, rozumiecie mnie?

Pokiwały głowami. Każda dziewczyna na ziemi rozumie, co to znaczy sprawdzić pocztę jeszcze ten jeden ostatni raz.

– I? – ponagliła mnie Dorrie.

Pochyliłam się nad klawiaturą. Na ekranie pojawiła się odpowiedź Jeba.

„Addie..." – napisał, a ja w tych trzech kropkach wyczuwałam skomplikowane milczenie Jeba. Wyobrażałam sobie, jak myśli i oddycha, z dłońmi zawieszonymi nad klawiaturą. W końcu – a przynajmniej tak to widziałam oczyma duszy – dopisał: „Zobaczymy".

– „Zobaczymy"? – przeczytała na głos Dorrie. – Tylko tyle? „Zobaczymy"?

– Wiem. Typowe dla Jeba.

– Hmmm – mruknęła Dorrie.

– Nie uważam, że to zła odpowiedź – stwierdziła Tegan. – Pewnie nie wiedział, co napisać. On tak bardzo cię kochał, Addie. Założę się, że dostał twój mail i najpierw szybciej mu zabiło serce, a potem, ponieważ jest Jebem...

– Ponieważ jest facetem – poprawiła ją Dorrie.

– Powiedział sobie: „Spokojnie, bądź ostrożny".

– Przestań – poprosiłam. To było zbyt bolesne.

– Może to właśnie znaczy jego „zobaczymy" – dokończyła Tegan, nie zwracając na mnie uwagi. – Że myśli o tym. Uważam, Addie, że to dobry znak!

– Tegan...

Mina jej zrzedła. Przeszła od pełnej nadziei przez niepewną do zatroskanej. Spojrzała na moje różowe włosy.

Dorrie, która szybciej łapała takie sprawy, zapytała:

– Jak długo czekałaś w Starbucksie?

– Dwie godziny.

Wskazała moją fryzurę.

– A potem zrobiłaś to...

– Aha, w Fantastic Sam's po drugiej stronie ulicy.

– W Fantastic Sam's? – przeraziła się Dorrie. – Zrobiłaś sobie fryzurę na ukojenie złamanego serca w zakładzie fryzjerskim, który rozdaje lizaki i balony?

– Nie dali mi ani lizaka, ani balona – zaprotestowałam ponuro. – Zamykali już. W ogóle nie chcieli mnie przyjąć.

– Nie kapuję – wyznała Dorrie. – Wiesz, ile dziewczyn dałoby się zabić za twoje poprzednie włosy?

– Jeśli mają ochotę grzebać w śmietniku, to proszę bardzo.

– Szczerze, ten róż do mnie przemawia – wtrąciła Tegan. – Nie mówię tego, żeby cię pocieszyć.

– Mówisz – zgasiłam ją. – Ale kto by się przejmował? Są święta, a ja jestem całkiem sama...

– Nie jesteś sama – obruszyła się.

– I zawsze będę sama...

– Jak możesz być sama, skoro jesteśmy tu z tobą?

– A Jeb... – Głos mi się załamał. – Jeb już mnie nie kocha.

– Nie wierzę, że nie przyszedł! – oburzyła się Tegan. – To do niego takie niepodobne. Nawet gdyby nie chciał do ciebie wrócić, nie uważasz, że przynajmniej by przyszedł pogadać?

– Ale dlaczego nie chce do mnie wrócić? – załkałam. – Dlaczego?

– Jesteś pewna, że nie zaszła pomyłka? – drążyła moja przyjaciółka.

– Odpuść – ostrzegła ją Dorrie.

– Co odpuścić? – zdziwiła się Tegan, po czym zapytała: – Jesteś absolutnie przekonana, że nie próbował do ciebie dzwonić ani nic takiego?

Chwyciłam telefon leżący na stoliku nocnym i rzuciłam go przyjaciółce.

– Sama sprawdź.

Weszła w historię połączeń i zaczęła czytać na głos:

– Ja, Dorrie, dom, dom, znowu dom…

– To moja mama próbowała się dowiedzieć, gdzie się podziałam, bo długo mnie nie było.

Tegan zmarszczyła brwi.

– Osiem zero cztery, pięć pięć pięć, trzy sześć trzy zero? Kto to?

– Pomyłka. Odebrałam, ale nikt się nie odezwał.

Wcisnęła guzik i przyłożyła telefon do ucha.

– Co robisz? – zapytałam.

– Sprawdzam to połączenie. A jeżeli Jeb dzwonił z czyjegoś telefonu?

– Nie dzwonił – zapewniłam ją.

– Osiem zero cztery to Wirginia – zauważyła Dorrie. – Może wybrał się na tajną eskapadę do Wirginii?

– Nie – zaprzeczyłam. To Tegan łapała się ostatniej deski ratunku, nie ja. Mimo to, gdy ostrzegawczo uniosła palec, puls mi przyspieszył.

– Cześć – odezwała się Tegan. – Mogę spytać, kto dzwoni?

– To ty dzwonisz, ofiaro – zwróciła jej uwagę Dorrie.

Tegan zarumieniła się.

– Przepraszam – powiedziała do słuchawki – chciałam spytać, kto mówi?

Dorrie czekała cierpliwie przez pół sekundy.

– No i? Kto mówi?

Tegan zamachała ręką w geście: cicho, przeszkadzasz mi.

– Ja? – zwróciła się do tajemniczej osoby po drugiej stronie linii. – Nie, bo to czyste szaleństwo. Gdybym wrzuciła moją komórkę w zaspę śniegu, dlaczego miałabym...

Tegan przerwała i odsunęła telefon od ucha. Z głośnika dobiegły szczebiotliwe głosiki niczym z *Alvina i wiewiórek*.

– Ile wy macie lat? – zainteresowała się Tegan. – I, hej, przestańcie przekazywać sobie telefon z rąk do rąk. Chcę tylko wiedzieć... Przepraszam, czy możemy wrócić do... – Szczęka jej opadła. – Nie! Mowy nie ma. Rozłączam się, a wy idźcie... pobawić się na huśtawce.

Rozłączyła się.

– Dacie wiarę? – zwróciła się do nas z oburzeniem. – Mają osiem lat! Osiem! I chciały, żebym im powiedziała, na czym polega francuski pocałunek! Potrzebują radykalnego przeprogramowania.

Spojrzałyśmy na siebie z Dorrie, która zapytała Tegan:

– Osoba, która dzwoniła do Addie, to ośmioletnia dziewczynka?

– Niejedna. Była ich cała gromada, paplały bez ustanku. Bla-bla-bla! – Pokręciła głową. – Mam nadzieję, że my nie byłyśmy takie irytujące w ich wieku.

– Tegan? – Dorrie nie ustępowała. – Trudno coś z ciebie wydobyć. Dowiedziałaś się, dlaczego gang ośmiolatek dzwonił do Addie?

– O, przepraszam. Hm, to chyba nie one, ponieważ wyznały, że to właściwie nie ich telefon. Twierdziły, że znalazły go kilka godzin temu, kiedy jakaś dziewczyna cisnęła nim w zaspę.

– Słucham? – zaniepokoiła się Dorrie.

Zaczęły swędzieć mnie dłonie. Nie podobała mi się ta „jakaś" dziewczyna.

– Proszę cię, wyjaśnij, u diabła, o czym ty mówisz – zdenerwowałam się.

– No cóż – westchnęła Tegan – nie jestem pewna, czy one wiedziały, o czym mówią, ale powiedziały, że ta dziewczyna...

– Ta, która rzucała telefonem? – upewniła się Dorrie.

– Tak. Towarzyszył jej chłopak, byli w sobie baaaardzo zakochani, co ośmiolatki wiedziały, ponieważ „się lizali". A potem poprosiły, żebym je nauczyła, jak się całuje po francusku!

– Nie da się tego nauczyć przez telefon – zauważyła trzeźwo Dorrie.

– Poza tym one mają osiem lat! To niemowlęta! Nie muszą się całować po francusku i koniec, kropka. I „lizali się"? No, błagam!

– Hej, Tegan – przerwałam jej – czy ten chłopak to był Jeb?

Natychmiast przeszło jej całe rozbawienie. Widziałam to wyraźnie. Przygryzła wargę, otworzyła mój telefon i wcisnęła ponowne wybieranie.

– Nie mam czasu na pogaduszki – uprzedziła prosto z mostu. Odsunęła telefon, krzywiąc się, po czym znów przyłożyła go do ucha. – Nie! Cicho! Mam jedno, jedyne pytanie. Ten chłopak od tej dziewczyny... jak on wyglądał?

Z telefonu popłynęły wiewiórcze głosy, ale nie umiałam rozróżnić słów. Przyglądałam się twarzy Tegan, obgryzając paznokieć kciuka.

– Aha, dobra – powiedziała. – Naprawdę? Jakie to słodkie!

– Tegan – warknęłam przez zaciśnięte zęby.

– Muszę lecieć, pa – rzuciła i zamknęła klapkę telefonu. Odwróciła się do mnie. – Na pewno nie Jeb, ponieważ tamten koleś miał kręcone włosy. No i super! Zagadka rozwiązana!

– A dlaczego powiedziałaś: „Jakie to słodkie"? – zainteresowała się Dorrie.

– Bo po całowaniu dziewczyny rzucającej telefonem chłopak wykonał taniec radości i, wyciągając pięść do góry, zakrzyknął: „Jubilatka!".

Dorrie zrobiła minę wyrażającą: „Dobra, ciekawa historia".

– No co? – zdziwiła się Tegan. – Nie chciałabyś, żeby facet po pocałunku z tobą wykonał taniec radości?

– „Jubilatka"? Może jedli przedtem deser? – zasugerowałam.

Spojrzały na mnie.

Odwzajemniłam ich spojrzenie i pstryknęłam palcami.

– No, wiecie, z wiśniami? Wiśniowa jubilatka? – powiedziałam.

Dorrie odwróciła się do Tegan.

– Nie, nie chciałabym, żeby jakiś facet wrzeszczał z powodu moich wisienek.

Tegan parsknęła śmiechem, ale zaraz się uspokoiła, widząc, że mnie nie jest wesoło.

– Ale to nie był Jeb – powtórzyła. – Więc chyba dobrze?

Nie odpowiedziałam. Nie chciałam, żeby Jeb całował obce dziewczyny w Wirginii, ale jeśli Całuśny Patrol ośmiolatek miał jakimś cudem wieści na jego temat, bardzo chciałabym je poznać. Gdyby na przykład chłopak, którego widziały, nie miał kręconych włosów i zamiast całować dziewczynę na przykład zatrzasnął się w przenośnej kabinie toaletowej... Gdyby Całuśny Patrol przekazał coś takiego Tegan, to by była dobra nowina, bo oznaczałaby, że Jeb miał powód, by się nie pojawić na spotkaniu.

Choć oczywiście nie chciałam, żeby się zatrzasnął w przenośnej ubikacji.

– Addie? Wszystko w porządku? – zaniepokoiła się Tegan.

– Wierzycie w magię świąt? – zapytałam.

– Co? – zdziwiła się.

– Ja nie, bo jestem Żydówką – odrzekła Dorrie.

– Tak, wiem. Zapomnijcie, durne pytanie.

Tegan spojrzała na Dorrie.

– A wierzysz w magię Chanuki?

– Co?

– Albo, wiem, w anioły! – olśniło Tegan. – Wierzysz w anioły?

Teraz obie z Dorrie gapiłyśmy się na nią.

– Ty zaczęłaś – broniła się Tegan. – Magia Bożego Narodzenia, magia Chanuki, magia świąt... – Rozłożyła ręce dłońmi do góry, jakby odpowiedź była oczywista. – Anioły!

Dorrie prychnęła. Ja nie, bo być może moje samotne serce skłaniało się ku tej myśli, nawet jeśli nie chciałam przyznać się do tego głośno.

– W zeszłą Wigilię, kiedy Jeb pocałował mnie w Starbucksie, przyszedł ze mną do domu, a potem razem z rodzicami i Chrisem oglądaliśmy *To wspaniałe życie* – powiedziałam.

– Widziałam ten film – przyznała Dorrie. – Jimmy Stewart prawie skacze z mostu, bo ma dość swojego życia?

Tegan wycelowała we mnie palec.

– A anioł odwodzi go od tej decyzji. Tak.

– Właściwie nie był wtedy jeszcze aniołem – zauważyła Dorrie. – Uratowanie Jimmy'ego Stewarta było jego egzaminem na anioła. Musiał uświadomić Jimmy'emu, że jego życie jest jednak coś warte.

– Udało mu się, wszystko się ułożyło, a anioł dostał swoje skrzydła! – dokończyła Tegan. – Pamiętam. Była taka scena już pod koniec: na choince wisiał srebrny dzwoneczek i nagle bez niczyjej interwencji zaczął dzwonić: dyń, dyń, dyń.

Dorrie wybuchnęła śmiechem.

– Dyń, dyń, dyń? Tegan, wykończysz mnie.

– A córeczka Jimmy'ego Stewarta – ciągnęła niezrażona przyjaciółka – powiedziała: „Za każdym razem gdy dzwoni dzwoneczek, jakiś anioł dostaje skrzydła". – Westchnęła z zadowoleniem.

Dorrie okręciła krzesło, tak że teraz siedziały twarzami do mnie. Tegan zachwiała się, ale chwyciła się podłokietnika i odzyskała równowagę.

– Magia Bożego Narodzenia, magia Chanuki, *To wspaniałe życie*? – zwróciła się do mnie Dorrie, unosząc brwi. – Wyjaśnisz nam to?

– Nie zapominaj o aniołach – dorzuciła Tegan.

Usiadłam na krawędzi łóżka.

– Wiem, że zrobiłam potworną rzecz i że naprawdę bardzo, bardzo zraniłam Jeba. Ale jest mi przykro. Czy to się w ogóle nie liczy?

– Oczywiście, że się liczy – zapewniła mnie Tegan ze współczuciem.

Poczułam ściskanie w gardle. Nie chciałam patrzeć na Dorrie, bo wiedziałam, że na pewno przewraca oczami.

– Skoro tak – nagle mówienie stało się bardzo trudne – to gdzie jest mój anioł?

Rozdział 4

– Anioły śmoły boły – prychnęła Dorrie. – Daj już spokój.

– Nie, nie dawaj spokoju – zaprotestowała Tegan. Lekko trzepnęła przyjaciółkę dłonią. – Udajesz Grincha, ale w głębi duszy wcale taka nie jesteś.

– Nie jestem Grinchem – sprostowała Dorrie. – Jestem realistką.

Tegan wstała z krzesła i usiadła koło mnie.

– To, że Jeb nie zadzwonił, nie musi wcale niczego oznaczać. Może pojechał do rezerwatu odwiedzić tatę. Chyba mówił, że w rezerwie komórki mają fatalny zasięg?

Jeb nauczył nas nazywać rezerwat „rezerwą", dzięki czemu czułyśmy się obyte. Ale znajome słowo w ustach Tegan jeszcze bardziej wzmogło moje przygnębienie.

– Jeb był w rezerwie – wyjaśniłam – ale już wrócił. A wiem to stąd, że podła Brenna przypadkiem wpadła do Starbucksa w poniedziałek i stojąc w kolejce, przypadkiem przedstawiła wszystkim dokładne plany Jeba na całe ferie świąteczne. Była z Meadow, której skarżyła się na cały głos: „Jestem taka zdołowana, że Jeb wyjechał. Ale wraca w Wigilię i może pójdę go odebrać na dworzec!".

– Czy to cię popchnęło do napisania tego maila? – spytała Dorrie. – To, że Brenna o nim mówiła?

– Nie popchnęło, ale mogło mieć na mnie jakiś wpływ. – Nie podobał mi się sposób, w jaki przyjaciółka na mnie patrzyła. – I co?

– Może zatrzymała go zamieć? – zasugerowała Tegan.

– I nadal w niej tkwi? I wrzucił swoją komórkę w śnieg, jak ta dziewczyna od całowania, i dlatego nie dzwoni? I nie ma dostępu do komputera, bo musiał wybudować igloo na noc, ale nie podłączył do niego prądu?

Tegan nerwowo wzruszyła ramionami.

– Może.

– Nie ogarniam tego – wyznałam. – Nie przyszedł, nie zadzwonił, nie napisał. Nic nie zrobił.

– Może chciał ci złamać serce, tak jak ty złamałaś jemu – rzuciła Dorrie.

– Dorrie! – Łzy znów napłynęły mi do oczu. – Dlaczego mówisz takie okropne rzeczy?

– A może nie, nie wiem. Ale, Adds… ty naprawdę bardzo go zraniłaś.

– Wiem! Właśnie sama się do tego przyznałam!

– Głęboko, boleśnie, paskudnie. Jak wtedy gdy Chloe zerwała ze Stuartem. – Chloe Newland i Stewart Weintraub zyskali specyficzną sławę w naszym liceum. Chloe przez to, że zdradziła Stewarta, a Stewart przez to, że nie umiał się z tym pogodzić. A zgadnijcie, gdzie ze sobą zerwali? W Starbucksie. Chloe obściskiwała się tam z innym kolesiem – w toalecie! Co za porażka! – kiedy przyszedł Stuart i ich nakrył, a ja byłam świadkiem tego wszystkiego.

– Kurka! – jęknęłam. Dotknęło mnie to, bo tamtego dnia byłam totalnie wściekła na Chloe. Uznałam, że jest taka... bezlitosna, skoro potrafiła zdradzić swojego chłopaka. Kazałam jej wyjść i tak mnie poniosło, że aż Christina wzięła mnie na dywanik. Powiedziała, że na przyszłość nie wolno mi wyrzucać klientek Starbucksa z lokalu tylko dlatego, że są okrutnymi sukami.

– Sugerujesz... – Próbowałam odczytać minę Dorrie. – Sugerujesz... że jestem taka jak Chloe?

– Oczywiście, że nie! – wtrąciła się Tegan. – Nie sugeruje, że ty jesteś jak Chloe, tylko że Jeb jest jak Stuart. Prawda, Dorrie?

Przyjaciółka nie odpowiedziała od razu. Wiedziałam, że ma słabość do Stuarta, jak wszystkie dziewczyny z naszego roku. Był świetnym chłopakiem. Chloe potraktowała go koszmarnie. Ale instynkty opiekuńcze Dorrie sięgały jeszcze głębiej, ponieważ oprócz niej Stuart był jedynym Żydem w naszej szkole i łączyła ich szczególna więź.

Doszłam do wniosku, że to dlatego wspomniała o sprawie Stuarta i Chloe. Wcale nie chciała porównywać mnie z dziewczyną, która prócz tego, że była zimnokrwistą suką, malowała usta czerwoną szminką w odcieniu zupełnie niepasującym do jej karnacji.

– Biedny Stuart – westchnęła Tegan. – Chciałabym, żeby kogoś sobie znalazł. Kogoś, kto będzie na niego zasługiwał.

– Tak, tak – poparłam ją. – Całym sercem jestem za tym, żeby Stuart znalazł prawdziwą miłość. Powodzenia, Stuarcie. Ale, Dorrie, zapytam jeszcze raz: twierdzisz, że ja jestem Chloe w tej historii?

– Nie – zaprzeczyła Dorrie. Zacisnęła powieki i potarła czoło, jakby rozbolała ją głowa. Opuściła dłoń i napotkała moje uporczywe spojrzenie. – Adeline, kocham cię. Zawsze będę cię kochała. Ale…

Poczułam zimne ciarki na plecach, bo żadna wypowiedź łącząca „kocham cię" z „ale" nie mogła skończyć się dobrze.

– Ale co?

– Wiesz, że pochłaniają cię własne dramaty. Tak jak nas wszystkich, nie przeczę. Ale w twoim wypadku to stało się już sztuką. A czasami…

Wstałam z łóżka, biorąc ze sobą koc. Owinęłam go znów wokół głowy i przytrzymałam pod brodą.

– Tak?

– Czasami bardziej martwisz się o siebie niż o innych.

– A więc uważasz, że jestem jak Chloe! Uważasz, że jestem zimną, egocentryczną suką!

– Nie zimną – zaprzeczyła szybko Dorrie. – W żadnym wypadku zimną.

– I nie jesteś… – Tegan urwała – sama wiesz kim. Wcale taka nie jesteś.

Nie umknęło mi, że żadna z nich nie oprotestowała mojego egocentryzmu.

– O mój Boże! – jęknęłam. – Mam kryzys, a moje najlepsze przyjaciółki zmówiły się i mnie atakują.

– Nie atakujemy cię! – oburzyła się Tegan.

– Przepraszam, nie słyszę – powiedziałam. – Jestem zbyt zaabsorbowana sobą.

– Nie słyszysz, bo masz koc na uszach – sprostowała Dorrie. Podeszła do mnie. – Mówię tylko…

– La-la-la! Nadal nie słyszę!

– …że nie powinnaś wracać do Jeba, dopóki nie zyskasz absolutnej pewności.

Serce waliło mi jak szalone. Znajdowałam się we własnym pokoju z najlepszymi przyjaciółkami, teoretycznie zupełnie bezpieczna, a umierałam ze strachu przed tym, co jedna z nich miała zamiar mi powiedzieć.

– Jakiej pewności? – zdołałam zapytać.

Dorrie zsunęła mi kaptur z głowy.

– Napisałaś w mailu, że się zmieniłaś – powiedziała ostrożnie. – A ja tylko się zastanawiam, czy rzeczywiście. Czy, no wiesz, zastanowiłaś się nad sobą, żeby zrozumieć, co w ogóle powinnaś zmienić.

Przed oczami zaczęły mi latać mroczki. Prawdopodobnie groził mi atak hiperwentylacji, od którego zaraz zemdleję, uderzę się w głowę i umrę, a owijający mnie ciasno koc zabarwi się krwią.

– Wyjdź! – poleciłam Dorrie, wskazując drzwi.

Tegan skurczyła się w sobie.

– Addie… – powiedziała Dorrie uspokajającym tonem.

– Mówię poważnie. Idź sobie. I nie wrócę do Jeba, wiesz? Bo on nie przyszedł na spotkanie. Kogo więc obchodzi, czy ja się naprawdę zmieniłam? To nie ma żadnego znaczenia!

Dorrie uniosła dłonie.

– Masz rację. Jestem do bani. Wybrałam zły moment.

– Raczej. Podobno jesteś moją przyjaciółką!

– Ona jest twoją przyjaciółką – zapewniła mnie Tegan.
– Możecie przestać się żreć? Obie?

Odwróciłam się i przypadkowo pochwyciłam swoje odbicie w lustrze. Początkowo nie rozpoznałam, że to ja:

nie moje włosy, nie mój grymas twarzy, nie moje udręczone oczy. Kim jest ta szalona dziewucha? – pomyślałam.

Poczułam dłoń na ramieniu.

– Addie, przepraszam – powiedziała Dorrie. – Jak zawsze mielę jęzorem bez namysłu. Ja tylko...

Umilkła, ale tym razem nie powiedziałam: „Tylko co?".

– Przepraszam – powtórzyła.

Wbiłam palce w leżący obok koc. Po kilku długich sekundach lekko skinęłam głową. Ale i tak jesteś do bani – dopowiedziałam w myślach, choć była to nieprawda.

Dorrie ścisnęła moje ramię, a potem opuściła rękę.

– Chyba powinnyśmy się zbierać, co, Tegan?

– Chyba tak – zgodziła się przyjaciółka, bawiąc się rąbkiem koszulki. – Ale nie chcę, żeby ten wieczór skończył się złym akcentem. Przecież są święta.

– Już się kończy złym akcentem – mruknęłam.

– Wcale nie – zaprotestowała Dorrie. – Pogodziłyśmy się. Tak, Addie?

– Nie to miałam na myśli – odparłam.

– Przestańcie – interweniowała Tegan. – Mam dla was dobrą wiadomość, w ogóle niezwiązaną z rozstaniami, złamanymi sercami i kłótniami. – Spojrzała na nas błagalnie. – Posłuchacie?

– Oczywiście – zgodziłam się. – Przynajmniej ja. Nie mogę się wypowiadać w imieniu Grincha.

– Chętnie usłyszę coś dobrego dla odmiany – zapewniła Dorrie. – Chodzi o Gabriela?

– Gabriela? Kim jest Gabriel? – zapytałam. I nagle sobie przypomniałam. – A! Gabriel! – Wolałam nie patrzeć na

Dorrie, bo wiedziałam, że uznała moje słowa za kolejny dowód, iż myślę wyłącznie o sobie.

– Dostałam cudowną wiadomość, zanim przyszłyśmy – wyjaśniła Tegan. – Tylko nie chciałam o niej mówić, póki zajmowałyśmy się kryzysem Addie.

– Myślę, że załatwiłyśmy sprawę jej kryzysu – oznajmiła Dorrie. – Addie? Załatwiłyśmy?

Tej sprawy nie da się załatwić, pomyślałam.

Opadłam na podłogę i pociągnęłam Tegan, żeby usiadła obok mnie. Zrobiłam nawet miejsce dla Dorrie.

– Zdradź nam tę dobrą nowinę – poprosiłam.

– Rzeczywiście chodzi o Gabriela! – wyznała Tegan z uśmiechem. – Jutro przyjeżdża do domu!

Rozdział 5

– Przygotowałam mu już łóżeczko – rozrzewniła się Tegan. – I specjalnego pluszowego prosiaczka, żeby mu było raźniej. I kupiłam dziesięciopak grejpfrutowych gum Dubble Bubble.

– Tak, bo Gabriel je uwielbia – dorzuciła Dorrie.

– Czy świnki jedzą gumy? – zainteresowałam się.

– Nie jedzą, żują – wyjaśniła Tegan. – I mam dla niego kocyk, którym będzie mógł się otulić, smycz oraz kuwetę. Nie mam tylko błota, w którym mógłby się tarzać. Ale chyba może się tarzać w śniegu, prawda?

Zawiesiłam się na kwestii gum do żucia, ale po chwili doszłam do siebie.

– Czemu nie? – powiedziałam. – Tegan, to wspaniale!

Wzrok miała promienny.

– Będę miała własną świnkę! Będę miała zupełnie własnego prosiaczka, a to wszystko dzięki wam!

Nie mogłam powstrzymać uśmiechu. Prócz tego, że Tegan była niemożliwie urocza, miała jeszcze inną charakterystyczną cechę.

Bzika na punkcie świnek.

I był to naprawdę wielki bzik, więc skoro twierdziła, że świnie żują gumę, to musiała być prawda. Nikt nie mógł wiedzieć lepiej.

Pokój Tegan był Centralą Świniaków – na wszystkich płaskich powierzchniach stały prosiaki porcelanowe, fajansowe i drewniane. Na każde święta dawałyśmy jej wraz z Dorrie nową świnkę do kolekcji. (Oczywiście razem z Tegan wręczałyśmy też prezenty Dorrie z okazji Chanuki. W tym roku zamówiłyśmy dla niej koszulkę z takiego odjazdowego sklepu Córki Rabina. Była biała z czarnymi bufiastymi rękawkami i napisem: „Ale hucpa?").

Tegan od zawsze marzyła o żywej śwince, ale rodzice się nie zgadzali. A dokładniej, ponieważ jej ojciec uważa się za świetnego komika, jego standardową odpowiedzią było chrumkanie i słowa: „Kiedy świnie zaczną latać, złotko".

Jej mama była mniej irytująca, ale równie nieustępliwa.

– Tegan, ten uroczy prosiaczek, o którym marzysz, wyrośnie na zwierzę ważące trzysta pięćdziesiąt kilogramów – mówiła.

Rozumiałam ją. Trzysta pięćdziesiąt kilogramów to jak osiem Tegan ustawionych jedna na drugiej. Posiadanie zwierzątka domowego ważącego osiem razy więcej niż ty może nie być najlepszym pomysłem.

Ale wtedy Tegan odkryła – ta-dam! – mikrołwinki. Są przesłodkie. W zeszłym miesiącu pokazała nam w Internecie stronę o nich. Rozpływałyśmy się w „ochach" i „achach" nad zdjęciami maciupeńkich świnek, które mieszczą się w filiżance. Dorastają do wagi maksymalnie dwóch i pół kilograma, czyli jednej dwudziestej wagi Tegan, co jest o wiele lepszą opcją niż ponadtrzystukilowy wieprzek.

Tak więc Tegan skontaktowała się z hodowczynią, a potem zaczęła urabiać rodziców. Kiedy negocjacje trwały, ja i Dorrie również skontaktowałyśmy się z tą kobietą. Zanim rodzice wyrazili oficjalną zgodę, klamka zapadła: ostatni z maleńkich prosiaczków został opłacony i zarezerwowany.

– Kocham was! – zapiszczała Tegan, gdy jej o tym opowiedziałyśmy. – Jesteście najlepszymi przyjaciółkami na świecie. Ale... co jeśli rodzice się nie zgodzą?

– Musimy zaryzykować – stwierdziła Dorrie. – Te miniświnki szybko schodzą.

– To prawda – potwierdziłam. – Dosłownie odlatują z półek.

Dorrie zachrumkała, a ja posunęłam się jeszcze dalej. Zamachałam skrzydłami i zawołałam:

– Leć! Leć do domu, świneczko!

Zakładałyśmy, że Gabriel już powinien wylecieć do domu, że tak to ujmę. W zeszłym tygodniu Tegan dostała wiadomość od hodowczyni, że mama Gabrysia przestała go karmić, więc zaczęłyśmy planować wyjazd na Farmę Świń Fancy Nancy, żeby go odebrać. Farma leżała w Maggie Valley, około trzystu kilometrów od nas, więc bez problemu można było tam pojechać i wrócić tego samego dnia.

A potem nadeszła śnieżyca. I nasze plany spaliły na panewce.

– Nancy zadzwoniła dzisiaj i zgadnijcie co? – powiedziała Tegan. – Sytuacja w Maggie Valley nie wygląda tak źle, więc zdecydowali się pojechać do Asheville na sylwestra. A ponieważ Gracetown jest po drodze, to wpadną i podrzucą Gabriela do sklepu Zwierzaczek. Mogę go odebrać już jutro!

– Do tego Zwierzaczka naprzeciwko Starbucksa? – zapytałam.

– Dlaczego tam? – zainteresowała się Dorrie. – Nie mogą ci go przywieźć do domu?

– Nie, bo boczne ulice nie zostały odśnieżone – wyjaśniła Tegan. – Nancy kumpluje się z facetem, który prowadzi Zwierzaczka, więc zostawi jej klucz. Obiecała, że przyklei na transporterze kartkę z informacją: „Tę świnkę może adoptować tylko Tegan Shepherd!".

– Adoptować? – zdziwiłam się.

– Tak mówią w sklepach zoologicznych, zamiast „kupić" – wyjaśniła Dorrie. – I dzięki Bogu, że Nancy zostawi tę karteczkę, bo z pewnością od samego rana tysiące ludzi będą szturmować sklep, żeby kupić mikroświnkę.

– Cicho bądź – upomniała ją Tegan. – Pojadę po niego do miasta, gdy tylko przejedzie pług. – Złożyła dłonie jak do modlitwy. – Proszę, proszę, proszę, żeby pojawił się na naszym osiedlu jak najwcześniej!

– Możesz pomarzyć – rzuciła zgryźliwe Dorrie.

– Hej! – Przyszedł mi do głowy pewien pomysł. – Mam jutro ranną zmianę, więc tata pozwoli mi wziąć explorera.

Dorrie naprężyła muskuły.

– Addie mieć explorer! Addie nie potrzebować pług!

– Żebyś wiedziała – odrzekłam. – To nie to, co, hm, anemiczny civic.

– Nie mów źle o civicu! – zaprotestowała Tegan.

– Och, kochana, tak jakby musimy mówić o nim źle – stwierdziła Dorrie.

– W każdym razie – ucięłam dyskusję – z chęcią odbiorę Gabriela, jeśli chcesz.

– Naprawdę? – ucieszyła się Tegan.

– A Starbucks będzie w ogóle otwarty? – powątpiewała Dorrie.

– Stara – odparłam – ni wiatr, ni słota, ni grad, ni śnieg nie sprawią, że Starbucks zwolni swój bieg.

– Stara – zrewanżowała się Dorrie – to o poczcie, a nie o Starbucksie.

– Ale w przeciwieństwie do poczty Starbucks podchodzi do tego poważnie. Będzie otwarty, gwarantuję.

– Addie, na dworze są przecież trzymetrowe zaspy.

– Christina powiedziała, że otwieramy, to otworzymy. – Zwróciłam się do Tegan: – A zatem tak, pojadę do miasta diabelnie wcześnie i mogę odebrać Gabrysia.

– Super! – ucieszyła się przyjaciółka.

– Czekajcie – ostudziła nas Dorrie. – Nie zapominacie o czymś?

Zmarszczyłam czoło.

– Nathan Krugle? – dodała Dorrie. – Pracuje w Zwierzaczku i nienawidzi cię z całego serca?

Żołądek opadł mi do pięt. Przez całą tę gadaninę o świniach zupełnie zapomniałam o Nathanie. Jak mogłam o nim zapomnieć?

Uniosłam brodę.

– Masz takie pesymistyczne podejście. Poradzę sobie z Nathanem, jeżeli w ogóle jutro pracuje, a raczej nie, bo pewnie pojechał na jakiś startrekowy konwent czy coś w tym rodzaju.

– Już szukasz wymówek? – zapytała Dorrie.

– Nieee, już demonstruję mój absolutny i kompletny brak egocentryzmu. Nawet jeżeli Nathan tam będzie, Tegan jest ważniejsza.

Dorrie nie wyglądała na przekonaną.

– Zrobię sobie przerwę o dziewiątej – zwróciłam się do Tegan – i będę pierwszą osobą, która przekroczy próg Zwierzaczka, okay? – Podeszłam do biurka, wyrwałam kartkę z notatnika *Hello Kitty* i zapisałam fioletowym długopisem: „Nie zapomnieć o śwince!". Podeszłam do komody, położyłam na blacie koszulkę na jutro i przykleiłam do niej notatkę.

– Zadowolona? – zapytałam, trzymając koszulkę, żeby przyjaciółki mogły się jej przyjrzeć.

– Zadowolona – odpowiedziała z uśmiechem Tegan.

– Dziękuję – powiedziałam znacząco, tonem dając do zrozumienia, że Dorrie powinna się uczyć ufności od naszej przyjaciółki. – Obiecuję, że cię nie zawiodę.

Rozdział 6

Tegan i Dorrie zaczęły zbierać się do wyjścia i wśród pożegnalnych objęć na jakieś dwie minuty zapomniałam o moim złamanym sercu. Ale gdy tylko poszły, ciężar znów mnie przytłoczył.

Witaj, powiedział smutek. Wróciłem. Tęskniłaś?

Tym razem zawiódł mnie do wspomnień z ostatniej niedzieli, tego ranka po imprezie u Charliego, najgorszego w moim życiu. Pojechałam do Jeba. Nie uprzedziłam go o wizycie i początkowo ucieszył się, że mnie widzi.

– Dokąd wczoraj uciekłaś? – zapytał. – Nigdzie nie mogłem cię znaleźć.

Rozpłakałam się. Jego ciemne oczy przepełniła troska.

– Addie, nie gniewasz się już, prawda? Za tę naszą sprzeczkę?

Próbowałam odpowiedzieć. Nie udało mi się.

– To nawet nie była sprzeczka – uspokajał mnie. – To nie było… nic.

Rozpłakałam się jeszcze bardziej, a on ujął mnie za ręce.

– Kocham cię, Addie. Postaram się lepiej to okazywać. Dobrze?

Gdyby w jego pokoju była skała, rzuciłabym się z niej. Gdyby na komodzie leżał sztylet, zatopiłabym go w swojej piersi.

Zamiast tego wyznałam mu prawdę o Sprawie Charliego.

– Tak mi przykro – powiedziałam, szlochając. – Myślałam, że będziemy ze sobą już zawsze. Chciałam z tobą spędzić całe życie!

– Addie… – odezwał się. Próbował wszystko pojąć, ale w tamtej chwili obchodziło go głównie to – a jestem tego pewna, bo znam Jeba – że rozpaczam. To było jego największe zmartwienie. Uścisnął moje dłonie.

– Przestań! – rzuciłam. – Nie możesz być dla mnie taki dobry! Nie wtedy, gdy ze sobą zrywamy!

Był kompletnie zdezorientowany.

– Zrywamy? Ty… chcesz być z Charliem, a nie ze mną?

– Nie. Boże, nie! – Wyrwałam mu dłonie. – Zdradziłam cię, wszystko zepsułam, więc… – Przerwał mi szloch. – Więc muszę pozwolić ci odejść.

Nadal nie nadążał.

– A jeśli… ja nie chcę?

Płakałam tak bardzo, że nie mogłam złapać tchu, ale pamiętam moment, w którym pomyślałam – nie, po prostu to wiedziałam – że Jeb jest o wiele lepszym człowiekiem niż ja. Był najcudowniejszym, najwspanialszym facetem na świecie, a ja byłam zupełnym zerem, które nawet nie zasługiwało , by na nie napluł. Byłam upośladkiem. Byłam takim samym upośladkiem jak Charlie.

– Muszę iść – oznajmiłam w końcu, ruszając do drzwi.

Chwycił mnie za nadgarstek. Jego mina mówiła: „Nie rób tego, proszę".

Ale musiałam. Czy on nic nie rozumiał?

Wyrwałam rękę i zmusiłam się do wypowiedzenia tych słów:

– Jeb… to koniec.

Zacisnął zęby, a ja odczułam perwersyjne zadowolenie. Właśnie tak, powinien być na mnie wściekły. Powinien mną gardzić.

– Idź – powiedział.

I poszłam.

Tak się to wszystko odbyło… A teraz stałam przy oknie w swoim pokoju, obserwując, jak sylwetki moich przyjaciółek robią się coraz mniejsze. Śnieg w świetle księżyca wydawał się srebrny, a mnie od samego patrzenia robiło się zimno.

Zastanawiałam się, czy Jeb mi kiedykolwiek przebaczy.

Zastanawiałam się, czy kiedykolwiek przestanę się czuć tak nędznie.

Zastanawiałam się, czy Jeb też czuje się tak nędznie jak ja, i zaskoczyłam samą siebie nadzieją, że może nie. To znaczy, chciałam, żeby czuł się troszkę nieszczęśliwy, a nawet całkiem nieszczęśliwy, ale nie chciałam, by czuł, że ma w sercu zamarzniętą bryłę rozpaczy. Był taki dobry, więc jeszcze dziwniejsze wydawało się to, że wczoraj nie przyszedł na spotkanie.

Jednak to nie była jego wina, że tak nawaliłam, i gdziekolwiek się teraz znajdował, miałam nadzieję, że ma w sercu ciepło.

Rozdział 7

– Brrr – mruknęła Christina, otwierając drzwi do Starbucksa o wpół do piątej następnego ranka. O wpół do piątej! Słońce miało wzejść dopiero za półtorej godziny, a parking wyglądał jak upiorny pejzaż, gdzieniegdzie urozmaicony zasypanymi śniegiem samochodami. Chłopak Christiny zatrąbił, wyjeżdżając na Dearborn Avenue, a ona odwróciła się i mu pomachała. Odjechał i zostałyśmy tylko my, śnieg i ciemna kawiarnia.

Christina pchnęła drzwi, a ja pospieszyłam za nią.

– Ale mróz – zauważyła.

– No, nie mów – rzuciłam. Jazda z domu była karkołomna, mimo zimowych opon i łańcuchów na kołach, a po drodze minęłam kilkanaście samochodów porzuconych przez mniej śmiałych kierowców. W jednej zaspie zauważyłam odciśnięty kształt całego SUV-a albo jakiegoś innego dużego auta. Jak to możliwe? Jakim cudem skretyniały kierowca nie zauważył dwumetrowej ściany śniegu?

Dopóki nie przejedzie pług, Tegan nie ma szans nigdzie dojechać swoim małym civikiem.

Tupnęłam mocno, żeby strząsnąć bryłki śniegu z kozaków, zdjęłam je i poszłam w samych skarpetach na zaplecze. Wcisnęłam sześć włączników obok kratki wentylacyjnej i kawiarnię zalało światło.

Jesteśmy niczym gwiazdka bożonarodzeniowa zapalona przez anioły, pomyślałam, wyobrażając sobie, jak to światełko musi wyglądać w czarnym jak smoła mieście. Tylko że Boże Narodzenie dobiegło końca, a żadne anioły się nie pojawiły.

Zdjęłam czapkę oraz kurtkę i włożyłam czarne drewniaki pasujące do czarnych spodni. Poprawiłam notatkę „Nie zapomnieć o śwince!" przyklejoną do firmowej koszulki z napisem: „Mówisz, masz". Dorrie nabijała się z niej, jak ze wszystkiego, co związane ze Starbucksem, ale się nie przejmowałam. Tu czułam się bezpieczna. A także smutna, ponieważ to miejsce przywoływało wiele wspomnień o Jebie.

Mimo to znajdowałam pociechę w unoszących się w kawiarni zapachach i w rutynowych czynnościach, a szczególnie w muzyce. Można ją nazywać „korporacyjną" czy „sieciową", ale jest niezła.

– Hej, Christina – zawołałam – masz ochotę posłuchać *Alleluja*?

– Jasne! – odkrzyknęła.

Włożyłam do odtwarzacza płytę *Lifted: Songs of The Spirit* (z której Dorrie oczywiście szydziła) i wybrałam utwór siódmy. Głos Rufusa Wainwrighta wypełnił kawiarnię, a ja pomyślałam: Ech, słodki dźwięk Starbucksa.

Dorrie nie potrafiła docenić – wraz z milionami osób wypowiadających się ze wzgardą o Starbucksie – że jego pracownicy są po prostu ludźmi jak wszyscy inni. Owszem, Starbucks należał do jakiegoś przemądrzałego tatuśka, i owszem, był sieciową knajpą. Ale Christina mieszkała w Gracetown tak jak Dorrie. I jak ja. I reszta baristów. O co więc ten hałas?

Wyszłam z zaplecza i zaczęłam rozpakowywać ciasta pozostawione przez Carlosa, dostawcę jedzenia. Nagle moje spojrzenie spoczęło na fioletowych fotelach przy wejściu i łzy przesłoniły mi obraz dietetycznych muffinów jagodowych.

Przestań, nakazałam sobie. Weź się, do cholery, w garść, albo czeka cię bardzo długi dzień.

– Rany! – zawołała Christina, której stopy pojawiły się w polu mojego widzenia. – Obcięłaś włosy!

Uniosłam głowę.

– Aha... tak.

– I zafarbowałaś na różowo.

– To chyba nie problem?

Starbucks hołduje standardom neutralnego wyglądu, które zabraniają noszenia kolczyków w nosie, piercingu na twarzy i widocznych tatuaży – co oznacza, że można mieć tatuaże i piercing, tylko nie można ich pokazywać. Byłam przekonana, że nie istnieją żadne wytyczne co do różowych włosów. Ale też, prawdę mówiąc, ten temat nigdy jeszcze nie wypłynął.

– Hmm – mruknęła Christina, przyglądając się mojej fryzurze. – Nie, skądże. Po prostu mnie zaskoczyłaś.

– Siebie też – odpowiedziałam pod nosem.

Nie było to przeznaczone dla jej uszu, ale usłyszała.

– Addie, wszystko w porządku? – zaniepokoiła się.

– Oczywiście – zapewniłam.

Jej wzrok spoczął na mojej koszulce. Zmarszczyła brwi.

– O jakiej śwince masz nie zapomnieć?

– Hm? – Zerknęłam na swoją pierś. – A, nie, to nic takiego.

Przypuszczałam, że świnki mają wstęp wzbroniony do Starbucksa, i nie widziałam powodu, żeby zaprzątać Christinie głowę opowiadaniem całej historii. Schowam Gabriela na zapleczu, gdy już go odbiorę, a ona o niczym się nie dowie.

– Na pewno wszystko dobrze? – upewniła się raz jeszcze.

Uśmiechnęłam się promiennie i odkleiłam karteczkę.

– Najlepiej!

Wróciła do przygotowywania ekspresów, a ja złożyłam notatkę na pół i schowałam do kieszeni. Zaniosłam ciasta do gabloty, włożyłam gumowe rękawiczki i zaczęłam układać słodkości na tacach. *Alleluja* w wykonaniu Rufusa Wainwrighta wypełniało kawiarnię, a ja nuciłam wraz z nim. Było mi niemal przyjemnie, bo choć życie jest podłe, przynajmniej istnieje dobra muzyka.

Ale gdy wsłuchałam się w słowa piosenki – tak naprawdę, a nie tylko wpuszczając je jednym uchem i wypuszczając drugim – niemal przyjemne wrażenie minęło. Z powodu tych wszystkich alleluj zawsze myślałam, że to inspirująca piosenka o Bogu. Niestety okazało się, że przed allelujami i po nich jest tekst, i to bynajmniej nie budujący.

Rufus śpiewał o miłości, o tym, że nie może ona istnieć bez wiary. Zamarłam, bo jego słowa brzmiały aż nazbyt znajomo. Z przerażeniem uświadomiłam sobie, że to piosenka o zakochanym mężczyźnie, którego zdradziła ukochana. A te wzruszająco słodkie alleluje? Wcale nie były inspirujące, tylko „zimne i złamane" – co zostało powiedziane wprost!

Dlaczego ten utwór podobał mi się kiedykolwiek? Był przecież słaby.

Już chciałam zmienić płytę, ale zanim zdążyłam to zrobić, zaczął się następny kawałek. Gospelowa wersja *Cudownej Bożej łaski* wypełniła pomieszczenie, a ja pomyślałam: To o wiele lepsze niż zimne alleluje. I dodałam pokornie: Proszę, Boże, przydałoby mi się trochę tej łaski.

Rozdział 8

Przed piątą zakończyłyśmy poranne przygotowania. O 5.01 pierwszy klient zastukał do przeszklonych drzwi i Christina poszła otworzyć kawiarnię.

– Witamy po świętach, Earl – zwróciła się do przysadzistego mężczyzny czekającego na progu. – Nie wiedziałam, czy się dzisiaj pojawisz.

– Myślisz, że moich klientów obchodzi, jaka jest pogoda? – orzekł. – Nie liczyłbym na to, szefowo.

Wtoczył się do środka, wnosząc ze sobą powiew lodowatego powietrza. Policzki miał rumiane, a na głowie czerwono-czarną czapę z nausznikami. Był potężny, brodaty i wyglądał na drwala – co się świetnie składało, bo rzeczywiście nim był. Jeździł jedną z tych ciężarówek, na którą człowiek nigdy nie chce się natknąć na górskiej drodze, bo po pierwsze: ciężar, który wiezie, oznacza, że porusza się z szaloną prędkością trzydziestu na godzinę, a po drugie: ten ciężar to kłody drewna. Ogromne bale, ułożone w stertę wysoką na dwa metry. Gdyby zabezpieczenie puściło i gdyby spadły z paki, to jadący z tyłu samochód wyglądałby jak rozdeptany plastikowy kubek.

Christina stanęła za barem i włączyła ekspres.

– Ale to miło czuć się potrzebnym, prawda?

Earl chrząknął. Ciężkim krokiem podszedł do kasy, zerknął na mnie i spytał:

– Coś ty zrobiła z włosami?

– Obcięłam je – odrzekłam. Przyjrzałam się jego minie. – I zafarbowałam. – Ponieważ dalej nie reagował, dodałam: – Podobają się panu?

– A jakie to ma znaczenie? To twoje włosy.

– No tak, ale... – Nie wiedziałam, jak dokończyć to zdanie. Dlaczego obchodziło mnie, czy Earlowi podoba się moja fryzura? Spuściłam wzrok i wzięłam od niego pieniądze. Zawsze zamawiał to samo, więc nie było o czym rozmawiać.

Christina wlała hojną porcję spienionej śmietanki do malinowej moki Earla, skropiła ją jaskrawoczerwonym syropem malinowym i zamknęła kubek białą plastikową pokrywką.

– Proszę – obwieściła.

– Dziękuję drogim paniom – odrzekł, unosząc kubek w geście toastu i opuścił kawiarnię.

– Myślisz, że koledzy drwale żartują z Earla, dlatego że pije taką babską kawę? – zapytałam.

– Nie mogło im się to zdarzyć więcej niż jeden raz – odpowiedziała Christina.

Brzdęknął dzwonek i jakiś chłopak przytrzymał drzwi przed swoją dziewczyną. Przynajmniej zakładałam, że to jego dziewczyna, ponieważ zachowywali się jak para – mieli takie rozanielone i rozkochane miny. Natychmiast pomyślałam o Jebie – udało mi się wytrzymać ile?, dwie sekundy bez myślenia o nim – i poczułam się bardzo samotna.

– Kurczę, kolejne ranne ptaszki – skomentowała Christina.

– Raczej nocne ptaszki, jak sądzę.

Chłopak, znany mi ze szkoły, miał zaczerwienione oczy i chwiejny krok osoby, która nie spała całą noc. Dziewczynę też chyba rozpoznałam, ale nie byłam pewna. Bez przerwy ziewała.

– Możesz przestać? – zwrócił się do niej chłopak. Tobin, miał na imię Tobin. Był rok wyżej ode mnie. – Wpędzasz mnie w kompleksy.

Uśmiechnęła się. I znowu ziewnęła. Czy ona nie miała na imię Angie? Tak, Angie, i zachowywała się niedziewczęco w taki sposób, przez który ja czułam się zdecydowanie zbyt dziewczęca. Nie sądzę, by robiła to świadomie. Przypuszczam, że nawet nie miała pojęcia, kim jestem.

– Po prostu super – załamał się. Zwrócił się do mnie i do Christiny, rozkładając ręce. – Ona uważa, że jestem nudny. J a ją n u d z ę, dacie wiarę?

Starałam się zachować uprzejmą, a przy tym neutralną minę. Tobin zawsze nosił porozciągane swetry i przyjaźnił się z tym Koreańczykiem, który wymyślił określenie „upośladek", a cała ich paczka była onieśmielająco inteligentna. Tak inteligentna, że przy nich czułam się tępa jak cheerleaderka, choć wcale cheerleaderką nie byłam i choć osobiście wcale nie uważam, żeby cheerleaderki były tępe. Przynajmniej nie wszystkie. No, może ta Chloe, która rzuciła Stuarta.

– Hej – powiedział Tobin, wskazując na mnie – my się znamy.

– Hm, tak – przyznałam.

– Ale twoje włosy nie zawsze były różowe.

– Nie.

– Pracujesz tutaj? Ale historia! – Odwrócił się do dziewczyny. – Ona tu pracuje. Pewnie już od lat, a ja nie miałem o tym pojęcia.

– To straszne – zakpiła dziewczyna. Uśmiechnęła się do mnie i lekko przekrzywiła głowę, jakby mówiła: „Wiem, że cię znam, i przepraszam, ale nie pamiętam twojego imienia".

– Czego chcielibyście się napić? – zapytałam.

Tobin spojrzał na tablicę z menu.

– O Chryste, dlaczego macie takie pokręcone nazewnictwo? Na przykład *grandé* zamiast duża? – Głupio przeciągnął akcent w parodii francuskiego, a Christina spojrzała na mnie wymownie. – Dlaczego nie może się po prostu nazywać duża? – zapytał.

– Może, ale *grandé* oznacza średnią – wyjaśniła Christina. – *Venti* to duża.

– *Venti,* no tak. Na litość boską, czy mógłbym złożyć zamówienie zwyczajnie po angielsku?

– Oczywiście – odpowiedziałam. Trudna sztuka zachowywania równowagi: należy dbać o zadowolenie klienta, lecz kiedy trzeba, doprowadzać go do pionu. – Mogę się trochę pogubić, ale spróbuję zrozumieć.

Usta Angie wygięły się w uśmiechu. Poczułam do niej sympatię.

– Nie, nie, nie – zaprotestował Tobin, unosząc dłonie i ostentacyjnie się wycofując. – Kiedy wlazłeś między wrony i tak dalej. Ja... niech pomyślę... czy mogę zamówić jagodowego muffina *venti*?

Nie udało mi się powstrzymać od śmiechu. Włosy Tobina sterczały, wyglądał na kompletnie wyczerpanego i, owszem, zachowywał się jak bufon. Z całą pewnością nie wiedział, jak mam na imię, chociaż chodziliśmy razem do jednej podstawówki, gimnazjum i liceum. A jednak było w nim coś uroczego, gdy speszony zerknął na Angie, która śmiała się razem ze mną.

– No co? – spytał zbity z tropu.

– Rozmiary dotyczą tylko napojów – wyjaśniłam. Angie położyła mu dłonie na ramionach i popchnęła go do gabloty z ciastami, w której stało na baczność sześć identycznych muffinów. – Muffiny mają jedną wielkość.

– Jak to muffiny – potwierdziła Christina.

Tobin zarumienił się, a ja początkowo sądziłam, że to dalsza część przedstawienia. Nieszczęśliwy kontrkulturowiec, wbrew swojej woli rzucony na szerokie wody Wielkiego Podłego Starbucksa. A potem zauważyłam, że jego rumieniec się pogłębia, i zrozumiałam... Tobin i Angie... Ich związek był czymś nowym. Na tyle nowym, że jej dotyk zdawał się wspaniałą, godną rumieńca niespodzianką.

Zalała mnie kolejna fala smutku. Przypomniało mi się to ekscytujące mrowienie na skórze.

– To mój pierwszy raz w Starbucksie – wyznał Tobin. – Poważnie. Mój absolutnie pierwszy raz, więc proszę mnie traktować z czułością.

Poszukał dłoni Angie i spletli palce. Ona też się zarumieniła.

– A zatem tylko muffin? – zapytałam, odsuwając szklane drzwiczki gabloty.

– Nie, dziękuję, nie mam już ochoty na waszego muffina. – Udawał obrażonego.

– Biedactwo! – zakpiła Angie.

Tobin spojrzał na nią, a senność i jeszcze inne uczucie zmiękczyły jego rysy.

– Może największy rozmiar latte – zaproponował. – Wypijemy na spółkę.

– Oczywiście – odrzekłam. – Z syropem?

Przeniósł wzrok na mnie.

– Z syropem?

– Orzechowym, malinowym, waniliowym, karmelowym, o smaku białej czekolady... – zaczęłam wymieniać.

– A o smaku placków ziemniaczanych?

Przez sekundę myślałam, że kpi, ale Angie wybuchnęła śmiechem, i zrozumiałam, że to pewnie taki ich prywatny żart, a nie złośliwość. Dotarło do mnie, że może jednak nie wszystko musi się kręcić wokół mojego ego.

– Przykro mi, ale takiego nie mamy.

– No dobrze – Podrapał się po głowie. – To może...

– Biała mocha z cynamonowym dolce – zadecydowała Angie.

– Świetny wybór. – Otworzyłam kasę, a Tobin zapłacił pięciodolarówką, po czym włożył drugą piątkę do słoika na napiwki. Może nie był wcale aż takim bufonem.

Ale gdy ruszyli do stolika obok wejścia, nie mogłam pohamować się, aby nie myśleć: tylko nie siadajcie na fioletowych fotelach! One należą do mnie i Jeba! Oczywiście wybrali właśnie je. Przecież były najwygodniejsze.

Angie usiadła na fotelu pod ścianą, a Tobin zapadł się obok niej. W jednej dłoni trzymał kawę. Drugą ponownie chwycił rękę dziewczyny, splatając palce i ściskając mocno.

Rozdział 9

Przed szóstą trzydzieści oficjalnie wzeszło słońce. Było ładnie, jak przypuszczam, jeśli ktoś lubi takie rzeczy. Nowe początki, nowe historie, ciepłe promienie nadziei…

Super. Nie dla mnie to wszystko.

O siódmej mieliśmy już poranny tłok, a zamówienia na cappuccino i espresso zdominowały mój świat oraz umysł, przynajmniej na chwilę.

Scott jak zwykle wpadł na chai i jak zwykle zamówił na wynos kubek spienionej śmietanki dla Maggie, swojej czarnej labradorki.

Diana, która pracowała w przedszkolu kawałek dalej, wstąpiła na latte z chudym mlekiem, a szukając karty Starbucksa w portfelu, po raz milionowy oznajmiła, że powinnam zmienić zdjęcie na tablicy ogłoszeniowej zatytułowanej: „Poznaj swoich baristów".

– Wiesz, że nienawidzę tej fotki – dodała. – Z tymi wydętymi ustami wyglądasz jak glonojad.

– A ja ją lubię – oświadczyłam. Jeb zrobił to zdjęcie w sylwestra, kiedy wraz z Tegan wygłupiałyśmy się i udawałyśmy Angelinę Jolie.

– No nie wiem dlaczego – zirytowała się Diana. – Jesteś taką ładną dziewczyną, nawet z tą – machnęła ręką, wskazując moją nową fryzurę – punkową stylizacją.

P u n k o w ą! Dobry Boże.

– Nie jest punkowa – zaprotestowałam – tylko różowa.

Znalazła kartę i mi ją podała.

– Proszę.

Przeciągnęłam ją przez czytnik i oddałam, a Diana pomachała mi nią jeszcze przed twarzą, zanim poszła po swój napój.

– Zmień to zdjęcie! – zażądała.

Johnowie, całą trójką, przyszli o ósmej i jak zwykle zajęli miejsce przy stoliku w rogu. Byli na emeryturze i lubili spędzać ranki, popijając herbatę i rozwiązując sudoku.

John numer jeden ocenił, że w nowych włosach wyglądam ponętnie, a John numer dwa powiedział mu, aby przestał flirtować.

– Mogłaby być twoją wnuczką – zwrócił uwagę koledze.

– Proszę się nie przejmować – odpowiedziałam. – Ktoś, kto używa słowa „ponętnie", i tak nie ma u mnie szans.

– Chcesz powiedzieć, że do tej pory miałem szanse? – zdziwił się John numer jeden.

Bejsbolówka z logo Carolina Tar Heels sterczała mu na czubku głowy niczym ptasie gniazdo.

– Nie – zaprzeczyłam i John numer trzy parsknął śmiechem. Przybili sobie żółwika z Johnem numer jeden, a ja pokręciłam głową. Chłopaki...

O ósmej czterdzieści pięć sięgnęłam do troczków fartucha i oznajmiłam, że wychodzę na przerwę.

– Mam szybką sprawę do załatwienia – wyjaśniłam Christinie – ale zaraz wrócę.

– Czekaj – rzuciła, chwytając mnie za przedramię, a kiedy poszłam za jej spojrzeniem, zrozumiałam dlaczego. Do Starbucksa wchodził jeden z największych elegantów w Gracetown, kierowca o imieniu Travis, który ubierał się wyłącznie w folię aluminiową. Foliowe spodnie, foliowe okrycie wierzchnie, nawet stożkowaty foliowy kapelusz.

– Dlaczego, ach, dlaczego on to nosi? – jęknęłam nie po raz pierwszy.

– Może jest rycerzem – zasugerowała Christina.

– Może piorunochronem.

– A może kurkiem na dachu i ma przewidzieć wichry zmian.

– Ooo, dobre – przyznałam i westchnęłam. – Przydałby mi się wicher zmian.

Travis podszedł do kontuaru. Oczy miał tak jasne, że wydawały się srebrne. Nie uśmiechał się.

– Dzień dobry, panie Travis – powitała go Christina. – Co podać?

Zazwyczaj prosił tylko o wodę, ale co jakiś czas miał dość gotówki na swoje ulubione ciastka, czyli rożki z lukrem klonowym. Ja też je uwielbiam, szczerze mówiąc. Wyglądają na suche, ale wcale takie nie są, a lukier klonowy rządzi.

– Mogę prosić o kubeczek do degustacji? – zapytał gburowatym tonem.

– Oczywiście – odpowiedziała. – Czego chciałby pan spróbować?

– Niczego – odparł. – Chcę tylko kubeczek.

Christina zerknęła na mnie, a ja utkwiłam wzrok w Travisie, żeby nie wybuchnąć śmiechem, bo to by było podłe. Gdy dobrze się przyjrzałam, zobaczyłam mnóstwo „mnie" odbitych w jego koszulo-kurtce. A raczej fragmentów mnie, podzielonej przez załamania na folii.

– Mamy pyszne latte z eggnogiem – zaproponowała Christina. – To nasza sezonowa specjalność.

– Tylko kubek – powtórzył Travis. Poruszył się niespokojnie. – Chcę sam kubek!

– Dobrze, dobrze. – Podała mu kubeczek.

Oderwałam wzrok od hipnotyzujących foliowych „mnie".

– Nie do wiary, że tak się pan ubrał, zwłaszcza dzisiaj – odezwałam się. – Proszę przynajmniej powiedzieć, że ma pan sweter pod tą folią.

– Jaką folią? – zapytał.

– Ha-ha – odpowiedziałam. – No serio, nie jest panu zimno?

– Nie. A tobie?

– Hm, nie. Dlaczego miałoby mi być?

– Nie wiem. Dlaczego?

Parsknęłam śmiechem, ale szybko umilkłam. Travis przyglądał mi się spod krzaczastych brwi.

– Nie jest – odpowiedziałam, rumieniąc się. – Wcale nie. Jest mi absolutnie, zupełnie dobrze, przynajmniej pod tym względem.

– Przynajmniej pod tym względem – przedrzeźnił mnie. – Wszystko musi się kręcić wokół ciebie, co?

– Słucham?! Ja nie... nie mówię o sobie! Wyjaśniłam tylko, że nie jest mi zimno!

Patrzył tak badawczo, że zrobiło mi się nieswojo.

– No dobra, może mówię o sobie w tej sekundzie – przyznałam – ale nie zawsze chodzi mi tylko o mnie.

– Pewne rzeczy nigdy się nie zmienią – rzucił pogardliwie. Odszedł z kubkiem jak z serwisu dla lalek, ale przy drzwiach odwrócił się, by oddać pożegnalny strzał. – I nie proś mnie, żebym cię gdzieś zaholował. Mam wolne!

– No... cóż – westchnęłam. Uraził moje uczucia, ale nie chciałam tego okazywać. – To było interesujące.

– Chyba nigdy nie słyszałam, żeby Travis odmówił komuś holowania – zadumała się Christina. – Poważnie, chyba jesteś pierwsza.

– Widzę, że ci zaimponowałam – zauważyłam cierpko.

Zaśmiała się, czyli wywołałam pożądaną reakcję. Ale gdy zajęła się uzupełnianiem pojemnika na serwetki, wróciły do mnie słowa Travisa: „Wszystko musi się kręcić wokół ciebie, co?".

Były niepokojąco podobne do wczorajszej wypowiedzi Dorrie: „Zastanowiłaś się nad sobą? Rozumiesz, co w ogóle powinnaś zmienić?".

Czy coś w tym rodzaju.

– Hej, Christino...?

– Tak?

– Czy ze mną jest coś nie tak?

Zerknęła znad serwetek.

– Addie, Travis jest odklejony od rzeczywistości.

– Wiem. Ale to niekoniecznie znaczy, że wszystko, co mówi, jest odklejone.

– Addie.

– Christino. Po prostu powiedz mi prawdę: jestem dobrym człowiekiem? Czy jestem może zbyt pochłonięta sobą?

Zastanowiła się.

– Musi być albo to, albo to?

– Och! – Przyłożyłam rękę do serca i się zachwiałam.

Uśmiechnęła się, myśląc, że odgrywam Zabawną Addie. I pewnie trochę tak. Ale równocześnie czułam przedziwny lęk, że wszechświat próbuje mi coś powiedzieć. Miałam wrażenie, że chwieję się na krawędzi wielkiej przepaści, tylko że ta przepaść zieje we mnie. Nie chciałam spoglądać w dół.

– Uśmiech na twarz – poleciła Christina. – Nadchodzą seniorzy.

Rzeczywiście pod Starbucksem stanęła furgonetka domu seniora Srebrne Bambosze, a kierowca ostrożnie przeprowadzał grupkę staruszków przez chodnik. Wyglądali jak kolumna porządnie opatulonych mrówek.

– Witaj, Claire – odezwała się Christina, gdy dzwonek przy drzwiach obwieścił wejście pierwszej seniorki.

– Ale szczypie w nosy! – zawołała Claire, ściągając kolorową czapkę.

Burt podszedł prosto do kontuaru i zamówił podwójną czarną, a Miles, który wlókł się za nim, zawołał:

– Jesteś pewien, że twoja pikawa to wytrzyma, staruszku?

Burt uderzył się pięścią w pierś.

– To mnie odmładza. Dlatego panie za mną szaleją, prawda, panienko Addie?

– Oczywiście – potwierdziłam, wprawiając wszechświat w osłupienie, i podałam filiżankę Christinie. Burt miał największe uszy, jakie w życiu widziałam (może dlatego, że hodował je od osiemdziesięciu kilku lat?) i zastanawiało mnie, co panie o nich sądzą.

Kolejka rosła, a my gładko weszłyśmy w zawodowe role. Ja przyjmowałam zamówienia i obsługiwałam kasę, a Christina wyczyniała cuda z maszyną do kawy.

– Grandé latte! – wołałam.

– Grandé latte – powtarzała.

– Orzechowo-karmelowa mocha venti z mlekiem sojowym bez spieniania!

– Orzechowo-karmelowa mocha venti z mlekiem sojowym bez spieniania!

To było jak taniec, który pozwalał mi wydobyć się ze środka na zewnątrz. W moim wnętrzu nadal ziała przepaść, ale musiałam jej powiedzieć: *Sorry*, stara, nie mam czasu.

Ostatnią seniorką była Mayzie z siwymi warkoczami i błogim uśmiechem. Mayzie była emerytowaną profesorką od folkloru i ubierała się po hipisowsku – w połatane dżinsy, za wielki sweter w pasy i dziesiątki koralikowych bransoletek. Uwielbiałam w niej to, że nosi się jak nastolatka, a nie jak starsza pani. Nie miałam co prawda ochoty zobaczyć jej w biodrówkach z wystającymi stringami, ale podobało mi się, że ma w nosie konwenanse.

Za nią nie było już nikogo, więc oparłam dłonie o kontuar i pozwoliłam sobie na chwilę wytchnienia.

– Hej, Mayzie – powiedziałam – jak się pani dziś czuje?

– Fantastycznie, kotku – odrzekła. Miała w uszach fioletowe kolczyki z dzwoneczkami, które brzęczały, kiedy przechylała głowę. – Podobają mi się twoje włosy.

– Nie uważa pani, że wyglądam jak oskubany kurczak?

– Ależ skąd – zaprzeczyła. – Pasują do ciebie. Świadczą o twoim optymizmie.

– Nic mi o nim nie wiadomo.

– A mnie tak. Za długo użalałaś się nad sobą, Addie. Obserwowałam cię. Czas już, żebyś przeszła przemianę.

No i znowu – przerażające poczucie, że stoję na krawędzi.

Mayzie nachyliła się w moją stronę.

– Wszyscy mamy wady, moja droga. Każdy z nas. I uwierz mi, wszyscy popełniamy błędy.

Gorąco uderzyło mi do głowy. Czy moje błędy były tak powszechnie znane, że wiedzieli o nich nawet klienci? Czy gang Srebrnych Bamboszy przy grze w bingo dyskutował o moim pocałunku z Charliem?

– Musisz tylko uczciwie się sobie przyjrzeć, zmienić to, co należy, i iść dalej, mała.

Zamrugałam w oszołomieniu.

Zniżyła głos.

– Zastanawiasz się pewnie, dlaczego ci to mówię? Otóż dlatego, że postanowiłam obrać nową profesję: anioła bożonarodzeniowego.

Czekała na moją reakcję z rozpromienioną twarzą. W kontekście wczorajszej rozmowy z przyjaciółkami wydało mi się dziwne, że Mayzie wspomniała akurat o aniele, i przez maleńki ułamek sekundy rzeczywiście zastanawiałam się, czy ona nie jest tym aniołem, który ma mnie uratować.

A potem przytłoczyła mnie zimna, twarda rzeczywistość, i poczułam do siebie nienawiść za to, że zachowuję się tak głupio. Mayzie nie była żadnym aniołem. A dziś był po prostu Dzień Świra. Najwyraźniej wszyscy za bardzo objedli się słodyczami.

– Nie trzeba umrzeć, żeby zostać aniołem? – zapytałam.

– Ależ, Addie – napomniała mnie – czy ja wyglądam na umarłą?

Spojrzałam na Christinę, żeby sprawdzić, czy to słyszy, ale ona akurat wyszła, by wyrzucić kolejny worek śmieci.

Mayzie uznała mój brak odpowiedzi za zgodę na dalszy ciąg wywodu.

– To program o nazwie „Anioły wśród nas" – wyjaśniła. – Nie muszę mieć stopnia naukowego ani nic.

– Nie ma takiego programu – zaprotestowałam.

– Ależ jest. W Centrum Sztuk Niebiańskich w Gracetown.

– W Gracetown nie ma Centrum Sztuk Niebiańskich – spróbowałam jeszcze raz.

– Czasami czuję się samotna – wyznała. – Oczywiście ludzie w Srebrnych Bamboszach są wspaniali, ale bywają też... – zniżyła głos do szeptu – no cóż, nudni.

– Ooch – odpowiedziałam również szeptem.

– Pomyślałam, że jako anioł będę miała więcej okazji do miłych kontaktów z innymi – ciągnęła. – Aby dostać skrzydła, muszę tylko nieść innym magię świąt.

Prychnęłam.

– Nie wierzę w magię świąt.

– Oczywiście, że wierzysz, inaczej by mnie tu nie było.

Cofnęłam się, ogarnięta wrażeniem, że zostałam przechytrzona. No bo jak miałam odpowiedzieć na coś takiego? Otrząsnęłam się i wypróbowałam inną taktykę.

– Ale… święta się skończyły.

– Och, nie, święta nigdy się nie kończą, jeśli nie chcesz. – Pochyliła się nad ladą i wsparła podbródek na dłoni. – Święta to stan umysłu.

Przesunęła wzrok niżej.

– O mój Boże – westchnęła.

Podążyłam za jej spojrzeniem.

– Co takiego?

Róg złożonej karteczki samoprzylepnej wystawał z kieszeni moich dżinsów. Mayzie sięgnęła nad kontuarem i ją wyciągnęła. Ten gest był tak niespodziewany, że nawet nie zaoponowałam.

– „Nie zapomnij o śwince" – przeczytała, rozłożywszy notatkę. Spojrzała na mnie z przekrzywioną głową jak mały ptak.

– O kurczę – jęknęłam.

– O jakiej śwince masz nie zapomnieć?

– Eee… – Moje myśli galopowały. – To dla mojej przyjaciółki, Tegan. Co pani przygotować do picia?

Dłonie mnie świerzbiły, żeby rozwiązać fartuch i pójść wreszcie na przerwę.

– Hmm. – Mayzie postukała się palcem po brodzie.

Ja postukałam stopą w podłogę.

– Wiesz – powiedziała – czasami zapominamy zrobić coś dla innych, tak jak dla tej Tegan, dlatego że za bardzo się koncentrujemy na własnych problemach.

– Tak – potwierdziłam gorliwie w nadziei, że utnę dalszą dyskusję. – Jak zwykle migdałowa mocha?

– A tymczasem powinniśmy zapomnieć o sobie.

– Absolutnie się z panią zgadzam. Pojedyncza kawa?

Uśmiechnęła się, jakbym ją rozbawiła.

– Tak, ale tym razem poproszę inną. Zmiany są zdrowe, prawda?

– Skoro pani tak mówi. Więc co ma być?

– Mocha karmelowo-orzechowa, proszę, na wynos. Chyba pójdę się przewietrzyć, zanim Tanner po nas przyjedzie.

Przekazałam zamówienie Christinie, która już znowu stała za kontuarem. Spieniła mleko i podała kawę.

– Pamiętaj, co ci powiedziałam – przykazała mi Mayzie.

– Na pewno nie zapomnę – zapewniłam.

Zachichotała wesoło, jakbyśmy były w zmowie.

– No to pa! – zawołała. – Do zobaczenia niebawem!

Gdy tylko wyszła, szybko zdarłam z siebie fartuch.

– Wychodzę na przerwę – poinformowałam Christinę.

Podała mi pojemnik na mleko.

– Wypłucz to i możesz iść.

Rozdział 10

Wstawiłam zbiornik do zlewu i przekręciłam kurek. Czekając niecierpliwie, aż woda się naleje, odwróciłam się i oparłam plecami o szafkę. Zaczęłam bębnić palcami po metalowej krawędzi zlewu.

– Mayzie twierdzi, że muszę o sobie zapomnieć – odezwałam się. – Jak myślisz, co to znaczy?

– Nie mam pojęcia – odrzekła Christina. Stała plecami do mnie i czyściła dyszę do spieniania mleka. Obserwowałam obłok pary unoszący się nad jej ramionami.

– A moja przyjaciółka Dorrie, znasz ją, też powiedziała coś podobnego – rozmyślałam na głos. – Że wszystko zawsze musi się kręcić wokół mnie.

– Cóż, nie będę się sprzeczała.

– Ha-ha – zareagowałam nerwowo. Poczułam się niepewnie. – Żartujesz, prawda?

Christina zerknęła przez ramię i uśmiechnęła się. Nagle w jej oczach odbiło się przerażenie i zaczęła histerycznie machać rękami.

– Addie... tam... z tyłu!

Okręciłam się na pięcie i ujrzałam, że woda przelewa się przez krawędź zlewu. Odskoczyłam, krzycząc:

– Aaaa!

– Zakręć to! – wrzasnęła Christina.

Przekręciłam kurek, ale woda wciąż płynęła.

– Nie działa!

Christina odepchnęła mnie.

– Przynieś ścierkę!

Pognałam na zaplecze po ścierkę i wróciłam pędem. Christina nadal kręciła kurkiem, a woda wciąż lała się na podłogę.

– No i sama widzisz – powiedziałam.

Spojrzała na mnie z wściekłością.

Stanęłam obok niej i przycisnęłam ścierkę do krawędzi zlewu. Po sekundzie całkiem namokła, a mnie przez głowę przemknęło wspomnienie, gdy miałam cztery lata i nie mogłam zakręcić kranu nad wanną.

– Kurde, kurde, kurde – panikowała Christina. Przestała kręcić kurkiem i próbowała zatkać kran dłonią. Woda siknęła znad jej palców, rozkładając się niczym parasol. – Nie mam pojęcia, co robić!

– O Boże! No tak, hm... – Obrzuciłam wzrokiem kawiarnię. – John!

Wszyscy trzej Johnowie unieśli wzrok znad stolika w rogu. Zorientowali się, co się dzieje, i pospieszyli w naszą stronę.

– Możemy wejść za kontuar? – spytał John numer dwa, ponieważ Christina stanowczo zabraniała tego klientom. Zasady Starbucksa.

– Oczywiście! – krzyknęła. Zamrugała, gdy woda ochlapała jej twarz i koszulę.

Johnowie przejęli dowodzenie. Numer jeden i dwa podeszli do zlewu, podczas gdy numer trzy ruszył na zaplecze.

– Odsuńcie się, drogie panie – poprosił John numer jeden.

Zastosowałyśmy się do polecenia. Fartuch Christiny był kompletnie mokry, podobnie jak jej koszula. I twarz. I włosy.

Wyciągnęłam garść serwetek z podajnika.

– Proszę.

Wzięła je bez słowa.

– Hm… jesteś na mnie zła?

Nie odpowiedziała.

John numer jeden ukucnął przy ścianie i zaczął opukiwać rury. Czapeczka z Tar Heels podskakiwała w rytm jego ruchów.

– Nic nie zrobiłam, przysięgam – powiedziałam.

Brwi Christiny uniosły się aż do linii włosów.

– No, dobrze, zapomniałam zakręcić wodę. Ale to nie mógł być powód tej całej awarii.

– To pewnie przez tę śnieżycę – stwierdził John numer dwa. – Może pękła jakaś rura na zewnątrz.

John numer jeden stęknął.

– Już prawie się udało. Gdybym tylko mógł… – kolejne stęknięcie – …ruszyć ten zawór… Cholera!

Strumień wody uderzył go między oczy, a ja przycisnęłam dłoń do ust.

– Chyba się jednak nie udało – zauważył John numer dwa.

Woda sikała całym przekrojem rury. Christina wyglądała, jakby się miała rozpłakać.

– O Boże, tak mi przykro – powiedziałam. – Proszę, miej znowu normalną minę. Proszę?

– No i patrzcie – rzucił John numer dwa.

Gulgotanie zaczęło cichnąć. Jeszcze jedna kropla wody zadrżała u wylotu rury i spadła na podłogę. A po niej już nic.

– Przestała lecieć – zauważyłam ze zdumieniem.

– Zakręciłem główny zawór – oznajmił John numer trzy, wychodząc z zaplecza z ręcznikiem.

– Naprawdę? To super! – wykrzyknęłam.

Rzucił ręcznik Johnowi numer jeden, który zaczął osuszać swoje spodnie.

– Masz wytrzeć podłogę, nie spodnie – zwrócił mu uwagę John numer dwa.

– Już wytarłem podłogę – odrzekł gderliwym tonem jego kolega. – Spodniami.

– Lepiej zadzwonię po hydraulika – powiedziała Christina. – A ty, Addie... idź na przerwę.

– Nie chcesz, abym pomogła posprzątać? – zapytałam.

– Chcę, żebyś poszła na przerwę – odparła.

– Och. Hm, jasne, pewnie. Zamierzałam to zrobić, zanim się pojawił szalony Travis, a potem szalona Mayzie...

Pokazała palcem wyjście na zaplecze.

– To ty kazałaś mi zostać. Ale kogo to obchodzi, co? Ja naprawdę...

– Addie, proszę cię – przerwała mi Christina. – Może tym razem nic nie kręci się wokół ciebie, ale wygląda zupełnie inaczej. Chcę, byś sobie poszła. – Popatrzyła mi w oczy. – Natychmiast.

Odwróciłam się i ruszyłam na zaplecze.

– Nie martw się – rzucił John numer trzy, gdy go mijałam. – Przejdzie jej, zanim znowu coś popsujesz.

Puścił do mnie oko, a ja odpowiedziałam bladym uśmiechem.

Rozdział 11

Zrzuciłam mokrą koszulkę i pożyczyłam sobie nową z półki. Reklamowała podwójne espresso hasłem: „Obudź dzień". Potem wyłowiłam komórkę z szafki i wybrałam numer Dorrie.

– Hola, słodka – powiedziała, odebrawszy po drugim dzwonku.

– Cześć – przywitałam się. – Masz chwilę? To jakiś szalony dzień, który z każdą chwilą robi się coraz bardziej szalony i muszę o tym z kimś porozmawiać.

– Odebrałaś Gabriela?

– Eee?

– Pytam, czy odebrałaś... – Zamilkła. Gdy odezwała się ponownie, miała nienaturalnie opanowany głos. – Addie, powiedz, że nie zapomniałaś pójść do sklepu zoologicznego?

Żołądek opadł mi do pięt jak winda, której zerwała się lina. Szybko zamknęłam telefon i zdjęłam kurtkę z wieszaka. Gdy wychodziłam, telefon zadzwonił. Wiedziałam, że nie powinnam odbierać, wiedziałam, że nie powinnam... ale poddałam się i jednak odebrałam.

– Posłuchaj... – zaczęłam.

– Nie, to ty posłuchaj. Jest wpół do jedenastej, a ty obiecałaś Tegan, że pójdziesz do zoologicznego punkt o dziewiątej. Nie ma takiej wymówki, która usprawiedliwiałaby fakt, że nadal siedzisz w Starbucksie.

– To niesprawiedliwe – zaprotestowałam. – A gdyby… gdyby na moją głowę runęła góra lodowa i zapadłabym w śpiączkę?

– Czy na twoją głowę runęła góra lodowa i zapadłaś w śpiączkę?

Zacisnęłam usta.

– Pozwól, że cię zapytam: jakikolwiek masz naprawdę powód, czy ma on coś wspólnego z tobą i kolejnym niedorzecznym dramatem?

– Nie! Gdybyś przestała mnie atakować i posłuchała, jakie dziwne historie mi się przydarzyły, tobyś zrozumiała.

– Czy ty słyszysz, co mówisz? – zapytała z niedowierzaniem. – Pytam, czy chodzi o jakiś twój dramat, ty odpowiadasz: „Nie, ale tak przy okazji opowiem ci o moim nowym dramacie".

– Wcale tak nie powiedziałam. – Prawda?

Westchnęła głośno.

– Słabo, Addie.

Mój głos zabrzmiał niepewnie:

– Dobrze, masz rację. Ale… to był naprawdę wyjątkowo pokręcony dzień, nawet jak na mnie. Chcę tylko, żebyś o tym wiedziała.

– Oczywiście, że był – zgodziła się Dorrie. – I oczywiście zapomniałaś o Tegan, ponieważ zawsze, zawsze to ty jesteś najważniejsza. – Prychnęła ze zniecierpliwieniem. – A co z notatką „Nie zapomnieć o śwince"? Nie dała ci do myślenia?

– Ukradła mi ją pewna staruszka – wyjaśniłam.

– Staruszka… – urwała. – Uff, jasne. Ty jej nie zapodziałaś. Ukradła ci ją staruszka. I znów wielki *Show Addie*. Na każdym kanale, w każdej telewizji.

Zabolało.

– To nie jest *Show Addie*. Po prostu coś odwróciło moją uwagę.

– Idź do Zwierzaczka – poleciła Dorrie zmęczonym głosem i rozłączyła się.

Rozdział 12

Słońce pobłyskiwało na śniegu, gdy zmierzałam spiesznie ulicą do Zwierzaczka. Chodniki były w większości uprzątnięte, ale miejscami zalegały bryły zgarniętego śniegu i moje buty wydawały chrzęszczący dźwięk, gdy przez nie przechodziłam.

W rytm tego chrzęstu prowadziłam w myślach monolog o tym, że *Show Addie* nie leci na każdym kanale. Nie było go na kanale z monster truckami ani z zawodowym wrestlingiem. Z całą pewnością nie pojawiał się na żadnym kanale, który nadawał *Wybierz się na ryby z Orlando Wilsonem*, i kusiło mnie, żeby oddzwonić do Dorrie i jej to uzmysłowić.

– Czy tytuł brzmi *Wybierz się na ryby z Adeline Lindsey*? – zapytałabym. – Nie! Wcale nie!

Ale nie zrobiłam tego, bo bez wątpienia ten telefon też uznałaby za przykład mojego zaabsorbowania sobą. Co gorsza, prawdopodobnie miałaby rację. Lepiej, bym najpierw wzięła Gabriela w swoje drobne ciepłe dłonie – no dobra, drobne zimne dłonie – i dopiero wtedy skontaktowała się z Dorrie. Powiem: „Widzisz, wszystko naprawiłam". A następnie zadzwonię do Tegan i pozwolę Gabrysiowi kwiknąć do słuchawki.

Albo nie. Najpierw zadzwonię do Tegan, żeby przekazać radosną nowinę, a dopiero później do Dorrie. I nie powiem: „Ha-ha!", bo jestem ponad takie zagrywki. Tak. Jestem na tyle silna, by przyznać się do błędów i by przestać się kulić, kiedy Dorrie mnie łaje, bo nowa, oświecona ja nie będzie zasługiwała na połajanki.

Komórka zadzwoniła w torebce, a ja się skuliłam. Jasny gwint, czy ta dziewczyna ma jakieś zdolności paranormalne?

Przyszła mi do głowy gorsza możliwość: może to dzwoni Tegan?

A potem o niebo lepsza, uparta i podniecająca myśl: a może to… Jeb?

Pogmerałam w torebce i znalazłam telefon. Na wyświetlaczu widniało: TATO. Poczułam się jak przekłuty balonik. Dlaczego? – załkałam bez słów. Dlaczego to nie mógł być…

Dość. Przerwałam temu jękliwemu głosowi w pół zdania, ponieważ miałam go powyżej uszu i wcale mi nie pomagał, a poza tym czy nie powinnam mieć jakiejś kontroli nad nieskończonym kołowrotem myśli galopujących przez moją głowę?

W umyśle – a także w sercu – doświadczyłam nagłego braku chaosu. Rany! Mogłabym do tego stanu przywyknąć.

Odrzuciłam połączenie i schowałam telefon do torebki. Zadzwonię do taty później, gdy wszystko już uporządkuję.

Gdy tylko weszłam do Zwierzaczka, w moje nozdrza uderzyła woń *eau de* chomik oraz silnie wyczuwalny zapach masła orzechowego. Zatrzymałam się, zamknęłam oczy i odmówiłam modlitwę o siłę, bo podczas gdy *eau de* chomik można się było spodziewać w sklepie dla zwierząt, woń masła orzechowego mogła oznaczać tylko jedno.

Podeszłam do kasy, a Nathan Krugle spojrzał na mnie w pół kęsa. Szeroko otworzył oczy, a potem je zmrużył. Przełknął i odłożył kanapkę z masłem orzechowym.

– Cześć, Addie – powiedział nieżyczliwym tonem *á la* Jerry Seinfeld witający swoją nemezis, czyli Newmana.

Nie. Zaraz. To by oznaczało, że jestem Newmanem, a ja jestem zupełnie nienewmanowska. Nathan był Newmanem. Nathan był wychudłym, zapryszczałym Newmanem noszącym wyłącznie skurczone koszulki z cytatami ze *Star Treka*. Dzisiaj napis na jego piersi głosił: „Umrzesz przez uduszenie w lodowato zimnym kosmosie".

– Cześć, Nathan – odpowiedziałam. Zdjęłam kaptur, a on przyjrzał się moim włosom. I chyba prychnął.

– Ładny fryz – skomentował.

Już miałam na końcu języka ciętą ripostę, ale się powstrzymałam.

– Mam tu odebrać coś dla przyjaciółki – powiedziałam. – Dla Tegan. Znasz ją.

Pomyślałam, że wzmianka o Tegan słynącej z bezdennej serdeczności może odwróci uwagę Nathana od wendety.

Nie odwróciła.

– Owszem, znam – odpowiedział z pałającym wzrokiem. – Chodzimy do tej samej szkoły. Do t e j s a m e j szkoły. Trudno by było ignorować kogoś w tak niewielkiej szkole, prawda?

Jęknęłam. Znowu się zaczyna, jakbyśmy nie rozmawiali od czterech lat i znów musieli przepracować ten jeden godzien pożałowania incydent. Czego chyba jednak nie zrobiliśmy. Przepracowywaliśmy go wiele razy, ale najwyraźniej ten proces był jednostronny.

– Ale zaraz! – powiedział sztucznym tonem aktora z reklamy. – Tobie jednak udało się zignorować kogoś w tak małej szkole!

– W siódmej klasie – wysyczałam przez zaciśnięte zęby. – Wiele lat temu.

– Wiesz, co to jest tribble? – zapytał.

– Tak, Nathan, ale...

– Tribble to nieszkodliwy stworek łaknący serdeczności, pochodzący z planety Jota Geminorum Cztery.

– A ja myślałam, że z Jota Srolumborum Pięć.

– I wcale nie tak w i e l e lat temu – uniósł brwi, żebym na pewno zauważyła, na które słowo położył nacisk – ja byłem takim właśnie tribble'em.

Oparłam się o regał z przekąskami dla psów.

– Nie byłeś tribble'em, Nathan.

– A ty niczym specjalnie szkolony wojownik Klingonów...

– Proszę, nie nazywaj mnie tak. Wiesz, że naprawdę tego nie znoszę.

– Unicestwiłaś mnie. – Zauważył, gdzie trzymam łokieć, i nozdrza mu się rozdęły. – Hej! – warknął i postukał palcem w tę problematyczną część ręki. – Nie dotykaj Psio de Licji.

Stanęłam prosto.

– Przepraszam – powiedziałam. – Tak jak przepraszam za to, że uraziłam twoje uczucia cztery lata temu. Ale... To ważne. Słuchasz mnie?

– W skali galaktyki cztery lata to ledwie nanosekunda.

Sapnęłam z rozdrażnieniem.

– Nie dostałam tego liściku! Przysięgam na Boga, że nie widziałam go na oczy!

– Jasne, jasne. A wiesz, co ja myślę? Myślę, że go przeczytałaś, wyrzuciłaś i natychmiast zapomniałaś, bo nieszczęście innego człowieka nie ma dla ciebie żadnego znaczenia, racja?

– To nieprawda. Słuchaj, czy nie możemy…

– Mam ci przytoczyć jego treść?

– Proszę, nie.

Zapatrzył się w dal.

– Cytuję: „Droga Addie, czy chcesz ze mną chodzić? Zadzwoń i odpowiedz".

– Nie dostałam tej wiadomości, Nathan.

– Nawet jeśli nie chciałaś ze mną chodzić, powinnaś była zadzwonić.

– Zadzwoniłabym! Ale nie dostałam listu!

– Serce siódmoklasisty jest bardzo kruche – dodał tragicznym tonem.

Ręka mnie świerzbiła, żeby sięgnąć na półkę z Psio de Licjami i cisnąć w niego paczką psich ciasteczek.

– Dobra, Nathan – powiedziałam. – Nawet gdybym dostała wiadomość, a nie dostałam jej, czy możesz już odpuścić? Ludzie idą dalej. Dorastają. Zmieniają się.

– O, proszę cię – rzucił chłodno. Sposób, w jaki mi się przyglądał, jakbym była warta mniej niż bibułka na jednorazową słomkę do napoju, przypomniał mi, że przyjaźni się z Jebem. – Ludzie tacy jak ty się nie zmieniają.

Coś ścisnęło mnie za gardło. Tego już było zbyt wiele. Jeździł po mnie jak wszyscy na tej planecie.

– Ale... – zabrzmiało to niepewnie. Spróbowałam ponownie, lecz głos mi drżał mimo usilnych starań, by brzmiał normalnie. – Czy nikt nie widzi, że próbuję?

Po dłuższej chwili to Nathan opuścił wzrok.

– Przyszłam odebrać prosiaczka Tegan – wyjaśniłam. – Mogę go zabrać i już?

Chłopak zmarszczył brwi.

– Jakiego prosiaczka?

– Tego, który przyjechał wczoraj wieczorem. – Usiłowałam wyczytać coś z jego twarzy. – Takiego maleńkiego? Z liścikiem o treści: „Nie sprzedawać nikomu prócz Tegan Shephard"?

– Nie „sprzedajemy" zwierząt – poprawił mnie. – Adoptujemy je. I nie było żadnego liściku, tylko faktura.

– Ale był prosiaczek?

– No tak.

– Naprawdę bardzo malutki?

– Może.

– Do jego transportera powinna być dołączona notatka, ale to nieważne. Możesz mi go przynieść?

Nathan zawahał się.

– Nathan, na litość boską! – Wyobraziłam sobie Gabriela samotnego przez całą zimną noc. – Powiedz, proszę, że on nie zdechł.

– No coś ty?! Nie!

– To gdzie jest?

Milczał.

– Nathan, daj spokój – poprosiłam. – Tu nie chodzi o mnie, tylko o Tegan. Naprawdę chcesz ją ukarać, bo jesteś wkurzony z mojego powodu?

– Ktoś go adoptował – wymamrotał.

– Słucham? Co ty pleciesz?

– Jakaś pani adoptowała tę świnkę. Przyszła pół godziny temu i wyłożyła dwieście dolarów. Skąd miałem wiedzieć, że ona nie jest na sprzedaż, to znaczy do adopcji?

– Z liściku, kretynie!

– Nie dostałem żadnego liściku!

W tym samym momencie uświadomiliśmy sobie całą ironię tej sytuacji. Mierzyliśmy się wzrokiem przez dłuższą chwilę.

– Nie kłamię – powiedział w końcu.

Dalsze naciskanie nie miało sensu. Było fatalnie i musiałam znaleźć jakieś rozwiązanie, zamiast wyżywać się na Nathanie za coś, czego nie dało się już zmienić.

– Dobra, masz nadal fakturę? – zapytałam. – Pokaż mi ją.

Wyciągnęłam dłoń, poruszając niecierpliwie palcami.

Nathan wcisnął klawisz na kasie i dolna szuflada się wysunęła. Wyjął pogniecioną kartkę różowego papieru.

Chwyciłam ją.

– „Jedna mikroświnka, z certyfikatem i rodowodem" – przeczytałam na głos. – „Dwieście dolarów".

Rozłożyłam fakturę i ujrzałam wiadomość zapisaną starannym pismem u dołu strony. – „Opłacona. Do odbioru przez Tegan Shepherd".

– Cholera – jęknął Nathan.

Odwróciłam kartkę w poszukiwaniu nazwiska osoby, która odkupiła prosiaczka.

– Bob cały czas dostaje nowe zwierzątka – wyjaśnił obronnym tonem Nathan. – Przyjeżdżają, a ja, no wiesz, oddaję je do adopcji. Przecież to jest sklep zoologiczny.

– Musisz mi powiedzieć, komu go sprzedałeś – oznajmiłam.

– Nie mogę. To poufna informacja.

– Tak, ale to prosiaczek Tegan.

– Cóż, chyba zwrócimy jej koszty.

Formalnie rzecz biorąc, to ja i Dorrie powinnyśmy dostać zwrot kosztów, ale nie chciało mi się tego tłumaczyć. Nie obchodziły mnie przecież pieniądze.

– Powiedz mi, komu go sprzedałeś, a ja wyjaśnię całe nieporozumienie.

Przestąpił z nogi na nogę, potwornie zakłopotany.

– Znasz nazwisko tej osoby, prawda? Tej, która go kupiła?

– Nie – odrzekł. Jego wzrok powędrował do otwartej szuflady kasy, z której wystawał rożek potwierdzenia zapłaty kartą kredytową.

– Nawet gdybym je znał, nic się nie da zrobić – powiedział. – Nie mogę ujawniać szczegółów transakcji zawartych z klientami. Ale i tak nie pamiętam nazwiska tej pani, więc… no…

– W porządku. Rozumiem. I wierzę, że nie zauważyłeś wiadomości.

– Naprawdę? – zdziwił się zupełnie zdezorientowany.

– Tak – potwierdziłam szczerze. Odwróciłam się do wyjścia, zahaczyłam butem o nóżkę stojaka z Psio de Licjami i szarpnęłam. Regał przewrócił się, a celofanowe torebki posypały się na podłogę, drąc się i siejąc wokół przysmakami dla psów.

– O nie! – krzyknęłam.

– Kurde – stęknął Nathan. Wyszedł zza kontuaru, ukląkł i zaczął zbierać te torebki, które się nie rozdarły.

– Tak mi przykro – powiedziałam. Kiedy zajrzał pod szafkę w poszukiwaniu zabłąkanego ciasteczka, przechyliłam się przez kontuar, wyjęłam z kasy potwierdzenie transakcji i wsunęłam je do kieszeni. – Teraz pewnie nienawidzisz mnie jeszcze bardziej, co?

Przerwał poszukiwania i wyprostował się, opierając dłoń o kolano. Coś dziwnego działo się z jego ustami, jakby toczył jakąś wewnętrzną walkę.

– Nie nienawidzę cię – powiedział w końcu.

– Nie?

– Po prostu myślę, że czasami nawet nie zauważasz, jak wpływasz na innych ludzi. I nie mówię tylko o sobie.

– A o kim? – Paragon palił mnie w kieszeni, lecz nie mogłam tak po prostu wyjść po tej uwadze.

– Nieważne.

– Nie spławiaj mnie. Powiedz.

Westchnął.

– Nie chcę, żeby przewróciło ci się w głowie, ale nie zawsze jesteś irytująca.

Kurczę, dzięki! – chciałam powiedzieć, lecz ugryzłam się w język.

– Masz w sobie… takie światło – dodał i zaczerwienił się. – Sprawiasz, że ludzie przy tobie czują się wyjątkowi, jakby w nich też może było to światło. Ale potem kiedy nie dzwonisz, albo, no wiesz, całujesz się za ich plecami z jakimś palantem...

Wzrok mi się rozmazał, wcale nie tylko dlatego, że Nathan nagle zamiast nieuprzejmych uwag mówił rzeczy niebezpiecznie bliskie komplementom. Wbiłam wzrok w podłogę.

– Bywasz okrutna, Addie. Naprawdę bezlitosna. – Wskazał opakowanie Psio de Licji leżące obok mojej stopy. – Możesz mi to podać?

Schyliłam się i podniosłam paczkę.

– Nie chcę być okrutna – wyznałam niezręcznie, wręczając mu smakołyki. – I nie szukam dla siebie wymówek. – Przełknęłam, zaskoczona tym, jak bardzo potrzebuję wyznać to osobie, która jest przyjacielem Jeba, a nie moim. – Ale czasami chciałabym też ogrzać się w czyimś świetle.

Na twarzy Nathana nie poruszył się ani jeden mięsień. Pozwolił, by moja uwaga zawisła w ciszy na tyle długo, że zaczęłam jej żałować.

Potem odchrząknął.

– Jeb nie jest zbyt wylewnym gościem – przyznał.

– Tak sądzisz?

– Ale postaraj się go zrozumieć. Bo jeśli chodzi o ciebie, to jest zadurzony po uszy.

– Był zadurzony – sprostowałam. – Już nie jest. – Zdałam sobie sprawę, że po moim policzku spływa łza, a po niej kolejna, i poczułam się jak idiotka. – No cóż. Muszę lecieć.

– Hej, Addie…

Odwróciłam się.

– Zadzwonię, kiedy dostaniemy następną mikroświnkę.

Starałam się nie patrzeć na pryszcze oraz startrekową koszulkę, i ujrzałam prawdziwego Nathana, który, jak się okazało, też nie zawsze był irytujący.

– Dzięki – powiedziałam, wychodząc ze sklepu.

Rozdział 13

Gdy tylko znalazłam się kilka metrów od Zwierzaczka, wydobyłam skradziony paragon. W rubryce „artykuł" Nathan nagryzmolił „świnka", a w informacjach o właścicielu karty kredytowej widniało nazwisko Constance Billingsley.

Otarłam łzy wierzchem dłoni i odetchnęłam głęboko, żeby się uspokoić. A potem wysłałam telepatyczną wiadomość do Gabriela: „Nie martw się, mały. Zawiozę cię do Tegan, gdzie twoje miejsce".

Najpierw jednak zadzwoniłam do Christiny.

– Gdzie ty jesteś? – zdenerwowała się. – Twoja przerwa skończyła się pięć minut temu.

– No właśnie, ja w tej sprawie – odrzekłam. – Mam sytuację podbramkową i zanim spytasz, nie, to nie dramat Addie. Akurat ta sytuacja dotyczy Tegan. Muszę coś dla niej załatwić.

– Co?

– Hm, coś ważnego. To kwestia życia i śmierci, ale nie martw się, nikt nie zginie. – Zamilkłam. – Chyba że ja, jeśli mi się nie powiedzie.

– Addie – ostrzegła mnie Christina tonem sugerującym, że jak zawsze wciskam kit, co wcale nie było prawdą.

– Christino, ja się nie wygłupiam i nie dramatyzuję. Przysięgam.

– Dobra, Joyce właśnie przyszła – zgodziła się niechętnie – więc powinnyśmy dać sobie radę we dwie.

– Dziękuję, dziękuję, dziękuję! Wrócę prędziorem. – Już miałam się rozłączyć, ale usłyszałam jeszcze metaliczny głos Christiny:

– Czekaj!

Niecierpliwie przyłożyłam telefon do ucha, bo chciałam już iść.

– Jest tu ta twoja przyjaciółka z dredami.

– Brenna? Fuj, to nie moja przyjaciółka. – Wpadła mi do głowy potworna myśl. – Przyszła z kimś?

– Nie z Jebem, jeśli o to pytasz.

– Dzięki Bogu. Więc dlaczego mi o tym mówisz?

– Myślałam, że cię to zainteresuje. A, i był twój tato. Kazał ci przekazać, że zabiera explorera.

– On... co?! – Powędrowałam wzrokiem na północny kraniec parkingu. W miejscu, w którym zaparkowałam rano auto, widniało tylko wygniecenie w śniegu. – Dlaczego? Dlaczego, na Boga, zabrał mój samochód?

– Twój samochód?

– No dobrze, swój samochód. Co on sobie wyobrażał?

– Nie mam pojęcia. A co, potrzebujesz auta do załatwienia tej sprawy?

– Tak, i to bardzo. Nie wiem teraz, jak... – Umilkłam, bo biadolenie nic by nie zmieniło. – Nieważne, poradzę sobie. Pa.

Rozłączyłam się, a potem sprawdziłam pocztę głosową.

– Masz trzy nowe wiadomości – oznajmił nagrany głos.

Trzy? Zastanowiłam się. Słyszałam, jak telefon dzwonił tylko raz, choć chyba było dość głośno, kiedy leciała lawina Psio de Licji.

– Addie, tu tato – powiedział mój ojciec w wiadomości numer jeden.

– Tak, tato, wiem – mruknęłam pod nosem.

– Pojechaliśmy z Philem do miasta, bo mama wysłała nas po zakupy. Zabrałem explorera, więc nie martw się, jeśli zauważysz, że go nie ma. Wpadnę odebrać cię o drugiej.

– Nieeeee! – wrzasnęłam.

– Wiadomość numer dwa – poinformował mnie telefon. Przygryzłam wargę, modląc się, żeby to był tato, który powie: „Ha, ha, żartowałem. Nie wziąłem explorera, tylko go przeparkowałem. Ha, ha!".

To nie był tato, lecz Tegan.

– Hola, Addikins! – powiedziała. – Masz Gabrysia? Masz, masz, masz? Nie mogę się doczekać, kiedy go zobaczę! Znalazłam lampę grzewczą w piwnicy. Pamiętasz, jak mój ojciec próbował hodować pomidory? Rozstawiłam ją, żeby Gabriel miał cieplutko w swoim łóżeczku. Och, wyszperałam też stare wyposażenie domku dla lalek, w tym fotel, który jest akurat odpowiedniej wielkości dla małego. I plecak z gwiazdką, choć nie jestem pewna, czy będzie potrzebował plecaka. Ale nigdy nic nie wiadomo, co? No dobra, zadzwoń do mnie. Jak najszybciej możesz. Pług jest już dwie ulice dalej, więc jeśli nie będę miała od ciebie sygnału, podjadę do Starbucksa, okay? Pa!

Żołądek znów mi opadł do pięt i stałam bezwolnie, gdy telefon zapowiadał ostatnią wiadomość. To znów była Tegan.

– I wiesz co, Addie? – powiedziała. – Dziękuję ci. Bardzo, bardzo ci dziękuję.

No, teraz to już całkiem poprawiła mi samopoczucie.

Zamknęłam telefon, przeklinając się, że nie poszłam do Zwierzaczka punkt o dziewiątej, tak jak planowałam. Ale zamiast skamlać żałośnie, musiałam sobie poradzić z sytuacją. Dawna Addie stałaby tam, rozczulając się nad sobą, aż nabawiłaby się odmrożeń i odpadłyby jej palce u stóp, a wtedy powodzenia w zakładaniu sandałków na szpilce na sylwestra, frajerko! Choć i tak nie miałam dokąd iść w sandałkach na szpilce. Ale nieważne.

Nowa Addie nie była mazgajem.

No dobra. Gdzie tu natychmiast zdobyć auto ratunkowe dla świnki?

Rozdział 14

Christina? Nic z tego. Dziś rano jak zwykle podrzucił ją chłopak. Joyce, baristka, która właśnie zaczęła swoją zmianę, też nie miała samochodu. Przychodziła do pracy piechotą, niezależnie od pogody, i nosiła osobisty krokomierz liczący, ile się kroków zrobiło.

Hm, hm, hm. Ani Dorrie, ani Tegan, ponieważ a) ich ulica nadal nie była odśnieżona (mam nadzieję) i b) nie ma mowy, żebym im zdradziła, do czego jest mi potrzebny rzeczony samochód.

Nie Brenna, Boże broń. Gdybym poprosiła ją, żeby mnie zawiozła na południe miasta, pojechałaby na północ, byleby tylko zrobić mi na złość. A do tego puszczałaby ten chłam emo-reggae, który brzmi, jakby śpiewały go naćpane upiory.

Zatem pozostawała tylko jedna osoba. Jeden zły, czarujący, zdecydowanie zbyt przystojny facet. Z furią kopnęłam grudę śniegu, bo była to ostatnia osoba, do której chciałabym zadzwonić.

I wiesz co? – powiedziałam do siebie. – Będziesz musiała to przełknąć w imię Tegan. Albo ten telefon, albo pożegnaj się z Gabrielem na zawsze.

Otworzyłam komórkę, przejrzałam kontakty i wybrałam numer. Podkurczyłam palce u stóp, licząc dzwonki. Jedno dryndnięcie, dwa, trzy...

– Hej, mamuśka! – powiedział Charlie. – Co tam?

– Tu Addie – odezwałam się. – Potrzebuję podwózki, a proszę cię dlatego, że nie mam wyboru. Czekam przed Zwierzaczkiem. Podjedź po mnie.

– Ktoś tu jest bardzo stanowczy dziś rano – skomentował Charlie. Niemalże słyszałam, jak rusza brwiami. – Podoba mi się to.

– Daj spokój. Po prostu przyjedź po mnie, możesz?

Obniżył głos.

– A co mi zaproponujesz w zamian?

– Darmowy chai – odrzekłam zdecydowanie.

– Venti?

Zacisnęłam zęby, bo w jego ustach nawet *venti* brzmiało lubieżnie.

– Dobra, chai venti. Wyjechałeś już?

Zachichotał.

– Chwila, maleńka. Jestem jeszcze w bieliźnie. Rozmiaru venti. Nie dlatego, że jestem gruby, ale dlatego, że jestem – śmieszna, wymowna pauza – venti.

– Przyjeżdżaj – rzuciłam. Już miałam skończyć rozmowę, ale przyszła mi do głowy jeszcze jedna myśl. – I weź ze sobą książkę telefoniczną.

Rozłączyłam się i poruszyłam ramionami, jakbym się z czegoś otrząsała. Znów sobą gardziłam, że zadaję się z takim bubkiem. Owszem, był seksowny – teoretycznie – i kiedyś być może nawet uważałabym go za zabawnego.

Ale nie był Jebem.

Dorrie zdefiniowała różnicę między nimi na pewnej imprezie. Nie na t e j imprezie, tylko takiej zwykłej, w czasach przed zerwaniem. Siedziałyśmy sobie na kanapie, oceniając chłopaków pod kątem ich słabych i mocnych stron, a gdy doszłyśmy do Charliego, Dorrie westchnęła.

– Problem z nim polega na tym – oznajmiła – że jest zbyt urzekający i doskonale o tym wie. Wie, że może mieć każdą dziewczynę ze szkoły…

– Nie mnie – wtrąciłam, balansując szklanką z drinkiem na kolanie.

– …więc frunie przez życie jak typowy niebieski ptak z funduszem powierniczym.

– Charlie ma fundusz powierniczy? Nie wiedziałam.

– Ale to smutne, bo nie ma w nim żadnej głębi. Nigdy w życiu nie musiał na nic zapracować.

– Żebym tak ja nie musiała na nic pracować… – westchnęłam tęsknie. – Szkoda, że nie mam funduszu powierniczego.

– Wcale nie szkoda – odrzekła Dorrie. – Czy ty mnie w ogóle słuchasz?

Zabrała mojego drinka, a ja zaprotestowałam.

– Weź na przykład Jeba – ciągnęła Dorrie. – On wyrośnie na mężczyznę, który będzie w niedziele uczył swojego syna jeździć na rowerze.

– Albo córkę – dodałam. – Albo bliźniaki! Może będziemy mieli bliźnięta!

– Tymczasem Charlie będzie grał w golfa, a jego syn mordował ludzi na Xboksie. Będzie elegancki, wyrafinowany i kupi dzieciakowi wszystko, co można dostać za pieniądze, ale nigdy nie będzie z nim tak naprawdę spędzał czasu.

– Jakie to smutne – skomentowałam. Odebrałam swojego drinka i upiłam długi łyk. – Czy to oznacza, że jego syn nie nauczy się jeździć na rowerze?

– Chyba że to Jeb mu pomoże – odparła Dorrie.

Przez kilka minut siedziałyśmy i przyglądałyśmy się chłopakom grającym w bilard. Kula Charliego trafiła do łuzy i chłopak triumfalnie uniósł pięść do góry.

– O to chodzi! – zapiał. – I kto jest mistrzem?

Jeb spojrzał na mnie z drugiej strony pokoju, a jego usta wygięły się w lekkim uśmiechu. Poczułam, że zalewa mnie ciepła fala szczęścia, bo jego oczy mówiły: Jesteś moja, a ja twój. I dziękuję, że nie chcesz, bym mówił „I kto jest mistrzem?".

Tajemniczy uśmiech i rozkochane spojrzenie… Co ja bym dała, żeby je odzyskać. Tymczasem wszystko to odrzuciłam dla faceta, który w tej sekundzie wjeżdża na parking w swoim śmiesznym szarym hummerze.

Zahamował gwałtownie, obsypując mnie śniegiem.

– Hej – powiedział Charlie, otwierając okno. Wskazał brodą moje włosy i wyszczerzył zęby. – A niech mnie, Pink!

– Nie śmiej się ze mnie – ostrzegłam go. – Nawet na mnie nie patrz. – Podreptałam do samochodu od strony pasażera i wdrapałam się do środka, nadwerężając mięśnie ud. Czułam się, jakbym wsiadała do czołgu, co zasadniczo było prawdą.

– Masz książkę telefoniczną?

Pstryknął palcami, a ja dopiero teraz zauważyłam, że książka leży na siedzeniu obok mnie. Znalazłam spis mieszkańców i otworzyłam na stronach z literą B. Baker, Barnsfeld, Belmont...

– Cieszę się, że zadzwoniłaś – zagadnął Charlie. – Stęskniłem się za tobą.

– Milcz – rzuciłam. – I nie, nie stęskniłeś się.

– To potwornie nieuprzejme zachowanie wobec kogoś, kto ma cię podwieźć – upomniał mnie. Przewróciłam oczami. – Powaga, Adds. Od kiedy zerwałaś z Jebem – tak przy okazji, przykro mi z tego powodu – żyję nadzieją, że, no wiesz, spróbujemy ze sobą chodzić.

– Nie ma takiej opcji i, serio, siedź cicho.

– Dlaczego?

Zignorowałam pytanie. Bincher, Biggers, Bilson...

– Addie – odezwał się znów – rzuciłem wszystko, żeby po ciebie przyjechać. Może byś przynajmniej ze mną porozmawiała?

– Przykro mi, ale nie.

– Dlaczego?

– Bo jesteś upośladkiem.

Zaśmiał się głośno.

– Od kiedy to zadajesz się z JP Kimem? – Zamknął książkę telefoniczną, a ja ledwo zdążyłam zaznaczyć palcem stronę, którą przeglądałam.

– Hej! – zaprotestowałam.

– Serio, dlaczego nie chcesz ze mną chodzić? – zapytał Charlie wprost.

Uniosłam głowę. Na pewno wiedział, jak bardzo żałowałam naszego pocałunku i jak bardzo nie chciałam z nim siedzieć w tym żałosnym hummerze. Ale gdy zobaczyłam jego minę, zwątpiłam. Czy to...? O rany Julek! Czyżby w tych zielonych oczach widniał żal?

– Lubię cię, Addie, a wiesz dlaczego? Bo jesteś szalona. – Powiedział „szalona" z tą samą zamierzoną zmysłowością, z jaką mówił *venti*.

– Nie mów tak o mnie – obruszyłam się. – Nie jestem szalona.

– Owszem, jesteś. I fantastycznie całujesz.

– Popełniłam błąd. Byłam pijana i ogłupiała. – Coś mnie ścisnęło za gardło i musiałam wyjrzeć przez okno, żeby się pozbierać. Odwróciłam się z postanowieniem, by pokierować rozmowę na inny tor. – A tak przy okazji, co się stało z Brenną?

– Brenna – zadumał się. Oparł głowę o zagłówek. – Brenna, Brenna, Brenna...

– Nadal ci na niej zależy, prawda?

Wzruszył ramionami.

– Wygląda na to, że... ona interesuje się kimś innym, jak z pewnością wiesz. Przynajmniej tak twierdzi. Ja osobiście tego nie zauważam. – Obrócił głowę. – Gdybyś miała możliwość, wybrałabyś Jeba zamiast mnie?

– W ułamku sekundy – odparłam.

– Auć – jęknął. Wpatrywał się we mnie, a ja znów pod tą całą pozą dostrzegłam smutek. – Kiedyś Brenna wybrałaby mnie. Lecz zachowałem się jak łajdak.

– Hm, racja – potwierdziłam ponuro. – Byłam przy tym. Ale ja zachowałam się jeszcze gorzej.

– Dlatego byłoby nam wspaniale razem. Może zrobimy lemoniadę, co?

– Co?

– Z naszych cytryn – wyjaśnił. – Czyli z nas. My jesteśmy tymi cytrynami.

– Tak, ogarniam metaforę. Tylko... – Nie dokończyłam. Musiałabym powiedzieć coś w rodzaju: „Nie wiedziałam, że postrzegasz siebie jako cytrynę".

Charlie wziął się w garść.

– No to jak, Pink? Trixie urządza wystrzałowego sylwestra. Pójdziesz?

Pokręciłam głową.

– Nie.

Położył dłoń na moim udzie.

– Wiem, że jest ci ciężko. Pozwól, bym cię pocieszył.

Odepchnęłam jego rękę.

– Charlie, ja kocham Jeba.

– Nie przeszkadzało ci to wcześniej. Poza tym on cię rzucił.

Milczałam, bo wszystko, co mówił, było prawdą. Tylko że ja już nie byłam tamtą dziewczyną. Nie zgadzałam się na to.

– Słuchaj... nie mogę z tobą chodzić, skoro kocham kogoś innego – odparłam w końcu. – Nawet jeśli on mnie już nie chce.

– Ła! – Położył dłoń na sercu. – To dopiero odprawa. – Zaśmiał się i znów, jakby nigdy nic, był zwykłym nieznośnym Charliem. – A co z Tegan? Jest całkiem seksowna. Myślisz, że pójdzie ze mną na imprezę do Trixie?

– Oddaj książkę telefoniczną! – zażądałam.

Znów położyłam ją na kolanach, otworzyłam, przesunęłam palcem po spisie i – bingo!

– Billingsley, Constance – przeczytałam na głos. – Teal Eye Court 108. Wiesz, gdzie to jest?

– Nie mam pojęcia – odrzekł. – Ale nic nie bój, Lola nam pomoże.

– Czy faceci zawsze nadają imiona swoim samochodom?

Wpisał adres w GPS.

– Najszybsza droga czy jedź autostradami?

– Najszybsza.

Wcisnął SELECT i seksowny damski głos polecił:

– Proszę jechać zgodnie ze wskazówkami.

– Cześć, Lola – przywitałam się.

– Dobra z niej dziewczyna – oznajmił Charlie. Wrzucił bieg i przebił się hummerem przez zaspy, zwalniając przed wyjazdem z parkingu. Zgodnie ze wskazówkami Loli skręcił w prawo, przejechał pół przecznicy i skręcił w drugą w prawo, czyli w wąską alejkę za sklepami.

– Za sto pięćdziesiąt metrów skręć w lewo – zamruczała Lola. – Skręć w lewo.

Charlie obrócił kierownicę w lewo, wprowadzając hummera w krótką, nieodśnieżoną ślepą uliczkę.

Rozległ się gong i Lola oznajmiła:

– Jesteś na miejscu.

Charlie zatrzymał samochód. Odwrócił się do mnie i spojrzał zdziwiony.

– To tutaj miałem cię podwieźć? Na pewno?

Byłam tak samo skonsternowana jak on. Wykręciłam szyję, żeby przeczytać tabliczkę na rogu uliczki, i bez żadnych wątpliwości było na niej napisane Teal Eye Court. Trzydzieści metrów dalej znajdowało się tylne wejście do Starbucksa. Cała jazda trwała maksymalnie czterdzieści sekund.

Charlie zaśmiał się głośno.

– Zamknij się – warknęłam, marząc, by przestać się rumienić. – Ty też nie wiedziałeś, gdzie to jest, bo inaczej nie potrzebowałbyś Loli.

– I ty mówisz, że nie jesteś szalona – dodał. – Jesteś szalona przez duże SZ.

Otworzyłam drzwiczki hummera i wyskoczyłam, grzęznąc w metrowej zaspie.

– Chcesz, żebym na ciebie poczekał?

– Chyba dam sobie radę sama.

– Na pewno? Czeka cię długa droga powrotna.

Zatrzasnęłam drzwi samochodu i ruszyłam.

Charlie otworzył okno od strony pasażera.

– Do zobaczenia w Starbucksie. Będę czekał na mój chai!

Rozdział 15

Brnęłam przez zaśnieżony zaułek w stronę budynku mieszkalnego przy Teal Court 108, modląc się, by Constance Billingsley nie miała dziecka, bo nie wiedziałam, czy będę potrafiła odebrać prosiaczka jakiemuś maluchowi.

Modliłam się też, by nie była niewidoma ani sparaliżowana albo żeby nie była karlicą taką, jaką widziałam na Discovery Channel, która miała mniej niż metr wzrostu. Nie zabrałabym mikroświnki mikrokobiecie, bez szans.

Ktoś odśnieżył chodnik prowadzący do budynku. Wdrapałam się więc na pryzmę ubitego śniegu, po czym zeskoczyłam na o wiele mniej zdradziecki chodnik. Jeden zero cztery, jeden zero sześć… jeden zero osiem.

Wyprostowałam plecy i wcisnęłam dzwonek.

– Cześć, Addie! – wykrzyknęła kobieta z siwymi warkoczami, która otworzyła drzwi. – Co za niespodzianka!

– Mayzie? – spytałam zupełnie oszołomiona. Zerknęłam na potwierdzenie z karty kredytowej. – Ja… hm… szukam Constance Billingsley.

– To ja, Constance May Billingsley – wyjaśniła.

Mój mózg pracował na najwyższych obrotach.

– Ale…

– No pomyśl tylko – powiedziała – używałabyś imienia Constance, gdybyś miała wybór?

– No nie…

Zaśmiała się.

– Tak myślałam. Wejdź do środka, muszę ci coś pokazać. No chodź, chodź!

Wprowadziła mnie do kuchni, w której na kilkakrotnie złożonej niebieskiej kołdrze siedział najbardziej uroczy prosiaczek, jakiego w życiu widziałam. Był różowo-czarny i wyglądał na mięciutkiego. Miał zabawny ryjek, lekko spłaszczony, a oczka ciekawskie i czujne. Zakręcony ogonek wyglądał, jakby sprężynował, nawet gdy się za niego nie ciągnęło. I był akurat takiej wielkości, by się wygodnie umościć w filiżance.

Kwiknął, a ja się rozpłynęłam jak ciepłe masło.

– Gabriel – odezwałam się. Uklęknęłam obok kołdry, a Gabryś wstał i przytruchtał do mnie. Obwąchał moją rękę i był taki uroczy, iż w ogóle się nie przejęłam, że może umazać mnie glutem. Poza tym to nie był glut. Gabriel miał wilgotny ryjek, i już. Wielka mi sprawa.

– Jak go nazwałaś? – zainteresowała się Mayzie. – Gabriel?

Uśmiechnęła się tajemniczo.

– Gabriel – powtórzyła, sprawdzając brzmienie imienia. Wzięła prosiaczka w dłonie. – Jak archanioł Gabriel!

– Proszę?

Przybrała minę osoby szykującej się do recytacji.

– „Nadszedł już czas, powiedział Mors, / Pogrążyć się w rozmowie/ O tym, czym but jest, łódź i lak,/ Kapusta i Królowie, / I czemu w morzu woda wrze, / A wieprz ma skrzydła sowie"*.

– Okay, nie mam pojęcia, o czym pani mówi – wyznałam.

– „A wieprz ma skrzydła sowie" – powtórzyła Mayzie. – Wieprzek-anioł, rozumiesz? Archanioł Gabriel!

– Moja przyjaciółka chyba nie chciała sięgać aż tak głęboko – stwierdziłam. – I proszę nie zaczynać znowu z tymi aniołami. Dobrze?

– Ale dlaczego, skoro wszechświat ma taką frajdę, objawiając nam anioły? – Spojrzała na mnie z dumą. – Udało ci się, Addie. Wiedziałam, że tak będzie!

Wsparłam dłonie na udach i wstałam.

– Co mi się udało?

– Zdałaś egzamin!

– Jaki egzamin?

– I ja też – ciągnęła entuzjastycznie. – Przynajmniej tak mi się wydaje. Zapewne wkrótce się dowiemy.

Coś mnie ścisnęło w piersi.

– Mayzie, poszła pani do Zwierzaczka i kupiła Gabriela celowo?

– Cóż, nie kupiłam go przez przypadek – odrzekła.

– Wie pani, co mam na myśli. Przeczytała pani moją notatkę, tę o śwince. Czy kupiła pani Gabrysia, żeby przysporzyć mi kłopotów? – Poczułam, że moja dolna warga drży.

Szeroko otworzyła oczy.

– Kochanie, ależ skąd!

---

* Lewis Carroll, *O tym, co Alicja odkryła po drugiej stronie lustra* w przekładzie Macieja Słomczyńskiego, Warszawa 1975, s. 193 (przyp. tłum.).

– Poszłam do sklepu zoologicznego, a Gabrysia tam nie było... Wie pani, w jaką wpadłam rozpacz? – Walczyłam ze łzami. – I musiałam uporać się z Nathanem, który mnie nienawidzi. – Pociągnęłam nosem. – Choć możliwe, że nie nienawidzi mnie aż tak bardzo.

– Oczywiście, że nie – uspokoiła mnie Mayzie. – Jak ktoś mógłby cię nienawidzić?

– A potem musiałam jeszcze poradzić sobie z Charliem i proszę mi wierzyć, nie chce pani o tym słyszeć. – Wierzchem dłoni otarłam nos. – Choć co dziwne, całkiem nieźle mi poszło.

– Mów dalej – zachęciła mnie staruszka.

– Myślę, że on jest nawet bardziej pokręcony niż ja.

Mayzie wyglądała na zaintrygowaną.

– Może będzie moim następnym przypadkiem?

Przy słowach „następny przypadek" przypomniało mi się, że Mayzie nie jest już moją przyjaciółką, jeśli nią w ogóle kiedykolwiek była. Była tylko dziwaczką, która podstępnie zawłaszczyła świnkę mojej przyjaciółki.

– Odda pani Gabriela? – zapytałam, starając się mówić jak najspokojniej.

– Oczywiście. Nigdy nie zamierzałam go zatrzymać. – Uniosła go tak, że jej nos zetknął się z jego ryjkiem. – Choć będę za tobą tęskniła, panie Gabrysiu. Miło było mieć towarzystwo w tym samotnym domu, choćby przez chwilę. – Ułożyła go w zgięciu łokcia i cmoknęła w łepek.

Podkurczyłam palce w butach.

– A czy odda go pani dzisiaj?

– Kochanie, zdenerwowałam cię, prawda?

– Nieważne, proszę mi tylko dać Gabriela.

– A ja myślałam, że się ucieszysz, iż opiekuje się tobą anioł. Czy nie tego chciałaś?

– Skończmy już z tym aniołem – poprosiłam. – Nie żartuję. Jeśli wszechświat przyznał mi panią w roli anioła, to należy mi się zwrot kosztów.

Mayzie zachichotała. Miałam ochotę chwycić ją za gardło.

– Adeline, niepotrzebnie tak bardzo utrudniasz sobie życie – powiedziała. – Głupia gąsko, nie ma znaczenia, co daje nam wszechświat. Ważne jest to, co m y mu oferujemy.

Otworzyłam usta, żeby jej powiedzieć, jakie to durne, fałszywe i niedorzeczne – ale nie odezwałam się, bo nagle coś się we mnie przesunęło. To było potężne przesunięcie, jakby lawina, i nie mogłam mu się przeciwstawić. Rozpierające mnie uczucie było przepotężne, a ja całkiem mała.

A więc dałam mu się porwać. Poddałam się i uległam… i poczułam się przecudownie. Tak wspaniale, że nie mogłam zrozumieć, dlaczego w ogóle się opierałam. Tak fantastycznie, że pomyślałam: ale czad, czy możliwe, że to zawsze we mnie było? Stan istnienia, nieprzytłaczający i pogmatwany, i nie tylko pełen mnie, mnie i jeszcze raz mnie? Bo czułam się cholernie dobrze. I cholernie czysto. I może mogłabym być pełna światła, jak to ujął Nathan, i może pozwoliłabym… temu światłu po prostu być i świecić, i dałabym sobie spokój z postawą: muchy w nosie, życie do bani, ja do bani, lepiej się powieszę? Czy to możliwe w tej mojej egzystencji? Czy ja, Adeline Lindsey, mogłabym… ewoluować?

Mayzie odprowadziła mnie do drzwi.

– Czas już na ciebie – powiedziała.

– Dobrze – odrzekłam, ale ociągałam się, bo nie miałam już do niej pretensji, a właściwie było mi przykro, że muszę zostawić ją samą. Chciałam, żeby czuła się taka wewnętrznie silna jak ja, i martwiłam się, że smutno jej będzie w tym samotnym mieszkaniu opuszczonym przez świnkę.

– Hej – powiedziałam. – Czy, hm, mogłabym kiedyś wpaść z wizytą? Obiecuję, że nie będę nudna.

– Ty byś nie umiała być nudna, nawet gdybyś się starała – stwierdziła Mayzie. – I będę absolutnie zachwycona, jeśli czasami mnie odwiedzisz. – A Gabriela spytała: – Widzisz, jakie ona ma dobre serce?

Znów coś we mnie wskoczyło na miejsce.

– Przyniosę pani pieniądze ze Zwierzaczka. Wytłumaczę Nathanowi całe to szalone zamieszanie.

Zaśmiała się.

– Z całą pewnością świetnie sobie poradzisz.

– No... tak – zgodziłam się, pełna dobrej wiary. – Przyniosę pieniądze i te pełnoziarniste herbatniki w czekoladzie, które pani lubi. I napijemy się herbaty, dobrze? Będziemy sobie robiły taką babską herbatkę co tydzień. Albo kawkę. Co pani na to?

– Wspaniały pomysł – odpowiedziała Mayzie. Podała mi Gabriela, który bezradnie zamachał nóżkami w powietrzu. Wciągnęłam w nozdrza jego cudowną woń. Pachniał jak bita śmietana.

Rozdział 16

Prosiaczek wtulał ryjek w moją kurtkę, gdy maszerowałam przez zasypany śniegiem zaułek. Marzyłam o tym, żeby auto Srebrnych Bamboszy pojawiło się nagle jakimś cudem i podwiozło mnie na miejsce, choć miałam lat szesnaście, a nie siedemdziesiąt sześć. Przynajmniej jakoś sobie dawałam radę w tych zaspach. A gdybym była po siedemdziesiątce? Bez szans.

Gabriel zaczął się wiercić, więc go uspokoiłam:

– Jeszcze chwila, maluszku. To już niedaleko.

W połowie drogi do Starbucksa zobaczyłam, że civic Tegan zatrzymuje się na światłach dwie przecznice dalej. Jejku, będzie na miejscu za jakieś dwie minuty! Przyspieszyłam kroku, bo chciałam znaleźć się w kawiarni przed nią. Zamierzałam umieścić Gabriela w prawdziwej filiżance albo kubeczku, bo byłby to najsłodszy widok na świecie.

Pchnęłam biodrem drzwi, a Christina spojrzała na mnie znad ekspresu. Drugiej baristki, Joyce, nie było w zasięgu wzroku.

– Nareszcie! – warknęła Christina. – Możesz przyjąć od nich zamówienie?

Wskazała chłopaka i dziewczynę stojących przy ladzie, a mnie aż wbiło w podłogę ze zdumienia.

– Stuart! – zawołałam, bo był to Stuart Weintraub z duetu Tragiczne Zerwanie Stuarta i Chloe. Tylko że dziewczyną nie była Chloe. Właściwie stanowiła jej dokładne przeciwieństwo. Miała fryzurę na krótkiego pazia i ładne, małe okularki o kształcie kocich oczu. Uśmiechnęła się do mnie nieco nieśmiało i moje serce zapiszczało z radości, ponieważ wydawała się bardzo sympatyczna, trzymała Stuarta za rękę i nie używała jaskrawoczerwonej szminki. Nie wyglądała na dziewczynę, która potajemnie obmacuje się w toalecie z facetem niebędącym jej chłopakiem.

– Hej, Addie – przywitał mnie Stuart. – Obcięłaś włosy.

Uniosłam dłoń do głowy, podczas gdy drugą trzymałam mocno Gabrysia, który próbował z sapaniem wydostać się spod kurtki.

– A tak. – Kiwnęłam brodą w stronę towarzyszącej mu dziewczyny. – Kto to?

Pewnie zabrzmiało to dość obcesowo, ale dobry Boże! Stuart Weintraub nie tylko był bez Chloe, ale też bez swoich smutnych oczu! To znaczy, oczy nadal miał, ale teraz były szczęśliwe. I to szczęście sprawiało, że wyglądał superprzystojnie.

Brawo, pomyślałam. Hurra, że jednak zdarzył się bożonarodzeniowy cud.

Stuart uśmiechnął się do dziewczyny i powiedział:

– To Jubilatka. Jubilatko, to Addie. Koleżanka ze szkoły.

Łaa, pomyślałam znów. Jakie to słodkie, że chodzi z dziewczyną nazwaną na cześć pysznego bożonarodzeniowego deseru. I jak to cudownie, że dostał pyszny bożonarodzeniowy deser, choć przecież był Żydem.

– Wielkie dzięki – powiedziała Jubilatka do Stuarta, rumieniąc się, po czym zwróciła się do mnie: – Dziwaczne imię, wiem. Ale nie jestem striptizerką, daję słowo.

– Hm… dobra – odrzekłam.

– Możesz mówić do mnie Julia.

– Nie, podoba mi się Jubilatka – stwierdziłam. Gdy wymawiałam jej imię na głos, coś zaskoczyło w moim mózgu. Tegan… Całuśny Patrol… jakiś chłopak inny niż Jeb wyciągający pięść do góry…

– Może przyjmiesz zamówienie? – podpowiedziała mi Christina, płosząc rodzącą się myśl. No dobra. Stuartowi towarzyszyła urocza dziewczyna o imieniu Jubilatka, która nie była striptizerką. Tylko to się liczyło.

– Może teraz? – napierała Christina.

– A… tak! – zawołałam entuzjastycznie. Chyba nawet nieco nadmiernie. – Za sekundkę, dobrze? Muszę tylko załatwić jeden drobiazg.

– Addie! – warknęła Christina.

Po mojej prawej Tobin poruszył się w fioletowym fotelu. Czyżby się budził? Zamrugał i powiedział:

– Raju, masz na imię Addie?

– Tak, to ja, Addie – odpowiedziałam, myśląc: Widzisz? Wiedziałam, że nie znasz mojego imienia. Przesunęłam Gabriela, żeby nie wyjrzał spod kurtki, a on wydał zabawny dźwięk, który zabrzmiał jak „łip". – A teraz skoczę tylko na zaplecze…

Gabryś znowu łipnął. Głośniej.

– Addie – głos Christiny brzmiał, jakby z całych sił starała się nie wpaść w furię – co ty tam masz pod kurtką?

– Addster! – zawołał Charlie od baru. – Postawisz mi ten chai?

Wyszczerzył radośnie zęby, a ja zrozumiałam, dlaczego jest taki wesoły, gdy ujrzałam, że obejmuje dziewczynę. O mój Boże, toż to jakieś Centrum Bożonarodzeniowych Cudów.

– Cześć, Addie – odezwała się podła Brenna. – Ładna fryzura. – Być może uśmiechnęła się wrednie, ale nie byłam pewna, bo wcale nie wyglądała na taką podłą, jak to zapamiętałam. Dziś wydawała się bardziej promienna niż perfidna. Może z powodu ręki Charliego w jej talii?

– Poważnie – nie ustępował Tobin – masz na imię Addie? – Trącił Angie, która się przebudziła i potarła nos. – Ona ma na imię Addie – poinformował ją. – Myślisz, że to t a Addie?

– Ta Addie? – zdziwiłam się. O czym on mówi? Chciałam dowiedzieć się czegoś więcej, ale moją uwagę rozproszył widok hondy Tegan skręcającej na parking. Dorrie siedziała na miejscu pasażera i poklepywała przyjaciółkę po ramieniu, perorując o czymś z przejęciem. Wyobraziłam sobie o czym. Pewnie było to coś w rodzaju: „Pamiętaj, mamy do czynienia z Addie. Jest wysoce prawdopodobne, że przeżywała jakiś dramat i w efekcie nie odebrała Gabriela".

– Adeline – dobiegł mnie głos Christiny. – To nie jest chyba… świnka?

Zerknęłam w dół i ujrzałam łepek Gabriela, wyglądającego nad rozpiętym zamkiem kurtki. Łipnął i rozejrzał się wokół.

– No cóż – odrzekłam z dumą, skoro już wyszła świnka z worka, że tak to ujmę. Potarmosiłam go za uszy. – Nie byle jaka świnka, tylko filiżankowa. Bardzo rzadka.

Jubilatka zerknęła na Stuarta i uśmiechnęła się.

– Mieszkasz w mieście, w którym ludzie noszą przy sobie prosiaczki wielkości elfów? – powiedziała. – A ja myślałam, że to moje życie jest dziwne.

– Nie elfów. Filiżanek – sprostowałam. – A skoro o tym mowa, to potrzebuję świątecznego kubeczka, dobrze, Christino? Możesz mi go odliczyć od wypłaty. – Skierowałam się do regału z kubkami, ale Tobin chwycił mnie za łokieć i przytrzymał.

– Ty jesteś Addie, która chodzi z Jebem Taylorem? – zapytał.

Poraziło mnie. Nie znał mojego imienia, ale wiedział, że chodziłam z Jebem?

– Hm… cóż… – Przełknęłam. – A dlaczego pytasz?

– Bo Jeb przekazał mi wiadomość dla ciebie. Kurde, kompletnie zawaliłem.

Serce łomotało mi w piersi.

– Przekazał wiadomość? Jaką?

Tobin zwrócił się do Angie.

– Ale ze mnie idiota. Dlaczego mi nie przypomniałaś?

Uśmiechnęła się sennie.

– Że jesteś idiotą? Dobra: Jesteś idiotą.

– Wspaniale, dzięki – powiedział. Angie zachichotała.

– Wiadomość? – zdołałam wydusić.

– Jasne! – zreflektował się. – Wiadomość jest taka, że coś go zatrzymało.

– Cheerleaderki – dodała Angie.

– Słucham?

– Cheerleaderki? – upewniła się Jubilatka, nieco histerycznie. Podeszli do mnie ze Stuartem. – O mój Boże, cheerleaderki!

– Jechały z nim w pociągu, tylko że ten pociąg utknął – wyjaśnił Tobin.

– Ja też byłam w tym pociągu! – zawołała Jubilatka. Stuart zaśmiał się tak, jak się człowiek śmieje, gdy ktoś, kogo kocha, zachowa się jak zupełny głupol. – Mówicie o Jebie? Dałam mu minipizzę z mikrofalówki!

– Co mu dałaś? – osłupiałam.

– Z powodu śnieżycy? – zainteresował się Charlie.

Odwróciłam się do niego oszołomiona.

– Dlaczego miałaby dawać Jebowi minipizzę z mikrofalówki z powodu śnieżycy?

– Rety, nie – zaprotestował. Zeskoczył z barowego stołka i pociągnął Brennę za sobą. Stanęli wraz z nami obok fioletowych foteli. – Chodzi mi o to, że pociąg utknął z powodu śnieżycy, upośladku.

Tobin drgnął na dźwięk słowa „upośladek" i popatrzył na Charliego, jakby ujrzał zjawę. Następnie potrząsnął głową i powiedział:

– No tak, właśnie. A potem cheerleaderki uprowadziły Jeba, bo miały swoje potrzeby.

Charlie zaśmiał się.

– No jasne!

– Nie tego typu potrzeby – sprostowała Angie.

– No – wypowiedziała się Brenna, dając Charliemu kuksańca pod żebra.

– A jakie potrzeby? – zapytałam oszołomiona. Gdzieś na marginesie świadomości zarejestrowałam trzask zamykanych drzwi do samochodu, a potem drugi i kątem oka dostrzegłam, że Tegan i Dorrie zmierzają w stronę kawiarni.

– Hm – mruknął Tobin. Znów miał to skierowane do wewnątrz spojrzenie, które już zaczynałam rozpoznawać, a które znaczyło, że nie należy się spodziewać odpowiedzi.

– Halo... coś więcej? – zapytałam, obierając inną strategię.

– Więcej czego? – zdziwił się Tobin.

– Czy Jeb powiedział coś więcej!

– A! – zrozumiał Tobin. – Tak! Tak, powiedział! – Zrobił zdecydowaną minę, lecz po kilku sekundach oklapł. – Cholercia – jęknął.

Angie zlitowała się nade mną. Przestała być uszczypliwa i zrobiła się miła.

– Powiedział, że przyjdzie – przekazała mi. – Podobno będziesz wiedziała, o co chodzi.

Moje serce stanęło, a radosny gwar w Starbucksie ucichł. Tak jakby ktoś wyłączył dźwięk zewnętrznego świata, albo może to, co działo się wewnątrz mnie, zagłuszało wszystko inne. Powiedział, że przyjdzie? Jeb przyjdzie?!

Do mojej świadomości dotarł brzęk dzwonka i w stanie oszołomienia pomyślałam absurdalnie, że za każdym razem, gdy dzwoni dzwonek, anioł dostaje skrzydła. A potem powiew zimnego powietrza przywrócił mnie do rzeczywistości i zrozumiałam, że to brzęknął dzwonek nad drzwiami.

– Addie, jesteś! – zawołała Dorrie, pędząc w moją stronę w jaskrawoczerwonej czapce.

Tegan u jej boku promieniała.

– I on tu jest! Widziałyśmy go na parkingu!

– To ja go zauważyłam – dodała Dorrie. – Wygląda, jakby przez tydzień błąkał się po pustyni, więc się przygotuj. Mówiąc zupełnie szczerze, jakoś kojarzy się z Sasquatchem. Ale...

Zamilkła, dostrzegłszy Stuarta i Jubilatkę.

– Stuart jest z dziewczyną – wyszeptała głosem zdolnym burzyć mury.

– Wiem! – odrzekłam równie donośnym szeptem. Uśmiechnęłam się do Stuarta i Jubilatki, których twarze przybrały odcień czapki Dorrie.

– Cześć, Dorrie – przywitał się Stuart. – Cześć, Tegan.

Objął Jubilatkę i poklepał ją po ramieniu, na poły nerwowo, a na poły po prostu serdecznie.

– Gabryś! – kwiknęła Tegan. Podbiegła do mnie i wyjęła prosiaczka z moich rąk, na całe szczęście, bo mięśnie ramion mi zwiotczały. Cała zwiotczałam, gdyż dzwonek nad drzwiami znów zabrzęczał.

I wszedł Jeb.

I wyglądał okropnie.

I poczułam, jak wzbiera we mnie płacz, a równocześnie śmiech, bo on naprawdę przypominał Sasquatcha, z potarganymi włosami, policzkami wysmaganymi wiatrem i cieniem zarostu na brodzie.

Spojrzenie jego ciemnych oczu przeskakiwało z jednej osoby na drugą, a potem spoczęło na mnie. Podszedł kilkoma długimi krokami i zmiażdżył mnie w swoich objęciach, a ja oddałam uścisk całą sobą. Wszystkie komórki mojego ciała śpiewały.

– O Boże, Addie, to były kompletnie wariackie dwa dni – wymruczał mi do ucha.

– Tak? – zapytałam, upajając się jego cudowną obecnością.

– Najpierw pociąg utknął w zaspie. Potem pojawiły się te cheerleaderki i wszyscy wylądowaliśmy w Waffle House, a one cały czas zmuszały mnie, żebym im pomagał w podrzutach…

– W podrzutach? – Odsunęłam się tak, by widzieć jego twarz, ale nadal go nie wypuszczałam.

– I absolutnie wszystkie zostawiły telefony w pociągu, żeby mogły się skupić na energii wewnętrznej, czy jakoś tak. Próbowałem zadzwonić z Waffle House, lecz kierownik oznajmił: „Niestety nie można. Sytuacja kryzysowa, koleś".

– Auć – jęknął Tobin, kuląc się.

– Widzisz do czego dochodzi, gdy chłopaki mają obsesję na punkcie cheerleaderek? – odezwała się Angie.

– Choć nie należy być uprzedzonym do wszystkich cheerleaderek – zaprotestowała Jubilatka. – Tylko tych, których imię rymuje się z „machloi". Prawda, Stuart?

Stuart wyglądał na rozbawionego.

Jubilatka pomachała do Jeba.

– Cześć!

– Julia? – zdziwił się Jeb. – Co ty tu robisz?

– Ona nie ma na imię Julia, tylko Jubilatka – wyszeptałam uczynnie.

– Jubilatka? – powtórzył Jeb. – Raju.

– Nie – odezwała się Christina i cała nasza ósemka odwróciła się, żeby na nią spojrzeć. – To ja tutaj mam prawo powiedzieć „raju" i właśnie to mówię, okay?

Nikt nie odpowiedział, więc w końcu zareagowałam:

– Okay. Ale bez przesady, to nie jest aż tak dziwaczne imię.

Christina wyglądała na urażoną.

– Addie – zwróciła się do mnie – masz mi natychmiast odpowiedzieć: czy przyniosłaś prosiaka do mojej kawiarni?

Oooch. No tak.

Prosiak w kawiarni... Czy da się z tego jakoś wykręcić?

– To przeuroczy prosiaczek – zapewniłam. – Czy to nie ma żadnego znaczenia?

Christina wskazała drzwi.

– Świnia musi wyjść. Natychmiast.

– Dobra, dobra – uspokoiłam ją. – Muszę tylko dać Tegan filiżankę.

– Myślisz, że Flobie wejdzie kiedyś w naczynia do picia? – Stuart na boku zapytał Jubilatkę.

– Przepraszam, o co chodzi? – zainteresowałam się.

Jubilatka, chichocząc, trąciła chłopaka łokciem i powiedziała:

– Nie zwracaj na niego uwagi.

Dorrie podeszła do mnie.

– Poradziłaś sobie, Addie – pochwaliła mnie. – Wątpiłam w ciebie, a nie powinnam... no, spisałaś się na medal.

– Dzięki – odrzekłam.

– Halo? – przerwała nam Christina. – Czy ktoś usłyszał, jak powiedziałam, że świnka ma sobie pójść?

– Komuś tutaj przydałoby się szkolenie z obsługi klienta – rzucił Tobin.

– Może Don-Keun mógłby pomóc? – zasugerowała Angie.

Christina patrzyła na nas gniewnie, więc Tegan ruszyła do drzwi.

– Już idę, idę!

– Czekaj! – zawołałam. Wypuściłam Jeba na chwilę, żeby zdjąć kubek w śnieżynki z półki i podać go przyjaciółce. – Dla Gabrysia.

– Jeśli pojawi się tu teraz manager regionu, to wylecę z pracy – oznajmiła bezradnie Christina. – Standardy Starbucksa nie obejmują świnek.

– Wskakuj, słodziaku – powiedziała Tegan, przechylając Gabriela tak, by go wsadzić do kubeczka. Przez chwilę przebierał raciczkami, ale potem chyba zrozumiał, że kubeczek jest akurat w sam raz dla niego i będzie całkiem przyjemnym lokum. Rozsiadł się wygodnie i chrumknął, a wszyscy zgodnie jęknęli z zachwytu. Nawet Christina.

– Super – odezwała się Dorrie. – A teraz chodź, zanim Christina się rozpuknie.

Uśmiechnęłam się do Jeba, który odpowiedział mi uśmiechem. Jego spojrzenie powędrowało na moje włosy. Uniósł brwi.

– Hej – powiedział – zmieniłaś fryzurę.

– A, tak – przypomniałam sobie. Miałam wrażenie, że to się działo całe wieki temu. Ta jasnowłosa płaczliwa dziewczyna, która przez całe święta użalała się nad sobą – czy to naprawdę byłam ja?

– Ładnie wyglądasz – dodał. Przesunął kosmyk włosów między kciukiem i palcem wskazującym. A potem wierzchem dłoni pogłaskał mnie po policzku.

– Addie, chcę cię – wyszeptał, a mnie zaczęła palić twarz. Naprawdę to powiedział? Że pragnie mnie, tutaj, w Starbucksie?

A potem zrozumiałam, o czym mówi. Odpowiadał na mój mail, na ten fragment, w którym napisałam: „Jeśli mnie chcesz, jestem Twoja".

Policzki nadal miałam ciepłe i cieszyłam się, że nikt z obecnych nie umie czytać w myślach, bo była to klasyczna egocentryczna nadinterpretacja. A nawet jeśli ktoś umiał – bo skąd miałabym to wiedzieć? – to nie żadna tragedia.

Wspięłam się na palce i zarzuciłam Jebowi ramiona na szyję.

– Zamierzam cię pocałować – ostrzegłam go, ponieważ wiedziałam, jak podchodzi do publicznego okazywania uczuć.

– Nie – zaprotestował łagodnie, ale zdecydowanie. – To ja zamierzam cię pocałować.

Jego usta dotknęły moich, a w głowie rozdzwonił mi się dzwonek, słodki, srebrzysty i czysty. Zapewne był to dzwonek znad drzwi, brzęczący, bo Dorrie i Tegan właśnie wychodziły. Ale byłam zbyt zajęta, żeby to sprawdzić.